Thérapie comportementale
et cognitive

Thérapie comportementale et cognitive

R. LADOUCEUR
Université Laval, Québec

O. FONTAINE
Université de Liège

J. COTTRAUX
Hôpital neurologique de Lyon

edisem inc.
2475 Sylva Clapin
St. Hyacinthe, Québec

MASSON ▊

Paris   Milan   Barcelone   Bonn
1993

© *Masson, Paris, 1992*
ISBN : 2-225-83943-3 (Masson)
ISBN : 2-89130-142-0 (edisem)

MASSON S.A.	120, bd Saint-Germain, 75280 Paris Cedex 06
MASSON S.p.A.	Via Statuto 2, 20121 Milano
MASSON S.A.	Avenida Principe de Asturias 20, 08102 Barcelona
DÜRR und KESSLER	Maarweg 30, 5342 Rheinbreitbach b. Bonn

Avec la collaboration de :

O. CHAMBON, CHS le Vinatier, 65900 Bron, France.

M.-R. DEBOT-SEVRIN, Centre Henri Wallon, Clos Hennekinne, Vaux-sous-Chèvrement, Belgique.

B. DARRAS, Centre Henri Wallon, Clos Hennekine, Vaux-sous-Chèvremont, Belgique.

A.-M. ETIENNE, Université de Liège, Faculté de psychologie, Belgique.

M. FONTAINE-DELMOTTE, Service de psychologie et psychopathologie de l'adulte, Faculté de psychologie, Université de Liège, Belgique.

E. HIRSH, Clinique universitaire de Bruxelles, Hôpital Erasme, Service de psychiatrie, Bruxelles, Belgique.

M. MARIE-CARDINE, CHS le Vinatier, 65900 Bron, France.

D. SALAH, Service de psychologie et de psychopathologie de l'adulte, Faculté de psychologie, Université de Liège, Belgique.

I. SALAMUN, Clinique de la douleur, Service d'anesthésiologie, CHU Liège Sart-Tilman, Belgique.

Y. SIMON, Clinique universitaire de Bruxelles, Hôpital Erasme, Service de psychiatrie, Bruxelles, Belgique.

G. TRUDEL, Département de psychologie, Université de Québec à Montréal, Montréal, Canada.

TABLE DES MATIÈRES

3

Troubles sexuels

4

Troubles pyschotiques

5

Troubles de l'alimentation

6

Troubles psycho-somatiques

Avant-propos

Les thérapies comportementales et cognitives ont connu un essor remarquable au cours des trente dernières années. Si plusieurs événements sont à l'origine de cette approche thérapeutique, tous s'entendent pour accorder au volume de Wolpe parut en 1958 sous le titre : *Psychotherapy by reciprocal inhibition*, le mérite d'avoir promu le développement exceptionnel de cette approche dont le but est d'aider les malades souffrant de problèmes psychologiques. Cette thérapeutique prend ses sources dans un ensemble de données scientifiques qui ont servi à élaborer et à valider ses interventions. La recherche expérimentale y est omniprésente et a contribué à accroître sa crédibilité et sa renommée.

Au cours des dernières années, nous avons observé que plusieurs praticiens d'approches théoriques différentes utilisaient des interventions comportementales et cognitives avec certains de leurs patients. Il suffit de mentionner ici le cas des phobies où le clinicien fera appel à une intervention basée sur l'exposition aux stimuli phobogènes. Aussi, de plus en plus de médecins généralistes font appel à cette forme d'intervention psychologique. Ces médecins sont souvent les premiers à être consultés pour des problèmes d'anxiété, de dépression, ou de difficultés de couple. Ils souhaiteraient intervenir directement et efficacement, mais ils ne possèdent habituellement pas d'outils appropriés et spécifiques. Ils opteront alors pour une intervention pharmacologique non par choix mais par manque d'information. A notre avis, ils pourraient intervenir plus efficacement s'ils avaient quelques connaissances en thérapies comportementales et cognitives. Ce volume présente plusieurs interventions efficaces pour régler plusieurs problèmes psychologiques courants qui motivent une consultation auprès des professionnels de la santé. Il s'adresse donc d'abord aux médecins généralistes, aux psychologues, psychiatres et travailleurs sociaux qui s'intéressent à la psychothérapie sans avoir une formation spécialisée en thérapie comportementale et cognitive. Nous avons conçu cet ouvrage à partir de l'observation suivante. Au cours de notre propre pratique, il nous est apparu que plusieurs patients que nous recevions dans nos cabinets ne nécessitaient pas les soins d'un spécialiste en thérapie comportementale et cognitive. Les professionnels de la santé qui nous les avaient adressés, auraient pu grandement aider les patients, voire même les soulager de leur problème avec un minimum de connaissances en thérapie comportementale et cognitive.

Ce volume présente les principales techniques à utiliser dans 31 problèmes psychologiques fréquemment rencontrés dans les cabinets de consultations. Chaque chapitre fournit au clinicien les moyens diagnostiques et les indications thérapeutiques à utiliser en première ligne. Ce sont les interventions les plus utilisées et les plus efficaces appliquées pour chacune des pathologies. Les chapitres se divisent en quatre sections. La première présente le tableau clinique habituel de la pathologie (épidémiologie, plaintes du patient, motifs de consultation, évolution de la maladie, contexte social, etc.). La deuxième décrit les critères diagnostiques et quelques instruments de mesure. Suit un exposé détaillé du traitement cognitivo-comportemental le plus approprié. Enfin, la dernière partie du chapitre informe le clinicien au sujet des principaux problèmes rencontrés dans le traitement de ces pathologies.

Nous ne saurions terminer cette introduction sans une mise en garde. L'analyse fonctionnelle ou le diagnostic comportemental est à notre avis la partie la plus importante de ces thérapies. Nous ne voulons pas ici laisser croire qu'il est possible d'escamoter cette partie cruciale. Nous croyons plutôt que dans les cas plus légers et dont l'apparition de la maladie est récente, une analyse fonctionnelle en profondeur ne s'avère pas toujours nécessaire. S'il le juge nécessaire, le lecteur pourra consulter le premier chapitre d'un ouvrage que nous avons déjà publié à ce sujet (Fontaine, Cottraux et Ladouceur, 1984). Les critères du DSM-III-R ont servi de base à l'identification des pathologies discutées dans le présent ouvrage. Nous nous référons donc à la traduction du *DSM-III-R : Critères diagnostiques* paru en 1989 aux éditions Masson.

Bref, ce volume s'adresse aux médecins généralistes, psychologues, psychiatres, travailleurs sociaux qui ont à cœur d'utiliser des moyens concrets et efficaces pour aider leurs patients sans pour autant être spécialistes en thérapies comportementales et cognitives. Si leurs efforts ne produisent pas les résultats escomptés, ils pourront adresser ces patients à des comportementalistes chevronnés. Nous sommes persuadés qu'avec l'aide de cet *Abrégé*, l'intervenant généraliste ou spécialisé dans une autre approche thérapeutique obtiendra des succès auprès de nombreux patients.

Nous tenons à exprimer notre reconnaissance aux personnes qui nous ont aidés à réaliser cet ouvrage en particulier, les docteurs Trudel, Chambon et Marie-Cardine. D'autres collaborateurs ont fourni le matériel de base sur lequel certains chapitres ont été rédigés à savoir Michèle Delmotte-Fontaine, Didier Salah, Bruno Darras, Marie-Rose Debot-Sevrin, Anne-Marie Etienne, Ester Hirsh, Yves Simon, et Irène Salamun.

1

TROUBLES ANXIEUX ET THYMIQUES

1

Phobie simple

J. COTTRAUX

Compte tenu de leur fréquence élevée dans la population générale les patients présentant une phobie simple, considérée souvent comme une peur banale ou normale, consultent très peu. Au cours de la vie, 12,5 % de la population générale présentera une phobie (tous types confondus). Soixante-sept pour cent des phobies apparaîtront chez des femmes. Les phobies les plus fréquentes sont les phobies simples (environ 7 %) suivies par l'agoraphobie avec attaques de panique (environ 4 %) et les phobies sociales (environ 2 %). Ces chiffres, portant sur plus de dix mille personnes, sont issus d'une étude épidémiologique effectuée aux USA (étude ECA, Myers, 1984). Il faut souligner que les patients peuvent présenter simultanément ou successivement plusieurs phobies. Les phobies simples les plus fréquentes sont les phobies d'insectes, de souris, de reptiles, de l'eau, des orages et des animaux qu'ils soient dangereux ou non, mais que le sujet redoute même s'il est hors d'atteinte. Cependant, n'importe quelle situation peut devenir phobogène et un catalogue qui se voulait exhaustif en a relevé plusieurs centaines.

TABLEAU CLINIQUE

Selon le DSM-III-R, les phobies simples correspondent à des *peurs irraisonnées*. Il n'y a pas de danger objectif qui justifie l'appréhension du phobique. Le sujet est conscient du caractère pathologique de son trouble. Il s'agit d'autres peurs que de peurs sociales ou d'agoraphobie avec ou sans attaques de panique.

Pâlir, suer, avoir le cœur accéléré, la respiration bloquée sont la traduction neurovégétative de la peur qui se manifeste lorsque le sujet approche de la situation redoutée ou tente d'y entrer. Les cognitions catastrophiques traduisent une anticipation pénible de la situation. Une représentation mentale de la situation redoutée, la vue de la situation à la télévision ou le mot même entendu par hasard («araignée», «serpent», «rats») peut entraîner des réponses émotionnelles objectivement mesurables. Le patient évitera les situations redoutées et organisera sa vie de façon à ne jamais rencontrer les stimuli qui déclenchent l'anxiété. C'est de la nature de la situation évitée que va découler la gravité clinique de la phobie. Il est sans doute facile d'éviter les serpents mais beaucoup moins les dentistes et pas du tout les oiseaux. Il est souvent possible au phobique d'affronter les situations avec une autre personne qui est investie du rôle de personnage contra-phobique : en général le mari, la femme ou même un enfant. Certains objets par exemple une canne, la présence d'un téléphone, un comprimé de tranquillisant emporté dans la poche mais non-consommé, peuvent servir de signal de sécurité.

Examinons rapidement quelques formes cliniques de ce problème spécifique. En général, les phobies simples, d'animaux ou du sang et des blessures sont souvent banales et bien supportées par les patients. Ceux-ci consultent lorsque l'évitement devient trop limitant : par exemple, une phobie des oiseaux, des chats ou des chiens qui empêche toute sortie de peur de rencontrer l'animal redouté. Les phobies du sang et des blessures ne sont gênantes que dans certaines professions : médecin, infirmières, policiers ou militaires. En général, ces professions sont évitées par ceux qui ne peuvent supporter la vue du sang sans défaillir. Mais, quelques personnes qui découvrent leur phobie lors de leurs premiers contacts professionnels demandent un traitement rapide. La phobie des hauteurs entraîne plus souvent des demandes de consultations, car elle empêche parfois la conduite automobile et les activités sportives comme le ski.

L'étiologie des phobies simples n'est pas univoque. Il est vraisemblable qu'un certain nombre sont acquises par conditionnement classique où un stimulus pénible est associé à la situation, à un moment de l'histoire du sujet où il se trouve particulièrement vulnérable. Le modèle le plus simple est une phobie de conduire consécutive à un accident anxiogène et douloureux. La transmission par des modèles parentaux anxieux et phobiques («attention aux serpents!») peut également expliquer l'apprentissage de réactions émotionnelles inadaptées. Les parents donnent alors un mauvais modèle de maîtrise de situations banales. L'évitement va perpétuer l'anxiété par conditionnement opérant dans la mesure où le sujet apprend à se soulager rapidement de l'anxiété par la fuite, plutôt que d'attendre qu'elle diminue au contact de la situation. Les facteurs génétiques semblent surtout clairs dans les phobies du sang et des blessures qui sont les seules phobies où le cœur se ralentit et la tension artérielle chute, ce qui entraîne dans certains cas une perte de connaissance. Ce type particulier de phobie correspondrait à une anomalie héritable du système nerveux végétatif.

ÉVALUATION, DIAGNOSTIC ET ANALYSE FONCTIONNELLE

L'instrument le plus utilisé actuellement est le questionnaire composite des peurs (Marks et Mathews traduit et validé par Cottraux, 1985). Il comprend deux parties : 1) une partie «descriptive» qui permet au sujet de décrire et d'évaluer la phobie principale qu'il veut traiter (partie 1, item 1 et 2) une partie «normative» qui représente des items fermés regroupés en trois parties à savoir, agoraphobie, phobie du sang et des blessures et phobie sociale (partie 1, items 2 à 17, annexe 1).

a) une échelle d'anxiété dépression permettant d'évaluer en particulier les états de panique, de dépression, la dépersonnalisation-déréalisation (partie 2); b) une échelle mesurant globalement la gêne consécutive au comportement phobique (partie 3).

Nous présentons en appendice cet instrument.

De plus, l'entrevue précisera les antécédents lointains qui ont précédé le déclenchement de la phobie et cherchera des épisodes évoquant le conditionnement classique ainsi que des expériences traumatiques conscientes tout en sachant que certaines peuvent avoir été oubliées. Le rôle de la famille et du partenaire dans le déclenchement et le maintien de la phobie sera ensuite évoqué. On précisera ensuite les facteurs déclenchants en établissant une liste des situations qui provoquent les réponses d'anxiété et d'évitement en demandant au sujet de les classer de 0 à 100 son degré d'anxiété. Puis les cognitions négatives vis-à-vis de situations évitées. L'existence de personnages ou d'objets contra-phobiques qui permettent d'affronter la situation sera recherchée. Enfin, l'on notera les anticipations anxieuses, pensées de catastrophes qui apparaissent chaque fois que le sujet est obligé ou simplement, envisage d'affronter la situation.

TRAITEMENT

Il se déroule en général sur une dizaine de séances quand il s'agit d'une phobie simple isolée. Les cas complexes qui associent agoraphobie, phobie sociale et dépression font le plus souvent passer la phobie simple au second plan des préoccupations thérapeutiques. L'on commencera par expliquer au patient le principe d'exposition prolongée et répétée aux situations anxiogènes réelles (exposition *in vivo*) qui est l'élément actif *le plus important* de toutes les techniques décrites pour traiter les phobies. Il vise à instaurer l'habituation des réponses émotionnelles et l'extinction des comportements d'évitement.

La désensibilisation systématique

C'est la première et la plus connue des méthodes comportementales pour traiter les patients phobiques. Un nombre impressionnant de travaux expérimentaux a confirmé son efficacité. Le sujet est d'abord relaxé et on lui présente des stimuli hiérarchisés de plus en plus intenses *via* son imagination. On commencera par l'apprentissage d'une méthode de relaxation (Schultz ou Jacobson). Les différentes phases d'approche de la situation anxiogène seront présentées progressivement sous relaxation après que le sujet les ait classées selon l'intensité de l'anxiété sur une échelle qui va de 0 à 100. Le thérapeute fait imaginer, en suggérant verbalement les scènes provocatrices d'anxiété et en partant du niveau d'anxiété le plus bas. L'anxiété est réduite par l'induction simultanée de relaxation. Quand une image est trop anxiogène, le patient le signale en levant le doigt et il est ramené sur une image moins anxiogène. La désensibilisation qui se déroule sur 5 à 10 séances est arrêtée quand l'anxiété vis-à-vis des représentations anxiogènes apparait tolérable. A la fin de chaque séance, le patient est invité à affronter dans la réalité les situations désensibilisées.

La désensibilisation in vivo

C'est une autre méthode qui s'est avérée tout aussi efficace que la précédente. Ici, le sujet relaxé affronte par étapes la situation redoutée *en réalité*.

L'exposition graduée in vivo

C'est la technique actuellement la plus utilisée : elle représente la voie finale commune de tous les traitements des phobies. Le sujet qui n'est pas relaxé affronte en réalité, par étapes progressives, la situation redoutée. Le thérapeute peut au début accompagner le sujet et le précéder dans la situation (modeling de participation) mais il doit rapidement le laisser s'autonomiser. Essentiellement, il s'agit de permettre au patient de s'exposer à la situation phobogène afin de s'y habituer, de se familiariser ou de l'apprivoiser.

Voici brièvement un exemple clinique de ce procédé utilisé avec succès. Madame AR a 34 ans. Elle vient pour une phobie qui l'empêche d'accepter des soins dentaires qui deviennent de plus en plus nécessaires. Elle présente chez le dentiste des réactions émotionnelles intenses : crises d'anxiété, refus de la roulette, blocage des mâchoires et gestes de protection. Elle fait remonter ses troubles à une série d'avulsions dentaires qu'elle a refusées après un premier contact pénible avec la roulette et qui ont du être effectuées sous anesthésie générale, il y a 5 ans. Cette phobie simple, sans réaction de bradycardie, ni lipothymie, n'est pas isolée. Elle présente, en outre, des troubles agoraphobiques modérés et limités à la peur de la foule, la peur de monter dans un ascenseur ou de prendre l'avion. Elle n'a pas présenté d'attaque de panique spontanée. La relaxation, les techniques sophrologiques et les tranquillisants se sont révélés impuissants à modifier son anxiété et ses évitements. Par ailleurs, elle a souffert d'un cancer du sein opéré et traité par radiothérapie qui est bien stabilisé. Son mari est suivi par le même thérapeute pour une crampe de l'écrivain qui s'est améliorée et il l'encourage à utiliser une méthode comportementale pour résoudre son problème d'anxiété.

La patiente n'envisage pas de traiter son agoraphobie, car elle considère que ses troubles sont mineurs, fluctuants et qu'elle peut elle-même les vaincre. Par contre, elle insiste pour un traitement de sa phobie du dentiste, car elle a un rendez-vous pour des soins absolument nécessaires dans un délai de cinq mois. L'analyse fonctionnelle, effectuée pour isoler les situations les plus angoissantes chez le dentiste selon une échelle décroissante de 100 à 0 révèle les scores suivants :

100 – Passage de la roulette
90   – Passage de l'aspirateur
90   – Passage du jet d'air
90   – Passage d'une détartreuse
70   – S'asseoir dans le fauteuil du dentiste
60   – Entendre passer la roulette sur un autre patient, à travers une porte
40   – Voir les instruments du dentiste
20   – Etre dans la salle d'attente du dentiste
10   – Etre à la veille d'une intervention dentaire

La patiente qui décrit des réactions de défense musculaire intenses, aussi bien qu'une accélération cardiaque lorsqu'elle doit affronter la situation est tout d'abord traitée par relaxation de Schultz, au cours d'une séance, puis pratique chaque jour durant dix minutes, un programme de relaxation enregistré sur une cassette. Elle aura 11 séances de thérapie avant la «date fatidique» où elle doit subir l'intervention. Les séances consistent en une relaxation brève (5 minutes) suivie de la présentation verbale par le thérapeute de scènes où elle doit en imaginer le son et les sensations physiques, en particulier les vibrations liées au passage de la roulette. On doit prolonger cette «exposition prolongée en imagination» durant vingt minutes, temps nécessaire pour passer d'une anxiété évaluée à 8 à une anxiété évaluée à 2. Elle répète chaque jour les séances chez elle. Progressivement est mis en place, avec l'accord du dentiste, un programme «d'exposition *in vivo*» où elle observe les instruments, s'assoit sur le fauteuil et écoute les bruits à travers une porte. Finalement, après trois mois de ce traitement, elle peut aborder la roulette et se faire soigner les dents sans anxiété. Par ailleurs, son agoraphobie diminue sans intervention particulière. Aussi, elle peut se rendre au Brésil en avion avec son mari pour adopter un enfant. Seule reste une peur modérée de prendre les ascenseurs, peur confirmée avec le questionnaire des peurs (annexe 1) et l'échelle phobie, panique, anxiété généralisée (cf. chapitre 4). Notons un point important : les résultats se maintiennent à un suivi d'un an.

Soulignons quelques mises en garde lors de l'utilisation de ce procédé thérapeutique. D'abord, l'exposition ne doit pas être imposée par le thérapeute et suivre un rythme trop rapide qui risque de décourager le patient. Il s'agit de contrats successifs passés entre patient et thérapeute à la fin de chaque séance. Les progrès seront renforcés par de l'approbation, car ils représentent un effort important de la part du patient.

Une phobie simple peut être reliée à une expérience traumatique qui est accessible immédiatement au cours de l'analyse fonctionnelle. On aura alors intérêt, après quelques séances qui confirment le rôle important de cet épisode, à faire revivre, avec l'accord du patient, cette scène initiale en imagination. On présentera verbalement la situation en imagination jusqu'à ce que l'anxiété atteigne un maximum pour s'éteindre progressivement (implosion). L'événement traumatique peut aussi réapparaître lors des séances d'exposition en imagination : il faudra, là aussi, avec l'accord du patient, travailler sur ce matériel traumatique en utilisant l'implosion (on lui demande de se représenter la situation traumatique à pleine intensité d'anxiété jusqu'à ce que celle-ci décroisse et que l'habituation s'installe).

Enfin, dans certains cas, les phobies simples sont liées à un système irrationnel de croyances concernant le danger. Il sera alors utile de modifier les informations erronées entretenues par le patient avant d'entreprendre le procédé d'exposition. Récemment, on a mis en évidence que dans les phobies du sang et des blessures, il est préférable d'apprendre au sujet à contracter ses muscles lorsqu'il est confronté à la situation qu'il redoute. En effet, cette tension musculaire va entraîner une augmentation de la tension artérielle, et de ce fait, prévenir la syncope vaso-vagale.

RÉSULTATS

Les phobies simples sont, dans leur immense majorité, faciles à traiter. Plus de 90 % des cas sont grandement améliorés ou complètement guéris par les méthodes d'exposition. La désensibilisation systématique, le modeling de participation et l'exposition *in vivo* ont fait la preuve de leur efficacité (pour une revue voir Cottraux, 1990). Il n'existe pas d'efficacité démontrée des tranquillisants et des antidépresseurs dans cette indication. Les thérapies cognitivo-comportementales représentent actuellement le seul traitement qui ait fait ses preuves dans le traitement de phobies simples. Il faut cependant souligner que la plupart des phobies simples ne consultent pas un thérapeute et que nous n'en voyons, en réalité, que les formes les plus invalidantes.

Bibliographie

COTTRAUX J., BOUVARD M., LÉGERON P. — *Méthodes et échelles d'évaluation des comportements*. Editions d'Application Psychotechniques, Issy les Moulineaux, 1985.
COTTRAUX J. — *Les thérapies comportementales et cognitives*. Masson, Paris, 1990.
MYERS J., WEISSMAN M., TISCHLER G., HOLZER C., LEAF P., ORAVSCHEL H., ANTHONY J., BAYD J., BURKE J., KRAMER M., STOLZMAN R. — Six-month prevalence of psychiatric disorders in three communities. *Arch. Gen. Psychiatry*, 41, 959-967, 1984.

NOM :   AGE :   SEXE :   DATE :

1° Veuillez choisir un chiffre dans l'échelle ci-dessous : il permet de chiffrer à quel point vous évitez par peur (ou du fait de sensations ou sentiments désagréables) chacune des situations énumérées ci-dessous. Ensuite, veuillez écrire le nombre choisi dans la case correspondant à chaque situation.

```
0    1    2    3    4    5    6    7    8
|____|____|____|____|____|____|____|____|
```

n'évite pas   évite   évite   évite   évite
pas   un peu   souvent   très souvent toujours

1. Principale phobie que vous voulez traiter (décrivez-la à votre façon, puis cotez-la de 0 à 8 ....

2. Injections et interventions chirurgicales minimes ....

3. Manger et boire avec les autres ....

4. Aller dans les hôpitaux ....

5. Faire seul(e) des trajets en bus ou en car ....

6. Se promener seul(e) dans des rues où il y a foule ......

7. Etre regardé(e) ou dévisagé(e) ....

8. Aller dans des magasins remplis de monde ....

9. Parler à des supérieurs hiérarchiques ou à toute personne exerçant une autorité ....

10. Voir du sang ....

11. Etre critiqué(e) ....

12. Partir seul(e) loin de chez vous ....

13. Penser que vous pouvez être blessé(e) ou malade ...

14. Parler ou agir en public ....

15. Les grands espaces vides ....

16. Aller chez le dentiste ....

17. Toute autre situation qui vous fait peur et que vous évitez (décrivez-la puis cotez-la de 0 à 8 ....

Ne pas remplir

AG   SA-B   SOC   TOTAL

ANNEXE 1. — *Questionnaire des peurs : auto-évaluation des phobies.*

2° Maintenant, veuillez choisir dans l'échelle ci-dessous un chiffre qui montrera à quel degré vous souffrez de chacun des problèmes énumérés ci-dessous, puis inscrivez ce chiffre dans la case correspondante :

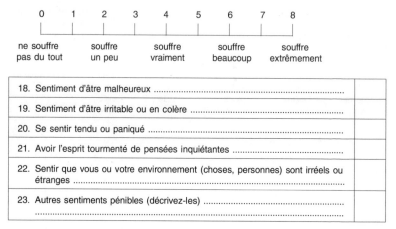

   0   1   2   3   4   5   6   7   8

ne souffre   souffre   souffre   souffre   souffre
pas du tout   un peu   vraiment   beaucoup   extrêmement

18. Sentiment d'âtre malheureux ....

19. Sentiment d'âtre irritable ou en colère ....

20. Se sentir tendu ou paniqué ....

21. Avoir l'esprit tourmenté de pensées inquiétantes ....

22. Sentir que vous ou votre environnement (choses, personnes) sont irréels ou étranges ....

23. Autres sentiments pénibles (décrivez-les) ....
....

                                       TOTAL

3° A combien évaluez-vous actuellement la gêne que représente dans votre vie votre comportement phobique ? Veuillez entourer un chiffre dans l'échelle ci-dessous et le reporter dans cette case :

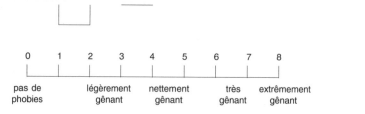

   0   1   2   3   4   5   6   7   8

pas de   légèrement   nettement   très   extrêmement
phobies   gênant   gênant   gênant   gênant

2

Phobie de l'avion

R. LADOUCEUR

Des auteurs américains affirment que «plus de 25 millions d'adultes aux États-Unis, parfaitement normaux et en bonne santé, ont peur de l'avion» (Cott et Kampel, 1973, p. 1). Et parmi les personnes qui empruntent malgré tout ce moyen de transport, plus de 20 % consommeraient de l'alcool ou des sédatifs pour diminuer leur anxiété. Bien que ces données n'aient pas été démontrées de manière rigoureuse, nous savons toutefois que cette crainte maladive, en plus de limiter les déplacements effectués à des fins récréatives, pourrait devenir, pour certains, une entrave sérieuse à leur réussite professionnelle ou sociale. La phobie de l'avion nuit grandement à l'individu qui en est affecté. En dépit du fait que les exigences de la vie moderne banalisent ce mode de transport, ce trouble a, jusqu'à aujourd'hui, reçu peu d'attention de la part des psychothérapeutes.

ÉVALUATION, DIAGNOSTIC ET ANALYSE FONCTIONNELLE

Selon le DSM-III-R, nous pouvons classer cette peur parmi les phobies simples dont les caractéristiques d'identification sont :
A. Peur d'un stimulus déterminé (avion).
B. L'exposition au stimulus phobogène provoque, de façon quasi systématique, une réaction anxieuse.
C. L'objet (prendre l'avion) est évité ou vécu avec une anxiété intense.
D. La peur ou les conduites d'évitement interfèrent, de façon significative, avec le fonctionnement social ou professionnel.
E. Le sujet reconnait la nature excessive ou irrationnelle de sa crainte.
Le clinicien devra d'abord s'assurer qu'il n'est pas en présence d'une personne souffrant d'un trouble panique. Afin de poser un diagnostic différentiel, il faut savoir avec exactitude ce que le patient appréhende lorsqu'il

envisage de prendre l'avion. Dans le cas d'une phobie de l'avion, l'individu affirmera que sa peur principale est que l'avion tombe et qu'il décède dans l'accident. D'autres individus diront que la *peur de perdre le contrôle* (physique ou mental) est à la source de leur problème. Ils sont effrayés surtout par la perspective de ne pas pouvoir sortir de l'avion pendant le vol. Une peur semblable se manifeste dans d'autres circonstances : par exemple, aller chez le dentiste, prendre le train, assister à un concert en occupant un siège au milieu de la rangée, participer sans anxiété à une longue réunion. Il s'agira plutôt d'un trouble panique (voir chapitre 4). Notre expérience clinique montre qu'au moins la moitié des patients qui consultent pour une peur exagérée de prendre l'avion souffrent plutôt du trouble panique. Il est très important de poser ce diagnostic différentiel, car si on tente de traiter une phobie de prendre l'avion alors qu'il s'agit d'un trouble panique, nous n'obtiendrons aucun gain thérapeutique.

Il importe aussi de nuancer les conduites d'évitement habituellement présentes dans les cas de phobie (voir les critères C et D du DSM-III-R). Ici, les gens n'éviteront pas systématiquement de prendre l'avion. Cependant, avant le vol, ils vont prendre une bonne quantité d'anxiolytiques ou d'alcool, ou une combinaison des deux. Aussi, l'individu ne reconnaîtra pas de façon aussi juste qu'il le devrait la nature excessive ou irrationnelle de sa crainte. Plusieurs patients se présentent avec des statistiques illustrant le bien-fondé de leur peur, comme des coupures de journaux faisant état d'un terrible accident d'avion. Ces biais dans l'attention du sujet devront être corrigés.

EXEMPLE CLINIQUE

Stéphane est âgé de 29 ans et travaille comme traducteur depuis cinq ans. Il a suivi une psychothérapie d'orientation analytique pendant six ans, principalement pour des problèmes phobiques. Selon lui, cette thérapie lui fut de peu de secours, mise à part la réduction de son niveau général d'anxiété. Cette thérapie a cessé un an avant le début du présent traitement. Sa peur de prendre l'avion demeurait entière et intacte. Bien qu'il n'ait pas besoin de prendre l'avion à des fins professionnelles, cette phobie réduisait de façon marquée ses destinations de vacances. En raison de son intérêt pour l'art et l'histoire, il avait toujours désiré passer quelque temps à visiter les principaux pays d'Europe, mais ne l'avait jamais fait à cause de son intense anxiété associée à l'avion. Il y a trois ans, il avait acheté à l'avance un billet d'avion pour Paris, pensant que de cette façon, il pourrait réduire son comportement d'évitement. Alors que le jour du départ approchait, il devint si anxieux, qu'il annula son voyage, en dépit du fait que cela impliquait la perte totale du prix de son billet. N'ayant jamais pris l'avion, sa peur n'a pas été acquise d'une expérience traumatique directe mais plutôt par différents modes d'apprentissage par observation (films, informations, lectures).

TRAITEMENT

La thérapie comportementale a apporté des contributions significatives dans les efforts déployés pour vaincre ce problème. Les techniques de désensibilisation systématique et d'exposition *in vivo* seule ou associée à la désensibilisation en imagination ont prouvé leur efficacité dans l'élimination des phobies du vol en avion. Des recherches sur les méthodes de réduction de l'anxiété ont démontré hors de tout doute que le traitement par exposition *in vivo* est la technique comportementale la plus rapide et la plus efficace pour traiter la phobie. Ce procédé visera à corriger les renseignements erronés concernant le vol en avion et à favoriser l'exposition progressive au stimulus phobogène.

Le facteur le plus important dans le traitement des troubles anxieux est l'exposition au stimulus phobogène afin de permettre un traitement émotionnel complet pendant l'exposition à l'information émotionnelle anxiogène. Pour modifier ou contrer les structures phobiques emmagasinées dans la mémoire de l'individu, il importe de les activer pendant l'exposition pour fournir des informations adéquates sur le stimulus anxiogène et sa signification, et sur le comportement de l'individu à son égard. Pour que la structure de cette mémoire émotionnelle change, ce réseau en entier doit être activé lors de l'exposition. Pour ce faire, il importe (1) de susciter la peur (physiologiquement et subjectivement) lors de l'exposition, (2) de la diminuer et (3) de la réduire d'une séance à l'autre.

Le traitement se divise en trois parties. La première consiste à fournir au patient les informations de base concernant le vol. Pour ce faire, nous ferons appel à un pilote professionnel, employé d'une école de pilotage. En sa compagnie, nous aborderons les notions suivantes : la façon dont un avion demeure dans les airs, le fonctionnement des différents instruments de navigation, la régie de la tour contrôle sur le trafic aérien, etc. La deuxième partie corrigera les croyances erronées au regard du vol, par exemple, le taux d'accidents, la sécurité. Souvent, à ce moment, le patient devient positif et a même hâte d'en savoir davantage sur le sujet. Le fait qu'un pilote lui transmette ces informations augmente leur crédibilité. La troisième partie est l'exposition *in vivo*. Accompagné du thérapeute, le patient se rendra à l'aéroport. Le fonctionnement de base des différentes assistances à la navigation lui est expliqué en détail. Le pilote démarrera l'avion et roulera au sol dans différentes pistes, en gardant le contact avec la tour de contrôle. Pendant ce temps, le patient entend la communication entre la tour de contrôle et les différents avions. Le jargon aéronautique utilisé est expliqué. Le patient réagit habituellement positivement à cette phase, devenant souvent prêt pour un court voyage. Cette épreuve est réalisée dans le but de procurer une expérience positive et de corriger les conceptions erronées concernant le vol. Pendant le voyage, le thérapeute vérifiera constamment le niveau d'anxiété du patient, lui demandera ce qu'il appréhende et corrigera immédiatement toute information ou croyance erronée. La tension est souvent remplacée par des sentiments de curiosité, de stupéfaction et de joie.

RÉSULTATS

Il est difficile de mettre en lumière l'efficacité de chaque composante de ce traitement. Plusieurs facteurs peuvent être évoqués. La crédibilité des informations transmises par le pilote a aidé à structurer une exposition *in vivo* aux stimuli anxiogènes. La présence du pilote et du thérapeute, pouvant informer le patient à tout moment sur ce qui se passe et corriger immédiatement toute croyance erronée, est importante : ces restructurations cognitives effectuées dans une approche progressive facilitent l'exposition. Finalement, la durée du traitement est à mentionner : elle nécessite en moyenne 5 à 7 séances de traitement, incluant les heures de vol. Nous avons utilisé ce procédé auprès de plus de quinze patients. Tous ont réussi à surmonter leur peur et à prendre l'avion lorsqu'ils en avaient besoin. Une étude rigoureuse sur le plan méthodologique devra confirmer ces résultats des plus positifs.

Bibliographie

Cott N., Kampel S. — *Flying without fear.* Henry Regnery, Chicago, 1973.

3

Phobie scolaire

R. LADOUCEUR

La difficulté ou l'incapacité de se rendre à l'école pour l'enfant ou l'adolescent est nommée phobie scolaire, anxiété de séparation ou refus scolaire. Si l'anxiété de séparation fait l'objet d'une catégorie spécifique dans le DSM-III-R, tel n'est pas le cas pour la phobie scolaire. Il faudra distinguer ces deux troubles, en se rappelant que le phobique scolaire comprendra souvent quelques caractéristiques diagnostiques reliées à l'anxiété de séparation.

Les phobies scolaires affectent 1 % des enfants qui commencent l'école et 5 % des enfants rencontrés dans les cabinets de consultation spécialisés dans les troubles psychologiques infantiles. Ce trouble risque d'apparaître à trois moments précis dans le cours de la fréquentation scolaire : (1) au début de la première année de l'école régulière, (2) lors du passage de l'école primaire à l'école secondaire et (3) à la fin de la période obligatoire de fréquentation de l'école.

TABLEAU CLINIQUE

La phobie scolaire se manifeste au début par la formulation de critiques et de commentaires négatifs à l'égard de l'école. L'enfant devient progressivement réticent à se rendre à l'école et par la suite, il refusera de quitter la maison. Des signes comportementaux d'anxiété apparaissent et, dans certains cas, évolueront jusqu'à la panique, si l'enfant est contraint de rester à l'école. L'anxiété se traduira aussi par des troubles neuro-végétatifs tels que des pertes d'appétit, des nausées, des vomissements, des maux de tête ou de ventre. Ces réactions anxieuses surviennent avant de quitter la maison ou une fois arrivé à l'école.

Trois explications peuvent rendre compte de ce trouble, à savoir (1) peur des situations scolaires, (2) peur de quitter la maison et particulièrement la mère (nommée anxiété de séparation, selon certains auteurs) et (3) début d'une dépression infantile. En général, l'enfant se perçoit différent des autres et inadéquat à rencontrer ou à composer avec les situations scolaires. La source de cette inadéquation peut relever de différents facteurs selon l'enfant. Il est important d'enrayer rapidement la phobie scolaire, sinon l'enfant risquera de développer des problèmes d'agoraphobie, des difficultés au travail et une phobie sociale (Burke et Silverman, 1987; Roge et Gonsalez, 1984).

ÉVALUATION, DIAGNOSTIC ET ANALYSE FONCTIONNELLE

Le DSM-III-R ne fournit pas de critères diagnostiques spécifiques aux phobies scolaires. Il faudra considérer ce problème comme une phobie simple et y appliquer les critères en fonction de l'école. Lors des entrevues, le thérapeute précisera le début et l'évolution du problème. Kearny et Silverman (1990) ont identifié quatre catégories de patients qui souffrent de ce trouble :

1. *Évitement et peur de situations spécifiques reliées à l'école.* L'enfant éprouve de l'anxiété à l'égard du professeur, des autobus scolaires, du gymnase, etc.

2. *Évitement des situations sociales.* L'enfant se sent inadéquat dans son groupe d'amis et pourra éventuellement être rejeté. D'autres appréhendent les situations sociales impliquant l'évaluation de leurs apprentissages, tel que parler devant la classe ou exécuter des exercices physiques (éducation physique) devant les autres. Certains ont peur des évaluations négatives de la part du professeur ou des pairs et surtout ne savent pas comment composer avec des remarques parfois blessantes.

3. *Recherche d'attention ou manifestation d'anxiété de séparation.* L'enfant fera des crises pour demeurer à la maison.

4. *Renforcements tangibles lorsqu'il demeure à la maison.* Il faudra identifier les gains secondaires produits par le refus de se rendre à l'école (ex. rester à la maison pour jouer toute la journée, pouvoir dormir plus longtemps, regarder la télévision, accompagner leur mère pour faire des courses, faire une balade en voiture, visiter un parent plutôt que de se rendre à l'école). Ces bénéfices peuvent agir comme agents de maintien dans l'évitement scolaire.

Une analyse fonctionnelle complète inclura les éléments suivants :
1. Identification des comportements inappropriés;
2. Précision des stimuli générateurs d'anxiété;
3. Identification des renforçateurs qui maintiennent l'enfant hors de l'école;
4. Modification des contingences de renforcement.

Afin de suivre la progression de l'état du patient, à l'issue de chaque rencontre, le thérapeute demandera au patient de coter sur une échelle en dix points le niveau d'anxiété ressenti en évoquant le retour normal à l'école. Ceci peut s'effectuer dès les premières rencontres afin d'obtenir un niveau de base. Une autre mesure consiste à compter le nombre de verbalisations négatives et positives que le patient émet spontanément à l'endroit de l'école. Cette évaluation débute également dès les premières rencontres et est réalisée par un des parents. Suivant la progression du traitement, les verbalisations négatives devraient diminuer considérablement au profit des verbalisations positives.

TRAITEMENT

L'intervention préconisera un retour rapide à l'école en raison de l'importance des problèmes qui découlent du refus de se rendre en classe. Deux axes privilégiés guideront l'articulation des moyens thérapeutiques, à savoir l'exposition aux stimuli phobogènes et le renforcement systématique de l'éloignement de la maison ou de la mère. On peut schématiser en quatre composantes l'essentiel de la thérapie :

1. Apprentissage par l'enfant d'une méthode de relaxation.
2. Désensibilisation systématique *in vivo* ou *in vitro*.
3. Retrait des renforçateurs associés à demeurer à la maison.
4. Renforcement progressif de l'enfant pour le temps passé à l'école.

Plusieurs thérapeutes enseignent d'abord une technique de relaxation de type Jacobson ou Schultz. La relaxation a pour objet de diminuer l'anxiété ressentie à l'égard des stimuli phobogènes et de dissiper les troubles neuro-végétatifs causés par cette tension. Il importe durant la période de relaxation (environ 15 à 30 minutes), de faire remarquer au patient les tensions corporelles et de le féliciter pour le niveau de détente atteint. Le patient est invité à pratiquer quotidiennement ces exercices à la maison.

La composante principale du traitement est la mise en œuvre d'une exposition systématique aux stimuli phobogènes soit par désensibilisation systématique qui se fait via l'imagination de l'enfant (voir chapitre 1), soit par exposition progressive dans le milieu naturel de l'enfant. Une hiérarchie de situations anxiogènes est alors construite, allant de l'événement le moins stressant vers celui qui suscite le plus d'anxiété. L'enfant imaginera chacune de ces étapes en tentant de demeurer calme et relaxé. Ceci vise à induire des réactions affectives positives. Pendant la représentation mentale d'un item de la hiérarchie, si l'enfant ressent de l'anxiété, il lèvera le doigt et le thérapeute reprendra ce même item jusqu'à ce que l'anxiété qui lui est associée soit dissipée. Lorsqu'un premier item ne suscite plus d'anxiété le procédé est répété avec le second item de la hiérarchie. Si on utilise l'exposition *in vivo*, la relaxation ne sera pas associée à la maîtrise de chaque situation affrontée progressivement. L'enfant est plutôt invité à retourner à l'école, franchissant à son rythme chaque étape anxiogène préalablement identifiée.

Souvent, le parent ou le thérapeute accompagnera l'enfant dans cette démarche. Le professeur est évidemment informé du processus thérapeutique en cours et sera encouragé à y participer. Lors des premières tentatives de réinsertion, un système de récompenses est établi. Chaque fois que l'enfant se rend volontairement à l'école, une étoile pourra être placée sur un tableau, faisant en sorte qu'une sortie spéciale soit effectuée pendant la fin de semaine. Cette procédure vise à rendre le milieu scolaire attrayant.

En même temps, les parents seront très attentifs à ne pas renforcer l'enfant lorsqu'il demeure à la maison. Le thérapeute identifiera avec les parents, habituellement la mère, ce que l'enfant fait lorsqu'il demeure à la maison. On précisera ce qui plaît à l'enfant et on retirera les activités qu'il cherche à répéter (par exemple, regarder la télévision, accompagner la mère à faire des courses, visiter un parent, etc.). Dans certains cas, sans s'en rendre compte, la mère renforce des comportements inadéquats de l'enfant en portant attention à ses doléances et en ne mettant pas en relief ou en ignorant ce que l'enfant aime à l'école.

Certains cas de phobie scolaire présentent un déficit au niveau des habiletés sociales. A l'aide de jeux de rôle, le thérapeute verra à améliorer ses interactions avec ses camarades de classe. L'enfant apprendra à réagir adéquatement aux critiques négatives du professeur, à répondre aux taquineries de ses camarades de classe, à refuser une demande qu'il juge excessive.

RÉSULTATS

Malgré la prévalence élevée de ce problème, il existe peu d'études bien contrôlées au plan méthodologique qui ont vérifié l'efficacité de ce procédé. Cependant, la littérature foisonne d'exemples cliniques montrant l'efficacité de cette démarche thérapeutique.

Bibliographie

BURKE A.E., SILVERMAN W.K. — The precriptive treatment of school refusal. *Clinical Psychology Review*, 7, 353-362, 1987.

ROGE B., GOSALVEZ C. — Les phobies scolaires. *In* O. FONTAINE, J. COTTRAUX, R. LADOUCEUR : *Cliniques de thérapie comportementale*. Mardaga, Liège, 1984, pp. 267-279.

MASH E.J., BARKLEY R.A. — *Treatment of childhood disorders*. Guilford Press, New York, 1989, pp. 167-195.

ROSS A.O. — *Child Behavior Therapy*. Wiley, New York, 1981, pp. 276-280.

4

Panique et agoraphobie

J. COTTRAUX

Les attaques de panique et l'agoraphobie touchent respectivement environ 1 % et 4 % de la population générale. Cette maladie chronique atteint surtout les femmes (80 %). On admet que les attaques de panique ou crises aiguës d'anxiété précèdent et créent l'agoraphobie. Une étude épidémiologique récente, qui demande confirmation, suggère que dans la population générale, 2/3 des agoraphobies débutent progressivement et sans attaque de panique. Cependant, les patients que nous voyons en consultation ou qui se présentent à l'urgence souffrent d'abord d'attaques de panique et secondairement, d'une agoraphobie plus ou moins marquée.

TABLEAU CLINIQUE

Barlow (1988) a proposé un modèle qui s'applique aux attaques de panique et à l'agoraphobie. Le «primum movens» est une vulnérabilité biologique qui serait activée par des événements de vie «stressants» : séparation, changement de statut civil, deuil, contact inopiné avec la mort. Suivra une réaction de stress diffus qui alors déclenchera une première attaque de panique «spontanée». Le patient aura l'impression qu'il va mourir ou devenir fou. Il va alors éviter de plus en plus de situations qui peuvent déclencher le retour de ces crises, sans possibilité d'être secouru. Ce sentiment d'impuissance vis-à-vis du retour de ces attaques de panique amènera le patient à développer un réseau relationnel de soutien pathologique et des stratégies d'adaptation personnelles inadéquates. Soulignons qu'environ 30 % des sujets tirés de la population générale présentent des attaques de panique peu fréquentes et seulement 4 % développeront des troubles paniques ou agoraphobiques chroniques. L'interprétation catastrophique entretenue par le sujet serait à l'origine des crises de panique initiales qui vont générer de nouvelles attaques de panique et ensuite l'agoraphobie.

ÉVALUATION, DIAGNOSTIC ET ANALYSE FONCTIONNELLE

Selon le DSM-III-R, le trouble panique consiste en crises aiguës d'anxiété où se mélangent des symptômes végétatifs, sensoriels et cognitifs. Le trouble panique peut se présenter sans agoraphobie, ou se compliquer d'agoraphobie légère, moyenne ou sévère. L'agoraphobe sans antécédent de trouble panique consulte rarement les cliniciens.

Trouble panique

1. Pour poser le diagnostic du trouble panique, le patient doit avoir présenté à un moment de sa vie, quatre crises d'anxiété en quatre semaines. Ou bien l'une au moins de ces crises d'anxiété aura été suivie durant un mois de la peur du retour d'une autre crise.

2. De plus, au moins quatre des 13 symptômes suivants se seront développés durant au moins une des attaques : (1) respiration coupée ou sensation d'étouffer, (2) vertiges, sensation d'instabilité ou lipothymies, (3) palpitations, tachycardie, (4) tremblement ou secousses, (5) sueurs, (6) étouffement, (7) nausées, malaise abdominal, (8) dépersonnalisation, déréalisation, (9) paresthésies, (10) sensation de froid ou chaud, (11) douleurs ou malaises thoraciques, (12) peur de mourir, (13) peur de devenir fou ou de perdre le contrôle de soi.

3. Dans quelques unes de ces attaques, quatre des treize symptômes se sont développés soudainement et ont augmenté en intensité dans les deux minutes qui ont suivi le début du premier symptôme.

4. La durée de la crise n'excède pas deux heures.

Agoraphobie

Elle se définit comme la peur d'être dans des lieux ou des situations dans lesquelles il est difficile et embarrassant de s'échapper et où une aide ne serait pas disponible en cas d'attaque de panique. Les lieux publics, cinémas, supermarchés, trajets en train, en voiture ou en avion sont les situations anxiogènes les plus fréquemment évoquées. Dans les cas les plus graves, le sujet a peur de rester seul à domicile et oblige une personne de son entourage à rester avec lui en permanence.

Les attaques de panique se compliquent souvent de dépression, de suicide, d'alcoolisme, de dépendance pharmacologique, de maladies coronariennes, de complications sociales et familiales (perte de travail, divorces, conflits conjugaux). Les attaques de panique entraînent donc à terme une dégradation importante de la qualité et de l'espérance de vie.

ANALYSE FONCTIONNELLE

Elle porte sur l'observation du comportement d'évitement agoraphobique qui sera établi en aidant le patient à établir une liste des situations qu'il évite en leur attribuant une note de 0 à 100 en fonction de l'anxiété ressentie dans la situation. Elle précisera où, quand, avec quelle fréquence, avec quelle intensité, en présence de qui se déclenche la réponse anxieuse. Elle précisera également les conséquences de l'anxiété sur les proches et l'environnement social : les bénéfices ou les résultats néfastes obtenus. L'entourage peut aider le sujet à devenir autonome mais il aura souvent le rôle d'objet contra-phobique qu'il assumera avec plus ou moins de patience. Le trouble peut être maintenu par ses effets sur l'entourage. Il sera aussi maintenu par des pensées qui le déclenchent ou l'accompagnent. Ces cognitions négatives seront mises à jour : elles ont trait en général à la peur de la mort, d'une maladie physique (infarctus du myocarde), à la peur de devenir fou, la peur de perdre le contrôle, ou bien la peur d'être ridicule en public. Les relations entre l'anxiété, les pensées, l'évitement et l'entourage social et physique seront précisées. L'auto-enregistrement des attaques de panique peut faciliter cette analyse fonctionnelle (annexe 2).

TRAITEMENT

Centrés sur l'évitement agoraphobique, les traitements cognitivo-comportementaux sont maintenant destinés à traiter l'ensemble du syndrome panique-agoraphobie. Les thérapies se déroulent en ambulatoire. Environ vingt séances sont nécessaires. Le thérapeute cherchera à créer un climat de confiance mais non de dépendance. Il expliquera d'abord le problème au patient, l'aidera à le comprendre pendant l'analyse fonctionnelle et proposera des techniques qui permettront de maîtriser les attaques de panique et de réduire l'anxiété agoraphobique, si nécessaire.

Modification des attaques de panique

☐ Information et hyperventilation

L'hyperventilation chronique et aiguë est l'une des manifestations cliniques de l'agoraphobie et des états de panique. La première étape est de donner des informations sur les relations entre hyperventilation, l'accélération cardiaque et les symptômes physiques et psychiques de l'anxiété de manière à dédramatiser le trouble. Il convient aussi de signaler que les attaques de panique sont un phénomène fréquent même chez les personnes qui ne présentent pas de problèmes psychologiques chroniques. Il est bon également de dire que des phénomènes proches de l'attaque de panique peuvent être reproduits chez beaucoup de sujets par une hyperventilation forcée. La démonstration se fait de la façon suivante. Le thérapeute fait lui-même l'hyperventilation durant deux minutes, bouche ouverte, pour montrer au patient comment cela se passe en précisant la similitude de l'hyperventilation avec les attaques de panique. Cela a pour premier effet de dédramatiser l'importance des symptômes. Il reprendra l'explication de l'induction des attaques de panique par l'hyperventilation pour permettre au patient de bien saisir le processus en cause. Suivra un apprentissage du ralentissement respiratoire en faisant descendre le sujet à 8 ou 10 cycles respiratoires par minute. La respiration peut être régulée au métronome ou rythmée par le thérapeute. Cette respiration doit être superficielle pour ne pas accentuer l'alcalose qui risque d'aggraver les troubles. Enfin, le patient fera lui-même l'hyperventilation volontaire durant deux minutes suivie d'un contrôle rapide par la remise en place du ralentissement respiratoire. Notons que l'hyperventilation est plus liée à la profondeur de la respiration qu'à l'accélération de sa fréquence. Il faut donc enseigner une respiration lente et superficielle, qui s'effectue par le nez (éviter les grandes inspirations par la bouche). Le thérapeute montre que les symptômes, artificiellement créés par l'hyperventilation, disparaissent après régulation respiratoire.

Techniques vagales

Les techniques vagales ont pour objet de diminuer l'accélération cardiaque. Elles seront ajoutées pour faire face à l'attaque de panique situationnelle dont elles représentent le moyen le plus rapide de réduction. La méthode la plus simple est de solliciter le réflexe baro-sinusien de Valsalva. On demande au patient de réaliser durant trois à cinq secondes une hyperpression abdominale en gonflant le ventre ce qui a pour effet de réduire rapidement la fréquence cardiaque, d'entraîner une sensation de chaleur et de ralentir le rythme respiratoire (6 secondes de blocage suivi d'une expiration). On répétera une dizaine de fois cette manœuvre au cours de la séance jusqu'à ce qu'elle soit parfaitement assimilée. Cette technique peut être facilement utilisée en combinaison avec l'exposition en imagination, pour faire décroître l'anxiété face aux images anxiogènes. Elle peut être combinée à l'exposition *in vivo* car son action est beaucoup plus rapide que celle d'une relaxation, en face d'une situation à haut potentiel anxiogène.

Thérapie cognitive

Les techniques cognitives visent à rendre le patient attentif aux pensées automatiques et à les remettre en question. Le patient apprendra à réattribuer les sensations physiques à l'anxiété et non à une maladie physique grave (infarctus) ou à un état psychiatrique grave (délire). Trois moyens seront utilisés pour mettre en relief les pensées automatiques (1) *Questions di-*

rectes : «Que pensez au moment où vous ressentez de fortes anxiétés? Quelle pensée est venue spontanément à votre esprit la dernière fois où vous avez ressenti une attaque de panique?». (2) *Imagination* : Faire imaginer au patient une situation anxiogène, les yeux fermés et lui demander la pensée qui lui vient à l'esprit au moment où il ressent une forte anxiété. Les épreuves d'hyperventilation peuvent aussi servir de moyen d'accès aux pensées automatiques. (3) *Fiche d'auto-enregistrement* : la fiche 3 colonnes (cf. chapitre 10, Dépression chez l'adulte) permet de faire le lien entre les émotions, les situations et les pensées qui les précèdent ou les accompagnent. Il faudra réaliser un exemple en séance avec le patient et lui demander ensuite chaque semaine d'enregistrer ses moments de plus fortes émotions. Le lien entre émotions, cognitions et comportements sont ainsi mis en évidence.

La modification des pensées mettra en question les interprétations et les anticipations catastrophiques du patient qui correspondent à des schémas de danger.

1) Quels sont les arguments pour et contre un tel sentiment?
2) Quelles sont les autres interprétations possibles de la situation?
3) Même si le pire arrive, il y a toujours un moyen d'y faire face.

Cette mise en question est prolongée en dehors de séances par l'intermédiaire d'une fiche quotidienne qui est rediscutée avec le thérapeute à chaque séance. Le thérapeute examinera un exemple avec le patient en cours de séance et réévaluera chaque semaine cette fiche.

Le thérapeute va d'abord mettre en question les pensées automatiques : un certain nombre de questions peuvent être utiles, il faut les adapter à chaque cas.

1) Quels sont les arguments en faveur de cette pensée?
2) Que penserait quelqu'un d'autre de la situation?
3) Est-ce que vos jugements sont fondés sur ce que vous avez ressenti ou sur ce que vous avez fait?
4) Avez vous des buts trop élevés et irréalistes?
5) Oubliez-vous certains faits importants pour vous concentrer sur des faits mineurs?
6) Ne pensez-vous pas en termes de tout ou rien?
7) Ne vous attribuez-vous pas trop de responsabilités?
8) Si le pire arrivait serait-ce un tel désastre?
9) Comment seront les choses dans un an?
10) Ne surestimez-vous pas la probabilité de ce que vous redoutez?
11) Ne sous estimez-vous pas vos capacités à faire face à la situation?

Les pensées automatiques se regroupent en postulats ou règles générales qui régulent le comportement et qui ont pour objet d'éviter ou de maîtriser des dangers imaginaires. Après cinq à dix séances, il est possible de comprendre et de modifier les postulats, en discutant les arguments pour et contre ainsi que leur utilité à long terme et à court terme. La modification des cognitions (pensées automatiques et postulats) s'accompagnera d'exposition *in vivo* : les pensées dysfonctionnelles ont souvent pour résultat d'empêcher l'exposition, ce qui maintient les postulats et les pensées automatiques.

Une fois les pensées dysfonctionnelles discutées et ébranlées, il faut proposer des expériences concrètes d'exposition en imagination et *in vivo* pour les modifier. On présente une scène anxiogène. Par exemple «vous êtes dans un cinéma en milieu de rangée et vous commencez à ressentir de l'anxiété». Il importe de présenter à la fois les stimuli (cinéma) et les réponses (anxiété) : il s'agit d'une exposition interoceptive, c'est-à-dire une exposition aux sensations physiques d'anxiété et aux idées que le patient refuse et contre lesquelles il se bat. Il faut lui conseiller alors de pas refuser l'anxiété mais de l'accueillir pour qu'il s'y habitue et la maîtrise. A la limite, le patient aura à se représenter des images de mort, de folie, ou des sensations physiques jusqu'à ce que leur impact émotionnel s'émousse. On prolonge l'exposition aussi longtemps que le patient n'est pas redescendu à 50% de l'anxiété initiale suscitée par l'image. L'exposition prolongée et graduée *in vivo* est la voie finale commune de toutes les techniques. On incitera le patient à affronter graduellement les situations qu'il évite (exposition *in vivo*) pendant une durée d'au moins une heure à chaque fois, au moins quatre fois par semaine. Les progrès et les difficultés sont rediscutés à chaque séance. Une fiche est remise au patient à chaque séance pour évaluer les résultats des tâches et en rediscuter.

Parmi les difficultés les plus courantes que l'on rencontre, mentionnons qu'il est parfois utile d'inclure le personnage-clé que le patient utilise comme objet contra-phobique pour lui expliquer les principes de l'exposition graduée. Il s'agit en général du mari de l'agoraphobe qui s'est laissé complaisamment prendre dans le rôle du personnage tutélaire : ainsi le mari d'une de nos patientes qui avait été choisi en partie parce qu'il était chauffeur de taxi. Il convient également de prévenir le sujet et son entourage des conséquences relationnelles de la modification du comportement phobique.

En cas d'absence d'effet sur les paniques d'un traitement cognitivo-comportemental de dix semaines, l'association d'un antidépresseur sera nécessaire. Celui-ci sera très progressivement arrêté, sur un mois, lorsque le résultat souhaité sera atteint. En cas de dépression franche survenant au cours de l'évolution ou si le sujet est trop déprimé pour suivre le programme de tâches autogérées, l'association d'antidépresseurs et de thérapie comportementale s'impose. Aussi, beaucoup de patients sont sous benzodiazépines et ne veulent pas les arrêter même si leurs effets sont peu probants. Pour éviter les effets de rebond et les syndromes de sevrage il convient de les arrêter très progressivement (sur un mois) dés que la thérapie s'avère efficace.

RÉSULTATS

Des résultats favorables ont été obtenus dans environ 70% des cas. Les méthodes d'exposition *in vivo* sont surtout efficaces sur l'agoraphobie. Il existe actuellement de bons arguments dans de nombreuses études contrôlées en faveur des techniques respiratoires et cognitives dans les attaques de panique. La chimiothérapie antidépressive ou anxiolytique n'améliore que les paniques et son arrêt est en général suivi de rechutes et/ou de rebonds symptomatiques dans plus de 80 % des cas.

Bibliographie

BARLOW D. — *Anxiety and its disorder. The nature and treatment of anxiety and panic.* Guilford Press, New York, 1988.

COTTRAUX J., MOLLARD E., BOUVARD M., GUÉRIN J. — Facteurs prédictifs des résultats de la thérapie cognitivo-comportementale dans le trouble panique avec agoraphobie. *Journal de thérapie comportementale et cognitive*, 1991, 1, 4-8.

COTTRAUX J. — *Les thérapies comportementales et cognitives.* Masson, Paris, 1990.

O'SULLIVAN G., MARKS I. — Long term follow-up of agoraphobia, panic, and obsessive-compulsive disorders. *In* NOYES R. *et al.* (Eds) *Handbook of anxiety*, vol. 4. Elsevier, Amsterdam, 1990.

NOM :   PRENOM :

Date :   Heure :   Durée (minutes) :

En présence de :   conjoint :   autre personne :   seul :

Situation stressante   OUI   NON

Attaque prévisible   OUI   NON

Anxiété maximum (entourez)   0   1   2   3   4   5   6   7   8
                               nulle   Moyenne   Extrême

Sensations (cochez) :

Tachycardie	Irréalité
Serrement poitrine	Picotements
Souffle coupé	Bouffée chaud ou froid
Ebriété	Peur de mourir
Tremblements	Peur de devenir fou
Transpiration	Peur de perdre contrôle
Etouffements	Autres
Nausées	

ANNEXE 2. — *Auto-enregistrement des attaques de panique.*

5

Anxiété généralisée

R. LADOUCEUR

Le trouble d'anxiété généralisée (TAG) n'a été officiellement reconnu qu'en 1980 avec la publication de la troisième édition du DSM (American Psychiatric Association, 1980). Mais, depuis longtemps, on faisait référence à ce trouble sous l'étiquette d'anxiété chronique ou d'anxiété flottante. Un pourcentage important de patients qui se rendent au cabinet de leur médecin généraliste se plaignent d'être anxieux. Notre société dépense des milliards chaque année pour enrayer ce problème. L'anxiété entraîne dans son sillage une consommation élevée de médicaments, particulièrement de tranquillisants mineurs. Plusieurs chercheurs et cliniciens conceptualisent ce trouble comme le trouble anxieux «de base». Malgré cette reconnaissance par les cliniciens, le TAG demeure le trouble anxieux le moins étudié.

La prévalence et l'incidence du TAG sont difficiles à préciser étant donné les dimensions souvent subjectives et arbitraires entre l'anxiété normale et l'anxiété clinique. Certains auteurs ont évalué la prévalence à 6 mois à 9 %. Des chiffres provenant d'une étude du NIMH situent sa prévalence à 4 %. Le TAG serait donc plus fréquent que le trouble panique et que le trouble obsessif-compulsif. Cependant, seulement 10 % des patients souffrant de ce trouble se rendent à une clinique spécialisée dans le traitement des troubles anxieux pour résoudre ce problème. Cet écart entre la prévalence et la fréquence de consultation s'expliquerait par le fait que ce trouble serait moins handicapant que les autres troubles anxieux pour l'individu qui en souffre. Aussi, plusieurs de ces patients entretiendraient l'idée que l'anxiété est une dimension normale ne pouvant être modifiée par l'intervention d'un spécialiste.

TABLEAU CLINIQUE

La caractéristique principale du TAG est l'inquiétude (*worry*, voir Borkovec et Inz, 1990). Selon cette perspective, le patient anxieux a peu de contrôle sur ses intrusions cognitives et l'inquiétude devient un moyen qu'il perçoit comme efficace pour prévenir et éliminer le danger. Il aura l'illusion de contrôler son environnement. Les inquiétudes gravitent habituellement autour des thèmes suivants : argent, travail, maladie, organisation familiale, voire vers des activités banales telles que la peur de manquer un bus ou d'être en retard à un rendez-vous. Des travaux menés par l'équipe de Borkovec indiquent que 91 % des patients souffrant d'anxiété généralisée ont des inquiétudes excessives au sujet d'événements mineurs ou anodins. Selon eux, ce sont les aspects incontrôlables et excessifs de leurs inquiétudes qui les font le plus souffrir.

Le TAG apparaît souvent au milieu de l'adolescence ou au début de l'âge adulte. Contrairement au trouble panique, son apparition est graduelle. Il s'écoulera de nombreuses années avant que le patient consulte. L'âge moyen de la première consultation est de 39 ans. On compte autant d'hommes que de femmes qui présentent ce trouble. La caractéristique cognitive de l'anxiété occupe ici une place prédominante. Il est important d'examiner avec le patient le bien fondé de ses inquiétudes. Si l'on mentionne l'aspect injustifié de l'inquiétude dans le DSM-III-R comme caractéristique importante de ce trouble, ce serait plutôt sa dimension *excessive* qui devrait retenir l'attention du clinicien. En effet, plusieurs seront induits en erreur face à une certaine part de réalisme des inquiétudes du patient. Ce sera plutôt la démesure du souci qui devrait être mis en relief. Au niveau théorique, l'activation du mécanisme d'inquiétude mobiliserait toutes les énergies de l'individu et empêcherait qu'il soit complètement exposé aux stimuli anxiogènes. Le patient rapportera que ses inquiétudes sont incontrôlables, qu'il ne peut cesser d'y penser. Cela peut parfois se présenter à première vue comme une rumination obsédante (voir chapitre 8). Mais, l'inquiétude se distinguera de cette dernière par son caractère égosyntone, changeant et quelque peu réaliste, du moins, dans la perspective du patient.

ÉVALUATION, DIAGNOSTIC ET ANALYSE FONCTIONNELLE

Le TAG, autrefois considéré comme un trouble anxieux résiduel, est aujourd'hui identifié avec précision dans la nouvelle édition du DSM-III-R. Il se définit comme une anxiété ou des inquiétudes injustifiées ou excessives à propos de deux ou plusieurs situations ou événements pendant six mois ou plus, avec présence d'inquiétudes pendant plus d'une journée sur deux. Chez les enfants et les adolescents, le trouble peut se traduire par une anxiété et des soucis reliés aux performances scolaires, sportives et sociales. La présence dans le tableau clinique d'un ou de plusieurs autres troubles psychologiques n'exclut pas le TAG, à la condition que les inquiétudes vécues par le client n'y soient pas reliées. Par exemple, l'anxiété ne doit pas être causée par la peur d'être embarrassé en public (phobie sociale) ou un gain de poids (anorexie). Enfin, l'anxiété s'accompagnera de manifestations somatiques que l'on divisera en trois groupes : la tension motrice, les troubles neurovégétatifs et la vigilance excessive. Au moins six des dix-huit manifestations qui suivent sont souvent présentes lorsque le patient est anxieux.

Tension motrice
(1) Tremblements, tressautements ou impressions de secousses.
(2) Tension, douleurs ou endolorissement musculaire.
(3) Fébrilité.
(4) Fatigabilité.

Hyperactivité neurovégétative
(5) «Souffle coupé» ou sensations d'étouffement.
(6) Palpitations ou accélération du rythme cardiaque (tachycardie).
(7) Transpiration ou mains froides et moites.
(8) Sécheresse de la bouche.
(9) Etourdissements ou lipothymies.
(10) Nausées, diarrhée ou autre gêne abdominale.
(11) Bouffées de chaleur ou frissons.
(12) Pollakiurie.
(13) Difficultés de déglutition ou «boule dans la gorge».

Exploration hypervigilante de l'environnement
(14) Sensation d'être survolté ou à bout.
(15) Réaction de sursaut exagéré.
(16) Difficultés de concentration ou trous de mémoire en rapport avec l'anxiété.
(17) Difficultés d'endormissement ou sommeil interrompu.
(18) Irritabilité.

Pour faciliter la tâche du clinicien, nous reproduisons en annexe 3 le questionnaire d'inquiétude du Penn State, développé par Borkovec et traduit et adapté par Ladouceur *et al.* (1992). Ce questionnaire identifie les ruminations et les intrusions cognitives fréquemment rapportées par l'individu. Bien sûr, il existe d'autres instruments pour diagnostiquer le TAG; cependant, à l'aide du DSM-III-R, du test d'inquiétude et d'un inventaire d'anxiété nous arrivons à formuler un diagnostic relativement précis. Mentionnons un dernier point important. Peu de patients présenteront *seulement* un trouble d'anxiété généralisée. Barlow, un des plus éminents spécialistes de la question, affirmait récemment que 90 % des patients qui présentent ce trouble souffrent aussi de façon secondaire d'un autre trouble comme des attaques de panique, une phobie sociale. Etant donné qu'il existe peu de TAG à l'état pur, cela expliquerait sa difficulté d'identification.

TRAITEMENT

Les thérapies cognitives et comportementales ont développé des techniques efficaces pour traiter l'anxiété phobique. Ces méthodes sont basées sur l'exposition fonctionnelle aux stimuli anxiogènes extérieurs à l'individu (voir chapitres 1 et 2). Ici, l'anxiété n'est pas de nature phobique et ses stimuli déclencheurs sont souvent d'origine interne (inquiétudes). Le traitement comprendra trois éléments de base, à savoir, la relaxation, l'exposition aux stimuli internes d'inquiétudes et la restructuration cognitive et comprendra environ 15 séances.

Relaxation

La première partie a pour objet d'enseigner une méthode de relaxation qui sera appliquée aux situations qui créent de l'anxiété chez le patient. Nous utilisons la relaxation contrôlée par indice (*cue controlled relaxation*). Pendant l'apprentissage de la relaxation, le patient associe un indice, par exemple une profonde respiration, à son état de calme. Il développera la capacité à se relaxer en prenant une respiration profonde et appliquera ce moyen dans sa vie quotidienne dès qu'il commencera à devenir anxieux. Cela fera avorter rapidement toute escalade d'anxiété.

Contrôle des inquiétudes et exposition cognitive

Etant donné que l'inquiétude se traduit par une appréhension constante d'une conséquence grave que le patient souhaite ne pas voir apparaître, l'essentiel ici sera d'amener le patient à s'exposer aux situations qui l'inquiètent, tout en identifiant les conséquences qu'il appréhende. Nous chercherons d'abord à élaborer le scénario à partir de la chaîne d'images anxiogènes qu'il entretient. Nous enregistrerons ces scénarios et les présenterons au patient via l'imagination. Le patient imaginera ici les conséquences ultimes de ses préoccupations afin de favoriser l'extinction et d'en évaluer la probabilité. Par exemple, l'individu qui a constamment peur de perdre son emploi sera amené à identifier la chaîne de ses inquiétudes. Pour lui, s'il perd son emploi, il ne pourra jamais en trouver un autre, éprouvera des difficultés financières insurmontables, ne pourra plus subvenir aux besoins de sa famille, son épouse le quittera, il se retrouvera seul dans un appartement minable sans ami ni famille. Ces informations seront mises en évidence à l'aide du questionnement par la technique de la flèche descendante (voir chapitre 10). Essentiellement, le thérapeute demandera au patient de rapporter les conséquences qu'il appréhende à chacune des étapes énumérées et de poursuivre l'identification de la chaîne en demandant ce qui arrivera ensuite. Le patient sera alors invité à imaginer la situation qu'il appréhende et à évaluer la probabilité d'une telle conséquence. Ce sera probablement la première fois que le patient identifiera les conséquences de ses appréhensions et reconnaîtra la faible probabilité de ses appréhensions. On fera imaginer au patient ces images pendant 20 à 30 minutes pendant la séance et on l'invitera à faire de même à la maison.

Vérification et évitement

Sans y prêter attention, le patient aura développé une série de vérifications pour réduire son anxiété. L'individu qui se tracasse outre mesure lorsque son enfant prend la route le soir, téléphonera au service policier pour s'informer s'il n'y a pas eu d'accident dans le secteur géographique où se rendait son fils. Celui qui se tracasse au sujet de la perte de son emploi, s'informera de façon excessive auprès de son patron ou de ses collègues pour vérifier si son travail est bien fait et s'il correspond à leurs attentes. L'époux qui se préoccupe trop de la santé de sa conjointe, téléphonera plusieurs fois par jour pour s'assurer qu'elle se porte toujours bien. Afin de ne plus renforcer ces comportements inappropriés, le thérapeute identifiera ces comportements et demandera au patient de s'abstenir de vérifier. Cette prescription est semblable à la prévention des rituels compulsifs dans le traitement des obsessions-compulsions (voir chapitre 8).

D'autres patients maintiendront leurs soucis ou leurs inquiétudes en évitant certains comportements ou situations. Par exemple, l'individu qui se tracasse au sujet de la santé de ses proches, évitera de lire les pages nécrologiques du journal. Le patient qui a peur de perdre son emploi évitera de se porter volontaire pour des tâches qu'il considère difficile ou à risque. Dans ces cas, nous demanderons au patient de ne plus les fuir et de les rechercher.

Voici brièvement une façon d'ébranler les convictions erronées du patient. (a) D'abord, nous demandons au patient de démontrer hors de tout doute que sa conception est juste. Il devra nous fournir des *preuves concrètes et évidentes* qu'il a raison de penser comme il le fait. Nous lui demanderons, par exemple, «Démontrez-moi que vous ne pouvez pas vous permettre une erreur», «Démontrez-moi que vous avez réellement des soucis financiers importants». (b) Pendant ce questionnement, le thérapeute introduira graduellement une perception réaliste et non anxiogène de sa situation, éléments qui seront évidemment contraires à sa conception. Le thérapeute ébranlera les perceptions du patient en se faisant l'avocat du diable. Souvent, le patient prendra un malin plaisir à apporter des preuves contraires et réalisera le bien fondé d'une perception réaliste. (c) Il s'avère souvent utile de questionner la probabilité de la conséquence appréhendée. En poursuivant cette démarche, le patient devient pendant un certain temps un observateur objectif et externe à sa propre réalité. En faisant référence au passé et en se projetant dans le futur, il réalisera qu'il ne possède pas de preuves pour entretenir une telle conception. Une de nos patientes, infirmière de métier, était préoccupée par la peur de commettre une erreur professionnelle. Pendant un entretien, elle rapporte la peur d'avoir oublié un échange d'horaire qu'elle aurait fait avec une collègue. Le questionnement à l'aide de la technique de la flèche descendante met en relief les conséquences ultimes de son erreur potentielle (ne pas se présenter au travail), soit la perte de sa sécurité d'emploi. Elle évalue a 1 ou 2 % la probabilité de faire une telle erreur. Alors qu'elle effectue de tels changements d'horaire environ 5 à 6 fois par année, cela risque donc d'arriver 1 fois en 20 ans de travail! Vu sous cet angle, elle réalise l'aspect excessif de son inquiétude. (d) Le patient prend conscience du non fondé de ses conceptions et de l'inadéquation de ses interprétations. On lui demandera de remettre en question le bien fondé de sa pensée dès qu'elle survient et de la remplacer par une perception réaliste. Cette formulation de pensées alternatives remplacera graduellement les pensées automatiques négatives. Ce procédé s'étendra évidemment à l'extérieur du cabinet de consultation. Vu que le patient n'est pas conscient de ses pensées erronées, il notera sur une feuille d'auto-notation les éléments discutés pendant la séance, à savoir : description de la situation, pensées spontanées, anxiété, stratégies utilisées, pensées alternatives.

RÉSULTATS

Des recherches récentes démontrent l'efficacité de cette intervention pour aider les patients souffrant du TAG. Cependant, les ingrédients actifs de cette méthode ne sont pas encore connus. L'expérience clinique nous enseigne qu'une partie cruciale de cette intervention consiste à bien identifier les sources *spécifiques* d'inquiétude ou de souci des patients, à prendre conscience de leurs conceptions ou pensées erronées et à les remplacer par une perception adéquate et réaliste.

Bibliographie

BORKOVEC T., INZ J. — The nature of worry in generalized anxiety disorders : A predominance of thought activity. *Behav. Res. Therapy, 28,* 153-158, 1990.
BARLOW D., CRASKEE M. — Generalised anxiety disorder. *Communication présentée au Congrès de l'Association for the Advancement of Behavior Therapy,* New York, 1991.
LADOUCEUR R., FREESTON M.-H., DUMONT J., LETARTE H., RHÉAUME J., THIBODEAU N., GAGNON F. — Penn State worry questionnaire : Validity and reliability of a french translation. *Communication présentée au Congrès annuel de la Société canadienne de psychologie,* Québec, Canada, 1992.

Veuillez utiliser l'échelle ci-dessous pour exprimer jusqu'à quel point chacun des énoncés suivants correspond à vous (écrivez le numéro vous représentant, à l'avant de chacun des énoncés).

1	2	3	4	5
pas du tout correspondant	un peu correspondant	assez correspondant	très correspondant	extrêmement correspondant

_____ 1. Si je n'ai pas assez de temps pour tout faire, je ne m'inquiète pas.

_____ 2. Mes inquiétudes me submergent.

_____ 3. Je n'ai pas tendance à m'inquiéter à propos des choses.

_____ 4. Plusieurs situations m'amènent à m'inquiéter.

_____ 5. Je sais que je ne devrais pas m'inquiéter mais je n'y peux rien.

_____ 6. Quand je suis sous pression, je m'inquiète beaucoup.

_____ 7. Je m'inquiète continuellement à propos de tout.

_____ 8. Il m'est facile de me débarrasser de pensées inquiétantes.

_____ 9. Aussitôt que j'ai fini une tâche, je commence immédiatement à m'inquiéter au sujet de toutes les autres choses que j'ai encore à faire.

_____ 10. Je ne m'inquiète jamais.

_____ 11. Quand je n'ai plus rien à faire au sujet d'un tracas, je ne m'en inquiète plus.

_____ 12. J'ai été inquiet tout au long de ma vie.

_____ 13. Je remarque que je m'inquiète pour certains sujets.

_____ 14. Quand je commence à m'inquiéter, je ne peux pas m'arrêter.

_____ 15. Je m'inquiète tout le temps.

_____ 16. Je m'inquiète au sujet de mes projets jusqu'à ce qu'ils soient complétés.

ANNEXE 3. — *Questionnaire sur les inquiétudes de Penn State.*

6

Phobie sociale

M. FONTAINE-DELMOTTE, O. FONTAINE

La relation humaine, sous tous ses aspects, est loin d'être simple. Tantôt, il faut pouvoir faire passer un message désagréable sans créer d'hostilité chez le récepteur, tantôt, il faut pouvoir s'affirmer sans paraître agressif, tantôt, il faut être capable de dire non à quelqu'un qu'on apprécie, tantôt, il s'agira de complimenter quelqu'un sans le mettre mal à l'aise. Ces diverses communications de la vie de tous les jours selon leur qualité, auront des conséquences importantes sur la vie en famille, au travail, en société. Pour des raisons innées ou acquises (ou les deux, le sujet n'est pas encore scientifiquement élucidé) certaines personnes éprouvent des difficultés conscientes ou non dans cette relation sociale. Ces difficultés vont de maladresse, de réactions «timides», parfois sans grande conséquence pour le sujet jusqu'à des troubles importants représentant une «phobie sociale» au sens propre du terme.

TABLEAU CLINIQUE

Ces troubles surviennent souvent à la fin de l'enfance ou au début de l'adolescence. Ils évoluent de manière chronique, ils peuvent entraîner une invalidation par leur effet sur le fonctionnement professionnel et les activités sociales habituelles et surtout par les évitements que le sujet émet. La complication la plus fréquente est le recours à l'alcool ou aux drogues anxiolytiques. De plus, les échecs répétés (par exemple professionnels) que ces troubles entraînent, peuvent induire un état dépressif.

Monsieur Yves, jeune chercheur, plein de talent, se trouve à l'aise dans son laboratoire au milieu de ses appareils et de ses livres. Ses relations sont bonnes avec son technicien et ses étudiants quoique certains le trouvent un peu distrait. Il s'est marié tardivement et mène une vie calme, centrée sur sa famille. Il a peu d'amis et participe peu à la vie sociale en général, sauf quelques sorties en famille pour aller au cinéma. Il a horreur des groupements culturels et sportifs : les gens y sont, selon lui, superficiels et sans intérêt. Lorsqu'il intervient dans une réunion de service, il se sent anxieux (sudation, tendance à rougir, tachycardie). Toutefois, comme il connaît bien son sujet, il est capable de le faire. Récemment, son patron lui a demandé de le représenter à une réunion administrative de sa faculté. Il connaît de vue et a parfois été en contact avec la majorité des gens qui s'y trouveront. A la réunion, il se sent brutalement très anxieux, la bouche sèche, la gorge enrouée, le cœur emballé : il restera sans rien dire, croyant sans cesse qu'on va l'interpeller. A la fin de la réunion, le calme revient, mais il se sent triste : il avait des idées, il aurait pu les faire valoir, se mettre en valeur. Il ne l'a pas fait et il s'en veut énormément. Ce type de réaction qu'il vient de vivre, il l'a connu dans d'autres situations : au restaurant, chez son banquier, dans un congrès. Depuis, monsieur Yves évite ces contingences, rétrécissant du même coup son accès à un ensemble de situations qui pourraient être professionnellement gratifiantes ou simplement socialement agréables.

A côté de cette phobie sociale bien caractérisée et qui amènera le sujet à consulter, il existe comme nous le signalions plus haut un grand nombre de troubles de la communication qui ne sont pas nécessairement identifiés par le sujet ou qui sont considérés par lui comme peu importants dans la vie quotidienne.

ÉVALUATION, DIAGNOSTIC ET ANALYSE FONCTIONNELLE

Selon le DSM-III-R, les critères diagnostiques de la phobie sociale peuvent se définir comme suit :

A. Peur persistante d'une ou plusieurs situations (situations sociales phobogènes) dans lesquelles le sujet est exposé à l'éventuelle observation attentive d'autrui et dans lesquelles il craint d'agir de façon humiliante ou embarrassante. Exemples : être incapable de continuer à parler en public, avoir peur de s'étrangler en mangeant en face d'autrui, ne pas arriver à uriner dans les toilettes publiques, avoir peur de trembler en écrivant en présence d'autres personnes et de dire des bêtises, ou d'être incapable de répondre à des questions dans des situations sociales.

B. Au cours d'une phase quelconque de la perturbation, l'exposition au(x) stimulus(li) phobogène(s) spécifique(s) provoque, de façon presque systématique, une réaction anxieuse immédiate.

C. La (les) situation(s) phobogène(s) est (sont) évitée(s) ou vécue(s) avec une anxiété intense.

D. La conduite d'évitement interfère avec le fonctionnement professionnel ou avec les activités ou relations sociales habituelles, ou il existe un sentiment important de détresse à l'idée d'avoir une peur de ce type.

E. Le sujet reconnaît la nature excessive ou irrationnelle de ses craintes.

F. Pour les sujets n'ayant pas encore 18 ans : la perturbation ne répond pas aux critères de l'Évitement de l'enfance ou de l'adolescence.

Spécifier qu'il s'agit d'un Type généralisé si la situation phobogène concerne la plupart des situations sociales et considérer également un diagnostic additionnel de Personnalité évitante.

On s'attachera d'abord à examiner les variables générales du comportement social. Au niveau verbal, le sujet fournit-il une information quantitativement et qualitativement adéquate : précision du discours, contenu trop ou trop peu abondant, évocation de plusieurs faits en même temps, discours sans unité de temps, ... Le ton doit être approprié au contenu : le ton peut être normal, agressif, plaintif, interrogatif... Le débit quant à lui peut être rapide, lent, monotone, saccadé... On examinera également les conduites non verbales : gestes et mimiques, regard, position du corps, signes physiologiques (rougeurs, pâleurs, sudation, tremblements...).

Communiquer valablement avec autrui suppose de disposer d'un répertoire comportemental varié. On cherchera les déficits dans les grandes catégories d'émissions suivantes :

– *le discours banal* : le sujet est-il capable d'engager une conversation banale ou de l'entretenir. S'il a des difficultés, avec qui, dans quelles circonstances ?

– *la demande* : si les circonstances l'exigent, est-il capable d'émettre une demande se plaçant dans les meilleures conditions pour qu'il y soit répondu de manière positive ?

– *le reproche* : la vie nous met assez fréquemment dans des situations où nous devons pouvoir réagir par un reproche vis-à-vis d'un autre. Beaucoup de sujets se sentent incapables d'émettre un reproche : ce faisant, ils développent une agressivité contenue et laissent pourrir des situations qui peuvent avoir des conséquences négatives. Ou bien, ils se lancent avec une fougue agressive dans des reproches inconsidérés qu'il est bien aisé pour l'autre de réfuter.

– *le renforcement social* : si curieux que cela puisse paraître, nombre de sujets sont incapables de complimenter un autre par exemple pour un travail bien effectué, ou au sujet d'une acquisition que l'autre vient de réaliser et qui de manière manifeste lui fait plaisir. C'est oublier l'importance du renforcement social positif dans la stabilité des relations humaines, dans leur richesse.

La constatation de déficits à ces différents niveaux étant établie, le thérapeute doit s'assurer des motifs de ceux-ci. Le sujet peut ne pas disposer de ces répertoires comportementaux de la communication. Par exemple : par manque d'apprentissage. Mais d'autres facteurs cognitifs que ceux-là peuvent perturber ou empêcher une communication fluide. Ainsi, le sujet peut ne pas oser émettre ces comportements qu'il connaît : c'est le cas du phobique social, que son anxiété paralyse ou à un moindre niveau de sévérité, celui qu'on appelle le timide. Ou bien le sujet ne veut pas se comporter de manière compétente sur le plan de la communication. C'est par exemple le cas d'une de nos patientes qui nous avait consulté pour dépression majeure.

L'analyse fonctionnelle mettait en évidence une vie entièrement basée sur la notion de devoir. Elle devait tout faire elle-même sans demander d'aide parce que c'était le devoir d'une épouse et d'une mère. Sa vie était surchargée de travail et vide de toute source de renforcements, alors que son environnement, le traitement l'a montré, était tout disposé à l'aider dans sa tâche. Ou bien encore, le sujet ne pense pas à l'importance des facteurs communicationnels dans la vie d'un individu et de son entourage. Le clinicien, dans son analyse fonctionnelle, devra tenir compte de ces éléments cognitifs avant de s'engager dans une thérapie.

La pathologie des relations sociales est ainsi très vaste. S'il s'agit d'une phobie sociale clairement repérable, le sujet consultera en présentant d'emblée les caractéristiques de son trouble. Par contre, pour des troubles moins bien définis, les déficits de la communication seront le plus souvent non repérés ou s'ils le sont, banalisés, placés à l'arrière-plan. Le sujet consultera pour un état dépressif, pour difficultés sexuelles et/ou de couple, pour des problèmes professionnels, pour une anxiété généralisée, pour un alcoolisme, pour des échecs scolaires. Rarement pour un manque de confiance en soi, d'affirmation de soi ou d'incompétence sociale (exemple : réactions agressives dans des situations qui ne le justifient pas). Si l'on peut considérer jusqu'à un certain niveau d'intensité que ces troubles sont normaux à l'enfance ou à l'adolescence, on constate souvent que les sujets consultent tardivement, après de nombreux échecs, dont ils attribuent les causes à des facteurs multiples, rarement à un déficit de la communication. Pourtant, des analyses fonctionnelles attentives démontrent sa très grande fréquence dans la population générale.

TRAITEMENT

Phobie sociale

Le traitement de la phobie sociale reprend les différentes modalités d'une intervention propre aux divers troubles phobiques. L'objectif est d'amener le sujet à une exposition répétée et prolongée aux situations phobogènes en éliminant les conduites d'évitement — échappement et l'utilisation de drogues diverses pour faire face. Avant de placer le sujet en situation d'exposition, le thérapeute examinera les aspects cognitifs qui sous-tendent la phobie et établira une thérapie de restructuration cognitive si nécessaire. Souvent, en effet, et quoique critiquant l'aspect irrationnel de ces comportements, le sujet véhicule des distorsions qu'il faut ébranler : je suis sans valeur, ma vie est un échec, je ne suis pas capable de... Ce temps cognitif est aussi celui où l'on expliquera au patient le pourquoi et le comment des différents temps de la thérapie. Replacer le sujet dans une perspective d'espoir entraîne une adhésion meilleure à l'approche comportementale.

La phase d'exposition sera rarement simple dans la phobie sociale. L'inhibition anxieuse est telle que le sujet risque de «perdre ses moyens» en situation réelle. De plus, une gradation de l'exposition telle qu'elle peut se faire dans une agoraphobie est difficile à établir car on ne peut pas contrôler les réactions du récepteur. C'est pourquoi, on entraînera d'abord le sujet à maîtriser *in vitro* les moyens de la communication (conversation banale, demandes, reproches, renforcement social) à la fois dans le sens de l'émission (le sujet) et de la réception — émission (l'autre ou les autres) selon le canevas décrit plus bas.

On s'aidera parfois de la relaxation pour établir un scénario en imagination ou on pratiquera le jeu de rôle sur des situations de complexité grandissante (exemple : faire une demande à un de ses enfants, ensuite au conjoint, ensuite à un voisin, à un employé municipal, à son employeur...). Dans ces jeux de rôle, le sujet sera tantôt l'émetteur, tantôt le récepteur. Lorsque l'on sera convaincu que le sujet a acquis ces «réflexes élémentaires» qui lui permettent de se tirer d'affaire dans un ensemble de situations, on programmera avec lui une exposition *in vivo* partant à nouveau des situations les plus simples pour aller vers de plus complexes. Il sera régulièrement rappelé que les réactions émotionnelles seront toujours présentes mêmes s'il se comporte adéquatement, leur extinction se réalisant avec un décalage par rapport aux possibilités comportementales. Chaque séance d'exposition sera rétrospectivement analysée avec lui afin de le renforcer, de l'aider à améliorer ses performances, d'éviter toute régression qu'un échec réel ou vécu comme tel peut entraîner chez des sujets aussi anxieux. Si malgré ces précautions, le traitement piétine, il faudra envisager de l'adresser à une thérapie de groupe.

Le groupe a en effet de nombreux avantages pour ce type de pathologie. Il constitue une étape de transition entre le face à face avec le thérapeute et la situation réelle. Ces groupes où se retrouvent des sujets ayant le même problème ou des difficultés de communication, représentent une situation sociale en «laboratoire» où le sujet est encore protégé. Il peut observer les difficultés des autres, et par là, identifier les siennes, de même qu'il peut y découvrir des modèles pour son propre fonctionnement. Comme dans la situation en face à face, le travail de groupe implique à un moment choisi des expériences graduées *in vivo* qui sont réanalysées dans les séances.

Trouble de la communication

L'objectif de l'apprentissage à la communication est de fournir au sujet un ensemble de moyens simples pour faire face de manière adéquate aux situations sociales. Certes, il faut parfois être capable de s'affirmer avec force. Le plus souvent, il s'agira d'établir avec les autres une relation humaine chaleureuse, variée et stable. Comme nous l'avons signalé plus haut, les sujets qui ont des problèmes de communication ne les ont pas nécessairement repérés. Il s'agira pour le thérapeute d'aider le sujet à les identifier dans leurs divers modes d'expression, de l'amener à percevoir leur importance et les liens de causalité qu'il pourrait avoir avec les plaintes qu'ils exposent (difficultés au travail, problèmes de couple, dépression, alcoolisme, ...). Ce premier temps est indispensable pour obtenir l'adhésion au traitement. Plus que dans les phobies sociales avérées, le temps cognitif sera important et réactualisé tout au long du traitement. Il s'agit pour le thérapeute de connaître les cognitions qui sous-tendent les déficits et de les éliminer au fur et à mesure.

L'apprentissage à la communication et à l'affirmation de soi reprend pas à pas les classes de comportement principales que le sujet est supposé pouvoir rencontrer dans la vie quotidienne.

☐ Discours banal

Le premier objectif est d'apprendre au sujet à entamer une conversation banale. D'abord il tentera d'obtenir de l'autre du matériel, des informations en posant une question «ouverte» qui oblige une réponse circonstanciée. Les phrases doivent commencer par exemple par comment ou quel(le). Il faut éviter les questions fermées qui permettent une réponse laconique, peu informative (exemple : vous allez bien... Oui). Ensuite il tentera d'intéresser l'interlocuteur par une question précédée d'un vécu personnel ou d'un commentaire sur une situation. Enfin, le thérapeute tentera de créer l'envie de communiquer en renforçant le sujet auquel on s'adresse.

Pour poursuivre une conversation entamée, s'aider d'une *écoute active* :
– en utilisant le matériel fourni par la réponse de l'autre ;
– en marquant son intérêt (répéter la fin de la phrase sous forme interrogative, relever un mot, approuver de la tête, avoir une mimique appropriée...).

Pour interrompre une conversation, on se place en *écoute passive* :
– en fournissant des réponses à faible contenu tant verbal que non verbal ;
– en puisant dans le discours de l'autre des éléments qui permettent par exemple de banaliser ce qui est dit.

☐ La demande

Avant d'introduire la demande, le sujet doit clarifier anticipativement le matériel à fournir. Il doit s'assurer que l'autre est disponible à l'écoute. Une demande doit être introduite (exemple : livrer un embarras; constater une situation). Lorsqu'on formule la demande, il faut parler à la première personne, la formuler avec précision, si nécessaire appuyer sa demande en la répétant (techniques du disque rayé, adapter le ton et les comportements non verbaux à la situation).

Deux situations peuvent se présenter : la demande est satisfaite ou non. Dans ce deuxième cas, il faut livrer sa déception ou son désaccord sans plainte, ni agressivité (veiller au ton). Si la demande maintenant est adressée au sujet et qu'il peut y répondre positivement, il doit exprimer son accord et sa satisfaction tant par le langage que par les comportements non verbaux.

Il doit éviter un accord non informatif. Si la demande doit être refusée, il faut l'exprimer en évitant de se justifier, éventuellement en accompagnant son refus d'une proposition alternative (exemple : pas aujourd'hui mais volontiers la semaine prochaine). Si l'autre insiste, utiliser la répétition du refus selon la technique du disque rayé. Devant une question ou une demande d'avis, qui entraînerait une réponse négative que l'on ne souhaite pas exprimer, demander à l'autre de décrire la situation ou lui renvoyer la question afin d'amener le sujet à résoudre lui-même le problème.

☐ **Le reproche**

Par définition, un reproche n'est pas constructif. Si l'on doit en émettre un, il faut le formuler sous forme d'une demande (exemple : pour quelqu'un qui arrive en retard, j'aimerais que vous arriviez à l'heure). On invitera le client à éviter le reproche vague (exemple : tu n'es bon à rien) ou sans solution, ainsi que le reproche culpabilisant. Si le reproche est déclenché par une émotion négative, il faut livrer celle-ci. Le reproche est parfois nécessaire mais il doit demeurer momentané. On n'oubliera pas que le ton à lui seul peut dans certains contextes avoir valeur de reproche. Si maintenant le sujet doit subir un reproche, il refusera calmement mais fermement un reproche vague (exemple : tu ne fais jamais rien de bon) en demandant à l'autre de préciser. S'il s'agit d'un reproche justifié, il faut savoir recevoir la critique et reconnaître l'inconfort de l'autre sans se présenter négativement. Ensuite, ou bien il existe une solution et le sujet émet des propositions de changement, ou bien, la solution est impossible : on négociera alors la critique.

☐ **Le renforcement positif**

Une bonne relation consiste en un échange d'informations à renforcement positif. On n'oubliera pas que le renforcement est spécifique à chaque individu et peut varier chez un même individu dans le temps. Par exemple, on ne renforce pas de la même manière un enfant ou un adulte. Le renforcement doit avoir qualitativement une valeur significative pour le sujet qui le reçoit et quantitativement un certain débit. On peut construire un renforcement positif en émettant une constatation agréable pour l'autre, en l'interrogeant sur un sujet qui le passionne, en transmettant un sentiment. On notera en passant que le renforcement positif d'un autre n'exige pas nécessairement une réponse visible de la part du récepteur. L'apprentissage de la communication à travers les quelques principes simples et efficaces décrits plus haut doit se faire à travers des jeux de rôles où des exemples pris dans la vie de tous les jours, serviront de scénario. Comme pour la phobie, on commencera par des problèmes qui ne sont pas trop anxiogènes pour le sujet avant d'aller vers des thèmes qui pour lui sont plus complexes. Le sujet devra expérimenter progressivement *in vivo* sa compétence. Les résultats seront systématiquement analysés et le programme réajusté en fonction de ses résultats.

Comme pour la phobie sociale, l'apprentissage en groupe donne souvent des résultats meilleurs et plus rapides. En prenant confiance en lui, le sujet va progressivement enrichir son apprentissage de base, faire siens les moyens qu'il a appris et les développer au niveau de l'expérience sur le terrain qu'il vit quotidiennement.

RÉSULTATS

De la phobie sociale aux difficultés de communication, les thérapies comportementales ont élaboré empiriquement un ensemble de moyens dont l'efficacité est certaine dans la plupart des cas. Certains problèmes, enracinés dans une psychopathologie sévère (exemple : dysmorphophobie, troubles paranoïaques, ...) demeurent cependant actuellement encore inaccessibles. Fort heureusement, ils sont quantitativement minoritaires.

Bibliographie

BOISVERT J.M., BEAUDRY M. — *S'affirmer et communiquer*. Éditions de l'Homme, Montréal, 1979.
BOISVERT J.M., BEAUDRY M. — Les difficultés interpersonnelles et l'entraînement aux habiletés sociales. *In* O. FONTAINE, J. COTTRAUX, R. LADOUCEUR, *Cliniques de thérapie comportementale*. Mardaga, Bruxelles, 1984.

7

Gestion du stress quotidien

D. SALAH, O. FONTAINE

La notion de stress suscite une abondante littérature parmi les spécialistes de disciplines parfois très éloignées telles que la physiologie, l'ergonomie, la sociologie. Le phénomène y est généralement abordé selon deux points de vue. Le premier considère le stress comme la pression de l'environnement sur l'individu; l'attention se porte alors sur les événements de vie tels que divorces, décès de proches, les conditions de travail, la surcharge d'activités par rapport au temps disponible. Le second permet d'étudier la réponse de l'organisme face à un stresseur externe (choc physique, chaleur) ou interne (maladie, émotion intense). Le «syndrome général d'adaptation» de Selye illustre cet aspect, qui définit le stress comme la réponse de l'organisme sur le mode d'une excitation du système orthosympathique et de l'axe hypothalamo-hypophysaire.

TABLEAU CLINIQUE

Du point de vue du clinicien confronté à la demande d'un patient, ces modèles se montrent trop réducteurs et l'on privilégiera dès lors une *approche interactive*. Sous cet angle, le stress peut être défini comme l'ensemble des réponses motrices, physiologiques et cognitivo-verbales (ce que dit et ce que se dit le sujet) émises par un individu face à des stimulations qui dépassent ses capacités de les gérer, c'est-à-dire d'émettre des comportements adéquats. Le sujet médiatise, décode l'événement potentiellement stressant et y répond en fonction de son patrimoine héréditaire, de ses caractéristiques développementales, ainsi que de ses apprentissages préalables dans son milieu socio-culturel.

Selon ce modèle, le phénomène de stress peut être divisé en 5 étapes, artificielles parce qu'elles se recoupent dans la réalité, mais intéressantes du point de vue du traitement :

1) *état d'alarme* : un événement potentiellement stressant est identifié, oriente l'attention du sujet et empiète sur ses activités en cours;
2) *évaluation* : en fonction de ses caractéristiques individuelles, l'individu décode l'événement : signifie-t-il un danger physique, une perte, une contrariété? L'événement peut être exagéré ou minimisé; il n'existe donc pas de relation standard entre l'événement et l'émotion suscitée.
3) *recherche d'une stratégie adaptative* : les stratégies adaptatives consistent en un ensemble complexe de processus psychologiques, en partie automatiques, mis en place par un individu afin d'atténuer l'impact d'un stresseur sur son fonctionnement émotionnel. On distingue généralement les stratégies d'approche — caractérisées par la vigilance, la recherche d'informations et de moyens pour agir sur le stresseur et contrôler les émotions qu'il suscite — et les stratégies d'évitement — l'individu se soustrait à la confrontation avec le stresseur et peut aller jusqu'à nier les réponses de stress qu'il émet. Ainsi, chez des sujets hyperactifs, des symptômes tels que la fatigue, des troubles du sommeil, des relations familiales insatisfaisantes peuvent conduire à une activité encore accrue (stratégie d'évitement par rapport à la mise en question du mode de vie) ou à une consultation (stratégie d'approche avec recherche d'informations);
4) *réponses de stress* : elles se manifestent aux niveaux physiologique (tachycardie, sudation, hypersécrétion gastrique, ...) moteur (hyperactivité, fébrilité, ...) et cognitivo-verbal (plaintes, sentiments de détresse et d'impuissance, ...). La tonalité de ces réponses peut être anxieuse, dysphorique, avec plaintes somatiques ou mixtes. Elles peuvent prendre la forme de difficultés dans la vie professionnelle, scolaire ou familiale et amorcer ainsi des boucles de rétro-action aggravantes. La tonalité anxieuse ou dysphorique des plaintes liées au stress ne recouvre pas l'ensemble des symptômes des troubles anxieux et des troubles de l'humeur décrits dans le DSM-III-R et elle n'en possède pas l'intensité. Par contre, une problématique de stress peut faire partie d'un trouble anxieux ou dépressif ou constituer un facteur de risque pour le déclenchement de ceux-ci;
5) *retentissement de la réponse de stress sur la santé* : le stress chronique constitue un facteur de risque pour certains troubles somatiques (cardiaques, gastro-intestinaux) et peut contribuer à déclencher des manifestations anxieuses et dépressives.

ÉVALUATION, DIAGNOSTIC ET ANALYSE FONCTIONNELLE

L'évaluation d'un état de stress s'effectuera par une description précise des facteurs envisagés dans les cinq points ci-dessus :
 – nature, fréquence, durée et intensité de l'événement stressant pour le patient;
 – nature, fréquence, durée et intensité des réponses de stress aux niveaux moteur, physiologique et cognitivo-verbal;

– conséquences de la réponse de stress sur l'environnement (familial, professionnel) avec une attention particulière portée aux événements susceptibles de contribuer à maintenir les réponses inadaptées (bénéfices secondaires);
– conséquences de la réponse de stress sur la santé physique et mentale de l'individu;
– nature et degré d'efficacité des stratégies adaptatives utilisées par le sujet;
– antécédents du sujet susceptibles d'éclairer la réactivité présente (style éducatif, attitudes par rapport au travail, contexte familial, ...).

Nous reproduisons en annexe 4 une grille d'auto-observation journalière qui permet un recueil de données concrètes, sur le terrain, et la mesure des changements observés en cours de traitement.

TRAITEMENT

Le programme de traitement adopte le Stress Inoculation Training de Cameron et Meichenbaum (1982), s'inscrit dans un cadre contractuel de co-thérapie et comporte trois étapes :

Étape de conceptualisation

Le but est d'amener le patient à devenir un meilleur observateur de ses propres comportements et à décoder ceux-ci sur la base d'un modèle explicatif. Le traitement débute par une explication du phénomène de stress en termes généraux (le modèle interactif décrit ci-dessus). Dans un deuxième temps, les informations recueillies au cours de l'évaluation diagnostique sont intégrées à ce modèle. Petit à petit, le patient apprend à observer ses attitudes à l'aide de ce modèle, et notamment à découper ses réactions face au stress en étapes potentiellement gérables plutôt que de les envisager comme une réponse globale qui le submerge. Les grilles d'auto-observation quotidienne constituent les outils de cet entraînement. La réfutation d'explications inadéquates amenées par le patient prend également place dans cette première étape (ex. : la surestimation des dispositions innées contre lesquelles on ne peut rien — «De toute façon, tout le monde est nerveux chez moi, ma mère prend des calmants depuis des années...» — au détriment des facteurs situationnels sur lesquels il est possible d'agir (la famille en question réagit avec nervosité et consommation de médicaments dans certaines situations; ces situations peuvent être appréhendées différemment et peut-être même gérées efficacement).

Étape d'acquisition et d'activation

Elle vise la mise en place de stratégies adaptatives adéquates. En fonction des indications, différentes voies permettront d'amener le patient à répondre

plus efficacement aux situations dans lesquelles ses propres stratégies se sont montrées inefficaces :
– l'apprentissage d'une technique de relaxation pouvant être utilisée en situation ;
– la mise au point d'une gestion du temps plus rationnelle avec éventuellement prescription de plages horaires réservées à des activités plaisantes ;
– un entraînement à l'affirmation de soi si le stress se manifeste dans un contexte de difficultés de contacts sociaux ;
– l'utilisation d'une technique de solution de problèmes convient particulièrement aux sujets qui envisagent les difficultés de leur quotidien de manière abstraite, trop peu systématique, irréaliste ou tout simplement qui les considèrent comme inabordables. L'apprentissage et la répétition à domicile de cette technique permettront d'aborder les situations stressantes de manière plus raisonnée, au détriment d'une réactivité émotionnelle peu propice à la mise en route de comportements adéquats.

Les six étapes de l'apprentissage de cette stratégie adaptative sont :
1) pouvoir reconnaître le caractère normal et gérable des situations-problèmes ; les définir et les décrire en termes concrets et précis, en envisageant les causes et les conséquences.

A partir d'une description vague du genre «je suis débordée, je n'ai plus une minute à moi, j'ai l'impression que je n'arrête pas de courir ! ou je suis à bout, continuellement fatiguée...», on tente de cerner les situations qui, dans la vie de tous les jours, posent problème au point de conduire le sujet à ce type de pensées. Les situations seront décrites concrètement et avec précision de manière à disposer des paramètres nécessaires à une appréhension plus adéquate. Ex. : «je dispose de trop peu de temps le matin pour réveiller les enfants, les conduire à l'école, me préparer pour aller travailler»; «quasiment un jour sur deux, ma collègue de bureau me demande un travail de dernière minute, ce qui m'empêche de prendre mon temps de midi»; «je sors presque tous les soirs : je ne sais pas dire non aux invitations que je reçois, mais je voudrais avoir des soirées pour moi»...
2) inventorier toutes les solutions possibles, de la manière la plus créative, la moins censurée possible (brain storming).

«Maintenant que nous avons une idée plus précise des situations qui vous posent problème, je vous propose d'imaginer toutes les solutions que l'on pourrait proposer, même les plus fantaisistes, même celles qui vous paraissent difficilement réalisables. Plus ces propositions seront nombreuses, plus il y a de chances d'y trouver celles qui conviendront». Ces solutions imaginées sont notées et reprises les unes après les autres dans l'étape suivante : se lever une heure plus tôt, afficher un horaire sur la porte de la salle de bains, dormir tout habillé, faire prendre le bus aux enfants plutôt que de les conduire, etc. ;
3) évaluer chaque solution : ses avantages, ses inconvénients, son impact sur soi, sur les autres, les implications matérielles, ... «Si mes enfants prennent le bus, je gagne 3/4 heure..., mais ils ne savent pas prendre le bus..., j'ai peur

qu'ils ne se trompent d'arrêt..., les voisins me prendront pour une drôle de mère...»;

4) choix d'une solution — ou d'un ensemble de solutions — la plus réaliste possible, et non la plus parfaite;

5) mise en route des comportements requis à la réalisation de la solution choisie. (Pendant le week-end, apprendre aux enfants à voyager en bus, imaginer ce qu'en pensera l'entourage, comment on y réagira...);

6) évaluation des résultats en fonction de la définition (1). Si les résultats ne sont pas satisfaisants, reformuler le problème et reprendre les six étapes. («Est-ce que je dispose de suffisamment de temps le matin pour réveiller les enfants et me préparer à aller au travail» et plus largement «Ai-je l'impression de moins courir?»).

Le matériel utilisé pour mettre en route cette technique adaptative consistera en des situations de la vie courante, d'abord simples, puis considérées comme stressantes par le patient.

Ces techniques seront initiées et confortées *in vitro*, au cabinet du praticien, avant d'entamer la troisième phase du programme.

Étape d'application

Le patient est amené à utiliser les techniques apprises *in vitro* dans la réalité quotidienne. L'auto-observation de ses comportements permet les ajustements nécessaires à posteriori, lors des séances suivantes. L'expérience de réussites génère un sentiment d'efficacité personnelle accru et une impression de contrôle potentiel sur les situations stressantes. Les causes des échecs sont examinées et une recherche de solutions sous forme de brainstorming peut être entreprise.

En fonction de la nature et de l'intensité des difficultés du patient, de sa maîtrise des techniques de relaxation, de ses capacités à imaginer le plus de solutions possibles le nombre de séances est très variable. La littérature fournit une large fourchette allant de 10 à 30 séances.

RÉSULTATS

Cette technique semble particulièrement convenir à l'éventail des difficultés liées au stress de la vie courante, mais également à certains troubles anxieux et à la préparation de personnes qui vont subir une situation éprouvante (examens, opération, divorce...). La seule contre-indication relevée concerne la technique de solution de problème en cas d'anxiété particulièrement aiguë; un apaisement — par médication notamment — sera nécessaire.

Bibliographie

CAMERON R., MEICHENBAUM D. — The Nature of Effective Coping and the Treatment of Stress Relatif Problems. *In* L. GOLDBERGER et S. BREZNITZ (Eds) : *A Cognitive-Behavioral Perspective*. The Free Press, 1982.

D'ZURILLA T.J., NAZU A. — Social problem solving in adults. *In* P. KENDALL, S. HOLLON (Eds) : *Advances in cognitive-behavioral research and therapy*, (vol. 1). Academic Press, New York, 1982.

MEICHENBAUM D., JAREMKO M.E. — *Stress Reduction and Prevention*, Plenum, New York, 1983.

Situation	Emotion	Pensées automatiques

A chaque situation qui déclenche chez vous une émotion négative (stress), relevez la situation, indiquez le type d'émotion négative qu'elle suscite (tristesse, colère...) ainsi que les pensées qui les accompagnent.

ANNEXE 4. — *Enregistrement des situations de stress et des réactions qui les accompagnent.*

8

Obsession-compulsion

J. COTTRAUX

La prévalence à vie des obsessions-compulsions dans la population générale est d'environ 2 %. Les patients présentant cette pathologie, naguère sous estimée dans sa fréquence, sont de plus en plus à la recherche de traitements. Les thérapies cognitivo-comportementales ont montré leur efficacité dans cette affection invalidante.

TABLEAU CLINIQUE

Les obsessions sont des idées, des pensées ou des images mentales, involontaires, pénibles et anxiogènes contre lesquelles le sujet lutte. Leur thème est en général la saleté, la contamination, le désordre, la peur d'être responsable de la mort d'autrui ou de catastrophes. Elles s'imposent au sujet pendant des périodes prolongées pouvant aller jusqu'à huit heures par jour dans les formes graves. La culpabilité est un élément essentiel du vécu des patients. Le chapitre suivant traite en détail de cette pathologie considérée de plus en plus distinctif de la compulsion.

Les compulsions sont des comportements répétitifs et stéréotypés que le sujet doit accomplir obligatoirement pour diminuer l'anxiété liée aux pensées obsédantes (vérifier, compter, nettoyer, mettre en ordre). Cependant, cette diminution d'anxiété n'est que temporaire. Une anxiété encore plus importante suivra souvent l'exécution des rituels, ce qui va entraîner de nouveaux rituels. Dans les cas graves, la ritualisation va envahir la vie entière et parfois impliquer l'entourage du patient. Si elles s'accompagnent ou sont suivies souvent d'états dépressifs (50 % environ), les obsessions-compulsions évoluent rarement vers un état psychotique. Classés dans le chapitre des troubles anxieux par le DSM-III-R, les obsessions-compulsions seront vraisemblablement considérées comme une catégorie autonome dans le DSM-IV.

ÉVALUATION, DIAGNOSTIC ET ANALYSE FONCTIONNELLE

Plusieurs instruments sont disponibles en français pour mesurer les compulsions. Soulignons que l'inventaire du Yale-Brown est l'instrument le plus sophistiqué et le plus respecté. Il est recommandé d'évaluer également la dépression avec les échelles habituelles (cf. chapitre 10, Dépression chez l'adulte).

Deux échelles développées par Marks, traduites et validées Cottraux *et al.* (1985) sont particulièrement utiles et faciles à utiliser :

1. L'échelle des quatre rituels cibles : Elle mesure la fréquence, le malaise et la durée totale par jour des principaux rituels rapportés par le patient (voir annexe 6).

2. Test comportemental d'évitement qui permet de préciser les tâches que le patient n'est plus capable d'assumer.

L'analyse fonctionnelle consiste à préciser les facteurs de déclenchement et de maintien des problèmes cibles : facteurs environnementaux, émotionnels, cognitifs et interpersonnels. Le thérapeute peut se guider, dans son analyse, sur le schéma suivant qui décompose le phénomène obsessionnel.

D'abord, le patient éprouvera la pensée intrusive ou obsédante. Cette pensée ou image est étrangère au sujet, répugnante, antimorale et antisociale. Par exemple, le patient aura l'image de frapper un piéton qui marche devant lui sur le trottoir. Suivra une réponse émotionnelle qui résulte des pensées de danger, pensées habituellement automatiques et involontaires. Elles sont organisées en systèmes de croyances irrationnelles. Par exemple : «L'on doit toujours être vigilant par rapport aux dangers que l'on peut soi-même provoquer». Afin de réduire son anxiété, le patient tentera de rétablir l'ordre et de réduire l'anxiété (nettoyage et vérifications). Il tente également de transférer sur autrui sa responsabilité imaginaire. La réassurance n'aboutira cependant qu'à l'aggraver dans la mesure où ce transfert de responsabilité est encore un rituel de neutralisation : d'où les nombreux appels téléphoniques angoissés de ces patients à leur thérapeute. Il faudra préciser la fréquence et la durée des rituels. Nous demanderons au sujet de préciser le temps total qu'il passe dans des activités obsédantes mentales ou comportementales par jour. Selon le DSM-III-R, au-delà d'une heure, on entre dans le domaine de la pathologie. Cette ligne de démarcation n'apparait pas satisfaisante et devrait être révisée. Lorsque le sujet ne peut donner une telle estimation globale, il faut l'aider en décomposant les différents temps de la journée (lever, toilette, trajet, travail, retour à la maison, repas, etc.) pour préciser la place des rituels dans chacune des séquences.

L'auto-enregistrement des pensées, des émotions et des comportements peut être demandé aux patients pour préciser les circonstances déclenchantes de leurs rituels. On peut utiliser la fiche trois colonnes de Beck (cf. chapitre 10, Dépression chez l'adulte).

TRAITEMENT

La technique principale est l'exposition et prévention de la réponse ritualisée. Elle consiste à aider le patient à affronter les situations qu'il redoute en lui prescrivant de ne pas ritualiser. Petit à petit, à la suite de tâches graduées en séance, et surtout en dehors des séances, il va apprendre que l'anxiété diminue sans qu'il ait besoin de ritualiser, et que les conséquences catastrophiques qu'il redoutait n'ont pas lieu. Il faut tout d'abord expliquer au patient les raisons d'affronter l'anxiété. L'exposition doit avoir lieu dans une atmosphère de collaboration. Des contrats successifs sont passés. Une tâche minime *in vivo* lui est demandée d'emblée (par exemple, toucher le sol s'il a peur de la saleté). Cette tâche doit correspondre à ce qu'il pourrait faire de lui même sans la présence d'un thérapeute. Il doit être en confiance avec le thérapeute qui le préparera à affronter des situations de plus en plus difficiles.

Le thérapeute précédera le patient dans ses difficultés d'affrontement en lui montrant ce qu'il faut faire. La difficulté doit être fragmentée en autant d'étapes qu'il est nécessaire. Le thérapeute fera preuve d'improvisation et de jeu pour ne pas remplacer le rituel du patient par une thérapie ritualisée. Le patient, souvent, doute de la thérapie et préfère garder ses illusions de contrôle du danger et effectuer ses rituels. Dans la mesure où il a «toujours» exécuté ses rituels, il est certain que «toujours» il a empêché le pire. L'humour et l'exagération des pensées catastrophiques du patient sont un bon moyen de lui apprendre à se distancier de ses craintes.

L'exposition a pour objet principal de montrer que sans les rituels, il ne se passe rien de grave sinon un état d'anxiété qui atteint rapidement un plateau pour décroître graduellement au début, puis en quelques minutes et enfin s'efface au fur et à mesure de la répétition des expositions. Thérapeute et patient doivent être réalistes dans leurs buts. L'élimination totale des rituels est rare. Ramener le patient au-dessous d'une heure par jour de rituels, ce qui est compatible avec une vie normale, apparaît comme une ambition thérapeutique raisonnable au départ.

La durée d'un traitement est en général de six mois à raison d'une ou deux séances par semaine. En général vingt à vingt-cinq séances sont nécessaires d'une durée moyenne de deux heures pouvant aller parfois jusqu'à trois heures. L'exposition réduit l'anxiété et la prévention de la réponse éliminera les rituels. Parfois, l'exposition en imagination aidera à changer les cognitions anxieuses et les anticipations. De toute façon, la généralisation par des tâches en dehors des séances est l'élément le plus important du traitement. L'exposition *in vivo* (en réalité) consiste, après un entretien et une revue de la semaine écoulée, en une «immersion progressive» dans la situation redoutée. Par exemple, une patiente ayant peur de la saleté sera invitée à toucher d'abord le bureau du thérapeute, le sol, les poignées de portes, les poignées de porte des WC, les murs, etc. Le thérapeute planifie la séance avec la patiente qui sait d'avance jusqu'où il ira. L'exposition doit être prolongée jusqu'à ce que l'anxiété diminue. En effet, la présentation brève de la situation anxiogène risque de sensibiliser le patient. L'anxiété est mesurée toutes les 5 minutes en demandant de chiffrer l'anxiété subjective de 0 (pas d'anxiété) à 8 (une anxiété maximale) : ces résultats sont enregistrés par le thérapeute. Il doit, avant de débuter l'exposition, noter la valeur de l'anxiété de base indépendante de toute présentation réelle du stimulus anxiogène. Le retour à une valeur inférieure ou proche permettra de savoir que le sujet s'habitue. Un autre critère est représenté par une chute d'au moins 50 % par rapport au maximum.

Tout au long de la séance d'exposition, le thérapeute aide le patient à résister au besoin de ritualiser. Par exemple, la patiente qui présente un rituel de lavage n'aura le droit de se laver les mains qu'à heure fixe et une seule fois après la séance thérapeutique pendant laquelle elle se sera «salie». Cet apprentissage sera prolongé par des tâches de généralisation à réaliser à domicile : par exemple porter un objet «sali» dans son sac à main et toucher les poignées de porte à domicile sans se laver les mains ou se les laver une seule fois comme elle le ferait normalement.

Pour effectuer l'exposition en imagination, le patient, assis dans un fauteuil, les yeux fermés et non relaxé imaginera des scènes suggérées à haute voix par le thérapeute. Elles sont en rapport avec ses thèmes obsédants ce qui permet de préparer l'exposition *in vivo* et la prévention de la réponse. Il imaginera qu'il est sali ou contaminé, et ce jusqu'à ce que le processus d'habituation se mette en place comme dans les séances d'exposition *in vivo*. On lui conseille de ne pas freiner son imagination et d'aller jusqu'au bout. Au besoin le thérapeute dramatisera et exagérera les fantasmes agressifs, sexuels, ou de contamination. En général, une dizaine de séances est nécessaire, avec des tâches quotidiennes faites par le sujet lui même à domicile pour reproduire les séances en imagination. Il faut aussi dialoguer avec le patient pour éliminer des rituels d'annulation plus ou moins cachés en cours de séances de «flooding». Ainsi, l'une de nos patientes qui devait imaginer qu'elle avait tué le thérapeute en faisant un vœu et un pacte avec le diable. Le thérapeute s'aperçut qu'elle ouvrait discrètement les yeux de façon répétée pour vérifier qu'il était encore en vie. L'exposition imaginaire ne devint efficace qu'en retournant le fauteuil de la patiente contre le mur, le thérapeute restant parfaitement immobile durant toute la séance.

L'exposition en imagination sera suivie de tâches dans la vie quotidienne. Chez notre patiente décrite ci-dessus, elle devait porter dans son sac une étoile à cinq branches renversée qui était censée la mettre en communication avec le démon. Satan risquait ainsi d'exaucer tous ses souhaits agressifs et de lui prendre son âme en échange. Cette patiente qui était par ailleurs athée, gardait une perception critique de ce secteur irrationnel de sa pensée. L'exécution de tâches d'exposition et de prévention de la réponse à domicile ou dans la vie courante demeure la clé du succès. Les tâches d'exposition sont rediscutées et évaluées à chaque séance. Des fiches sont souvent utilisées à cet effet, donnant des tâches comportementales et permettant d'évaluer l'anxiété et l'évitement (voir annexe 6). Des recherches ont montré que l'exposition avec prévention de la réponse autogérée est en général suffisante chez les compulsifs peu ou pas déprimés. Voici une illustration clinique de ce que nous venons d'exposer. Il s'agit d'un de nos patients qui avait l'habitude de dialoguer avec nous en apportant un «scénario obsédant» écrit qui était ensuite utilisé au cours de la thérapie. «Vous partez en vacances avec des amis. L'un d'entre eux est artisan. Il pose des portes de garage. Il manipule couramment les boulons et les rondelles. Au retour de ces vacances, votre ami A... charge tous les bagages dont votre sac sur le plateau du pique-nique. Pendant toute la durée du voyage, vous vous demandez s'il n'y avait pas de boulons qui seraient tombés de la poche de votre sac qui ne ferme plus et qui auraient abîmé quelque chose sur les chantiers qui étaient sur le bord de la route. Pendant le voyage et après, vous vous dîtes : «si après le voyage, je dois vérifier tous les chantiers qu'on a croisés, il y a de quoi devenir fou» et cela vous angoisse.

Trois semaines avant de partir en vacances, vous êtes angoissé à l'idée que vous allez devoir fermer le gaz avant de quitter votre domicile. Cette idée vous obsède. Une fois parti et que le gaz ait été fermé par votre femme, en vacances, cette idée vous obsède toujours.

Quand vous quittez votre domicile, vous êtes toujours angoissé à l'idée que vous avez peut-être laissé le gaz ouvert, ce qui risquerait de provoquer une explosion et tuer les locataires de votre immeuble. Vous êtes toujours obsédé par l'idée d'avoir laissé involontairement des lampes éclairées qui pourraient provoquer un incendie causant la mort de plusieurs personnes ou par l'idée qu'une fuite d'eau se déclenche.

L'idée que, peut-être, les fenêtres soient restées ouvertes et qu'elles pourraient claquer et se casser suite à un orage et que des morceaux de verre pourraient tomber par malchance dans la poussette d'un bébé poussé par sa mère dans la rue, vous angoisse».

Ce patient qui présentait par ailleurs une dépression majeure améliorée avant la prise en charge psychothérapique par des antidépresseurs, a été traité par un programme thérapeutique au cours duquel il devait imaginer, en les exagérant, les pires conséquences de ses «négligences» jusqu'à ce que l'anxiété décroisse de façon importante. Ensuite, l'on discutait avec lui la pertinence de ses postulats selon lesquels il devait toujours tout contrôler car il était responsable de toutes les catastrophes qu'il imaginait. Il devait relire et enregistrer sur une bande magnétique ses «scénarios obsédants» et les lire et les réécouter jusqu'à ce que l'anxiété qu'ils provoquaient descende d'au moins 50%. Enfin, il passait avec le thérapeute une série de contrats réévalués chaque semaine avec la fiche «test comportemental d'évitement» en annexe. Ces contrats consistaient en une limitation des vérifications à une seule, au cas où cette vérification était fondée rationnellement. Il devait également effectuer des activités qu'il jugeait dangereuses comme de laisser dans un caniveau un boulon de très petite taille, ou ne pas s'asseoir près du conducteur du bus pour lui signaler un éventuel danger qui aurait échappé à son attention et aurait pu provoquer selon lui un très grave accident. Après six mois de traitement, le patient a pu reprendre une activité de formation professionnelle qui lui était interdite jusque là par ses rituels. Cependant, les antidépresseurs ont du également être continués.

Mentionnons quelques difficultés fréquemment rencontrées avec ses patients au cours de l'évaluation et de l'implantation du traitement. Premièrement, il est parfois indispensable d'inclure l'entourage dans des contrats d'exposition dans la mesure où le patient oblige son entourage à accomplir des rituels à sa place. Dans certains cas, il faut intervenir à domicile pour modifier des rituels complexes : c'est le cas en particulier des collectionneurs qui accumulent à domicile des objets sans valeur ou des détritus dont ils ne peuvent se séparer.

Deuxièmement, les patients vérificateurs sont souvent plus difficiles à traiter que les patients laveurs, car il faut modifier un système d'interprétation de la réalité qui pousse sans cesse le sujet à chercher des réassurances. Des études contrôlées ont montré la nécessité d'associer à l'exposition aux situations anxiogènes et à la prévention de la réponse, des séances d'exposition en imagination chez les vérificateurs car la situation qui déclenche les compulsions est imaginaire. Troisièmement, certains patients sont si déprimés par l'accumulation d'années de compulsions qu'ils ne peuvent se concentrer sur la thérapie et mener à bien les tâches. Il convient alors de traiter la dépression par des antidépresseurs sérotoninergiques (clomipramine, fluvoxamine) qui ont un délai d'action d'au moins quinze jours. Ensuite, on combinera la thérapie cognitivo-comportementale. Cette dernière permettra un arrêt plus facile des antidépresseurs, avec une moindre fréquence de rechutes. Enfin, l'hospitalisation est parfois nécessaire dans les cas graves qui s'accompagnent de dépression, d'une anxiété massive ou encore chez les patients qui ont des rituels qui les empêchent de sortir de chez eux. Dans les cas extrêmes, en plus du traitement psychopharmacologique, il faudra envisager un programme de surpervision et d'interruption des rituels mis en œuvre par l'équipe hospitalière tout entière pour entraîner un changement.

RÉSULTATS

L'exposition et la prévention de la réponse améliorent, selon les études contrôlées, de 50 à 70 % des patients complètement traités. Cependant, 25 % des sujets refusent ou interrompent le traitement. Il existe des rechutes qui nécessitent des rappels de thérapie (20 %). Les suivis à long terme (O'Sullivan et Marks, 1990) montrent qu'entre un et six ans, 78 % des patients complètement traités sont améliorés avec 60 % de diminution des rituels en moyenne.

Bibliographie

BOUVARD M., MOLLARD E., COTTRAUX J., GUÉRIN J. — *Étude préliminaire d'une liste de pensées obsédantes : validation et analyse factorielle.* L'Encéphale, *15*, 351-354, 1989.

COTTRAUX J., BOUVARD M., LÉGERON P. — *Méthodes et échelles d'évaluation des comportements.* Issy les Moulineaux, Applications Psychotechniques, Issy les Moulineaux, 1985.

COTTRAUX J. — *Obsessions et compulsions : nouvelles approches théoriques et thérapeutiques.* PUF, Paris, 1989.

O'SULLIVAN G., MARKS I. — *Long term followup of agoraphobia, panic, and obsessive-compulsive disorders. In* NOYES R. *et al.* (Eds), *Handbook of anxiety,* vol. 4. Elsevier, Amsterdam, 1990.

No DU SUJET :   DATE :   EVALUATEUR :

Cote	Malaise	Temps	Durée
0	pas de malaise	pas besoin de répéter ou éviter	0-5 min.
1			5-15 min.
2	léger malaise	deux fois* ou deux fois plus long**	15-45 min.
3			45-75 min.
4	malaise modéré	trois fois ou trois fois plus long	1h15-2h
5			2h-3h
6	grand malaise	quatre fois ou quatre fois plus long	3h-5h
7			5h-8h
8	malaise extrême	cinq fois ou cinq fois plus long	8h +

* Le comportement doit être répété deux fois.
** Le comportement prend environ deux fois le temps nécessaire à tout le monde.

		Malaise	Temps	Durée
Rituel 1	....	—	—	—
	....			
Rituel 2	....	—	—	—
	....			
Rituel 3	....	—	—	—
	....			
Rituel 4	....	—	—	—
	....			

ANNEXE 5. — *Les quatre rituels cibles* (d'après Marks, Hallam, Connoly & Philpott, 1977. Traduction Cottraux, Bouvard & Légeron, 1985).

NOM :   DATE :   SEMAINE :

Pour évaluer ce que vous pouvez faire en ce moment, voulez-vous essayer de réaliser les tâches suivantes ? Si vous ne pouvez y arriver du tout, cocher la case NON. Si vous pouvez y arriver, la case OUI. Marquez ensuite, dans la case située en-dessous de la case NON, un chiffre entre 0 et 8 correspondant à votre niveau de malaise vis-à-vis de cette tâche. Utilisez l'échelle ci-dessous :

```
    0    1    2    3    4    5    6    7    8
   |____|____|____|____|____|____|____|____|
```

| Pas de malaise | malaise léger | malaise modéré | malaise marqué | très grand malaise évitement total |

Tâche 1

Activité .... OUI [   ] 0

Pouvez-vous le faire ? .... NON [   ] 1

Quel malaise cela provoque-t-il chez vous (coter entre 0 et 8) :   [   ]

Tâche 2

Activité .... OUI [   ] 0

Pouvez-vous le faire ? .... NON [   ] 1

Quel malaise cela provoque-t-il chez vous (coter entre 0 et 8) :   [   ]

Tâche 3

Activité ....   [   ]

Pouvez-vous le faire ? ....   [   ]

Quel malaise cela provoque-t-il chez vous (coter entre 0 et 8) :   [   ]

Tâche 4

Activité ....   [   ]

Pouvez-vous le faire ? ....   [   ]

Quel malaise cela provoque-t-il chez vous (coter entre 0 et 8) :   [   ]

Ne rien écrire ici   TOTAL

ÉVITEMENT   MALAISE
  (0-4)   (0-32)

_____   _____

ANNEXE 6. — *Test comportemental d'évitement.*

9

Ruminations obsédantes

R. LADOUCEUR, J. COTTRAUX

Parmi les patients souffrant d'obsessions-compulsions, 75 % présentent des obsessions *et* des compulsions et 25 % éprouvent des obsessions sans compulsion. Pour plusieurs cliniciens, il peut paraître artificiel de séparer les obsessions pures des obsessions-compulsions. Mais la clinique et la thérapeutique plaident pour une telle division dans la mesure où l'on considère qu'un rituel est un comportement moteur et que plusieurs obsessionnels ne présentent pas ou présentent peu de rituels.

TABLEAU CLINIQUE

Certains sujets présentent des obsessions suivies de compulsions purement mentales ou cognitives : compter, répéter des phrases parfois dépourvues de sens ou réciter des listes de mots. D'autres souffrent de ruminations incoercibles et intrusives ayant trait au doute, à la culpabilité, à l'agressivité, au dégoût, à des comportements sexuels inacceptables. Ces ruminations ne sont pas prédictibles ; elles peuvent survenir n'importe où et n'importe quand. Les contraintes qui limitent les comportements ritualisés (travail, sanctions sociales vis-à-vis des rituels trop apparents, critiques, moqueries, etc.) ne peuvent les atteindre. De là, leur caractère envahissant et incontrôlable. Il y a quelques années, ces problèmes étaient connus sous le nom de phobie d'impulsion.

Les obsessions représentent un stimulus interne pour lequel le sujet n'arrive pas à mettre en place des réponses d'habituation (Salkovskis, 1985). Plus de 90 % des sujets normaux présentent ou ont déjà présenté des idées obsédantes. Il est intéressant de noter qu'il n'y a pas de différence de contenu entre les obsessions des sujets normaux et celles des patients obsessionnels. Les idées obsédantes des sujets pathologiques se distinguent de celles éprouvées par les sujets normaux par leur fréquence, leur durée et par le fait qu'elles entraînent assez rapidement une réponse d'habituation. L'obsession anormale différerait de l'obsession normale par des mécanismes perturbés d'habituation.

La pensée intrusive est une pensée d'abord involontaire, obsédante, étrangère au sujet, refusée et répugnante. On peut trouver par exemple l'idée intrusive de tuer son propre enfant, de s'exhiber dans une église, de blasphémer, de frapper un individu qui marche devant soi dans la rue. Les prêtres ont d'ailleurs décrit les obsessions avant les psychiatres comme en témoigne le traité des scrupules du confesseur Duguet paru au xviiie siècle.

Les schémas cognitifs inadéquats de danger se présentent sous la forme impérative d'injonction. Par exemple, on doit toujours être vigilant par rapport aux dangers que l'on peut soi-même provoquer. Sinon, l'on est responsable. Les sentiments excessifs d'incertitude et de perte de contrôle sont donc intolérables. Tout danger doit nous bouleverser et doit être contrôlé. Les pensées magiques peuvent être efficaces pour contrôler les dangers.

La pensée neutralisante a pour objet de rétablir l'ordre moral et de neutraliser l'anxiété déclenchée par la pensée intrusive. Elle occupe la même fonction que celle des rituels manifestes de lavement et de vérification dans les compulsions manifestes. Par exemple, déroulement d'une activité interne ou mentale dans un rituel précis, obligation de compter en évitant le chiffre treize sinon tout est à recommencer, chasser l'idée intrusive par une image très positive de soi, etc. Les patients qui présentent ces ruminations vont souvent chercher la réassurance. Ont-ils transmis le cancer à quelqu'un? Leurs souhaits agressifs vont-ils se réaliser? Ainsi un patient téléphonera interminablement à son thérapeute pour être certain qu'il n'a pas oublié à l'hôpital un objet susceptible de blesser autrui. Il s'agit ici de la partie compulsive parfois reliée aux obsessions. Rassurer l'obsessionnel n'aboutira qu'à l'aggraver dans la mesure où il utilisera systématiquement le transfert de responsabilité comme un rituel qui sert à réduire momentanément l'anxiété et la culpabilité.

Les patients qui consultent pour ce problème en souffrent depuis plusieurs années, voire deux ou trois décennies. Etant peu connu jusqu'à présent, les médecins de première ligne portaient peu attention à ces manifestations cognitives, d'autant plus qu'ils ne connaissaient pas d'intervention efficace pour les corriger.

ÉVALUATION, DIAGNOSTIC ET ANALYSE FONCTIONNELLE

Le DSM-III-R regroupe les obsessions avec les compulsions car le diagnostic d'obsession-compulsion peut être porté si le sujet présente soit des obsessions, soit des compulsions, ou les deux à la fois. Le sujet reconnait le caractère absurde de ses pensées et de ses comportements, quoique dans certains cas, ses idées obsédantes soient difficiles à ébranler (idéation surinvestie). Le clinicien remarquera souvent que le patient reconnaîtra facilement dans le cabinet de consultation le caractère irrationnel de ses obsessions mais ne pourra exercer le même jugement lorsqu'il éprouve l'obsession. Il ne faut pas pour autant considérer l'obsession comme un problème psychotique, même si la ligne de démarcation peut à première vue paraître fragile.

Selon le DSM-III-R, l'obsession est une idée, pensée, impulsion ou représentation récurrente et persistante qui, du moins au début, est ressentie comme faisant intrusion dans la conscience du sujet et est éprouvée comme absurde. Le sujet fait des efforts pour ignorer ou réprimer ces pensées ou impulsions ou pour les neutraliser. Le patient doit reconnaître que l'obsession est le produit de ses propres pensées et non imposées par l'extérieur. Parfois, dans les premiers moments de l'analyse fonctionnelle, le clinicien pourra être dérouté parce que le patient éprouve de la difficulté à reconnaître le caractère irrationnel. Mais, en poursuivant l'analyse, ce fait deviendra évident.

Étant donné la nature du comportement-cible (comportement interne ou privé), les fiches d'auto-enregistrement développées par Marks et traduites par l'équipe de Cottraux en France seront l'instrument de choix. Le patient note une fois par jour la fréquence et la durée de son obsession, son degré de malaise et ses évitements, et ce pour chacune des obsessions identifiées. Nous reproduisons en annexe 7 une copie de cette fiche.

TRAITEMENT

Si ce trouble a été réfractaire à pratiquement toute forme de traitement non pharmacologique, de nouveaux moyens efficaces sont maintenant disponibles. Il s'agit essentiellement de mettre le sujet en contact avec ses pensées intrusives, sans émettre de neutralisation mentale, ni chercher une autorité en général médicale ou religieuse pour se rassurer. En bref, voici les étapes à suivre (1) Apprendre aux sujets à observer leurs propres phénomènes mentaux et à distinguer les pensées intrusives (obsessions) des pensées automatiques neutralisantes : des fiches d'auto-enregistrement des pensées automatiques, des émotions et des situations qui les provoquent peuvent être utilisées à cet effet. (2) Prescrire des tâches d'exposition et de prévention de la réponse pour tester la véracité des craintes obsessionnelles. (3) Aider le sujet à mettre en question les systèmes irrationnels de pensée qui sous-tendent les obsessions. Voici une description détaillée des deux composantes principales de l'intervention thérapeutique.

Exposition prolongée à la pensée obsessionnelle et prévention de la réponse neutralisante

Afin d'obtenir l'extinction ou l'habituation de ces intrusions cognitives, il importe de provoquer une exposition prolongée. Étant donné la nature non observable de ce comportement (par opposition aux compulsions qui sont manifestes), des moyens supplémentaires doivent être mis en place pour assurer cette exposition prolongée. Trois moyens ont été suggérés pour faciliter cette exposition prolongée (Salkovskis et Kirk, 1989) : 1. le patient évoque l'obsession et la maintient jusqu'à ce qu'elle disparaisse d'elle même (à partir de notre expérience, cette évocation dure rarement plus de cinq minutes consécutives); 2. le patient écrit de façon continue et répétée la pensée obsessionnelle; 3. le patient enregistre sur une cassette de type «baladeur à boucle» ou walk-man une description détaillée de son obsession. Cet appareil permet la répétition automatique à volonté. Cette dernière méthode est particulièrement efficace pour favoriser l'exposition prolongée aux cognitions. Nous utilisons la méthode qui s'avère la plus utile en fonction de chaque patient. Les patients sont invités à mettre en pratique par eux-mêmes à la maison cette exposition prolongée tous les jours, à raison de 20 minutes par jour. Une fiche d'auto-enregistrement de l'heure et de la durée de l'exercice est complétée quotidiennement et remise au thérapeute à chaque rencontre (annexe 7). La pensée neutralisante joue le même rôle que le rituel compulsif dans la compulsion, à savoir mettre fin aux malaises suscités par la pensée obsessionnelle. Voici quelques exemples de cette pensée neutralisante : distraction, penser à autre chose, compter, image de rassurance, etc. Cette pensée neutralisante prévient l'exposition prolongée de la pensée obsessionnelle, empêchant le processus d'extinction et d'habituation de s'enclencher. Ici, le patient est amené à identifier les pensées neutralisantes et à les enrayer. Nous savons par expérience que l'adhésion (compliance) au traitement est grandement facilitée lorsque le patient connaît les bases théoriques sur lesquelles reposent le traitement. Cette prévention de réponse est pratiquée en présence du thérapeute et mise en application chaque fois que l'obsession surviendra dans le quotidien. Le patient note tous les jours les situations dans lesquelles il a réussi ou échoué. Lors de la rencontre avec le thérapeute, ces situations sont discutées et des stratégies d'application sont suggérées.

Thérapie cognitive

Les travaux préliminaires menés par Salkovskis en Angleterre et par Ladouceur et son équipe au Québec indiquent que les obsessionnels ont développé un sens exagéré de la responsabilité envers eux-mêmes et les autres. Afin de corriger ce schème dysfonctionnel, nous utilisons la thérapie cognitive développée par Beck et ses collègues. Le programme suit les étapes suivantes : (1) identification des situations dans lesquelles le patient assume une responsabilité exagérée, (2) prise de conscience de la dimension réaliste de ses perceptions, (3) correction des pensées négatives et (4) développement de perceptions appropriées en vérifiant *in vivo* leur bien-fondé.

Un certain nombre de techniques peuvent être utilisées en fonction des problèmes particuliers de chaque patient.

☐ Isoler la pensée intrusive

La pensée intrusive annonce en général des catastrophes épouvantables qui s'enchaînent les unes aux autres. La technique de la flèche descendante permet de mettre en évidence cette cascade de conséquences. Par questionnement de chaque appréhension rapportée par le patient, le thérapeute met à jour la pire conséquence des pensées obsédantes. Que représente cette conséquence pour le patient? Si cette conséquence se réalise, quel est le pire résultat de cette conséquence? Certaines pensées sont jugées si terrifiante par le patient qu'il n'ose en parler. Il convient alors de lui demander de les écrire ou de les enregistrer sur un magnétophone, et de s'y habituer avant d'en parler au thérapeute.

☐ Décatastropher

Quels sont les arguments pour ou contre la pensée obsédante intrusive? N'y a-t-il pas une autre interprétation possible? Est-il puissant au point de provoquer des catastrophes par ses pensées? Y a-t-il un lien entre les pensées et les événements? Il est permis de penser ce que l'on veut. Il sera utile de mentionner au patient que ces pensées obsédantes surviennent chez tout le monde.

☐ Réattribution de la culpabilité

Le sujet peut-il être responsable pour tout ce qui va mal dans le monde? N'est il pas grandiose de vouloir éviter tant de catastrophes?

☐ Isoler et discuter les pensées automatiques

Il faut isoler une cascade de conséquences qui risquent d'apparaître si le sujet n'émet pas de pensées automatiques neutralisantes et/ou des rituels mentaux. Ce qui permettra la mise à jour de postulats.

☐ Isoler et discuter les postulats

L'étude des pensées automatiques permet de mettre en évidence des thèmes répétitifs qui s'organisent en postulats. Ceux ci pourront, une fois mis à jour, être discutés. Mais, il ne faut jamais transformer cette discussion en une lutte de pouvoir. Quand le sujet bloque la thérapie, il faut acquiescer, résumer les points abordés et recommencer. Le thérapeute aide le sujet à découvrir ses pensées automatiques et à remonter d'une manière inductive de ces pensées vers les postulats qui les sous-tendent. On peut aussi se servir de fiches en deux colonnes où le sujet écrit dans une colonne ses pensées obsédantes et leur oppose dans une autre colonne des pensées alternatives, plus rationnelles. Ce travail effectué en séance se poursuivra au cours de tâches à domicile.

☐ **Modifier la recherche de réassurance**

Le thérapeute ne réassure pas le patient. Le thérapeute ne doit pas prendre la responsabilité sur lui même, mais la renvoyer au patient. Il faudra donc l'exposer à la responsabilité personnelle de ne pas penser obsessionnellement. Ainsi le patient aura pour tâche de ne pas émettre des rituels mentaux sans en parler à personne, ni demander réassurance à quiconque.

RÉSULTATS

Il n'existe pas d'étude contrôlée concernant les obsessions pures sans compulsions. Mais des résultats préliminaires d'études effectuées en Angleterre (Salkovskis et Kirk, 1989) et au Canada (Ladouceur *et al.*, 1992) indiquent une efficacité de l'ordre de 80 %. Ces résultats sont impressionnants compte tenu que l'obsession a toujours été très réfractaire à toute forme de psychothérapie.

Bibliographie

COTTRAUX J. — *Obsessions et compulsions. Nouvelles approches théoriques et thérapeutiques*. PUF, Paris, 1989.
LADOUCEUR R., FREESTON M.-H., GAGNON F., THIBODEAU N., DUMONT J. — Cognitive-behavioral treatment of obsessional thoughts. *Communication présentée au World Congress of Cognitive Therapy*, Toronto, Canada, 1992.
SALKOVSKIS P. — Obsessional-compulsive problems. A cognitive behavioural analysis. *Behav. Res. Ther.*, 23, 571-583, 1985.
SALKOVSKIS P.M., KIRK J. — Obsessional disorders. *In* K. HAWTON, P.M. SALKOVSKIS, J. KIRK et D.M. CLARK (Eds), *Cognitive behavior therapy for psychiatric problems : A practical guide* (pp. 129-168). Oxford University Press, Oxford.

Encerclez :   L   M   M   J   V   S   D   HEURE :

Temps	Malaise	Cote	Fréquence	Évitement
0-5 min.	aucun	0	0-1	aucun
5-15 min.		1	1-3	
15-45 min.	léger	2	3-5	un peu
45-75 min.		3	5-10	
75-120 min.	modéré	4	10-15	modéré
2-3 h.		5	15-20	
3-5 h.	important	6	20-30	important
5-8 h.		7	30-50	
8 h. +	extrême	8	50+	total

	Temps	Malaise	Fréquence	Évitement
Obsession 1	....	....	....	....
Obsession 2	....	....	....	....
Obsession 3	....	....	....	....
Obsession 4	....	....	....	....

ANNEXE 7. — *Fiche d'auto-enregistrement de l'heure et de la durée de l'exercice.*

NOM :   SEMAINE DU

Obsession 1   ....

Obsession 2   ....

Obsession 3   ....

Obsession 4   ....

Les échelles suivantes vous permettent de chiffrer de 0 à 8 vos obsessions en fonction :

– du temps que vous y passez pendant la journée

– de l'intensité du malaise que vous ressentez

– de la fréquence à laquelle votre obsession arrive pendant la journée

– du degré que vous évitez les situations ou les objets associés à vos obsessions

Tous les jours, veuillez coter chacune de vos obsessions sur les quatre échelles à la même heure (p. ex. avant le coucher).

ANNEXE 8. — *Échelles d'évaluation des obsessions.*

10

Dépression chez l'adulte

J. COTTRAUX

La dépression est une affection fréquente dont la prévalence sur une période de six mois est de 6 % dans la population générale. Elle est deux fois plus fréquente chez les femmes que chez les hommes, avec deux pics, l'un entre 20 et 30 ans, et le second entre 50 et 60 ans. Il s'agit d'une maladie dont l'évolution est récurrente : 50 % des cas rechutent dans l'année suivant le premier épisode. Il est donc important de développer des traitements psychologiques qui permettent de prévenir les rechutes, fréquentes même chez les patients correctement traités par une chimiothérapie antidépressive.

TABLEAU CLINIQUE

La dépression est un syndrome dominé par l'humeur déprimée, qui se traduit par l'expression verbale et non verbale de sentiments tristes, souvent accompagnés d'anxiété, d'irritation ou même de colère. Elle comprend aussi des troubles qui peuvent altérer plusieurs fonctions.

Le sommeil et l'appétit sont augmentés ou diminués. Il existe une perte de libido sexuelle; l'énergie est diminuée. Les troubles de motivation se traduisent par un déficit de l'activité, de l'intérêt et du plaisir. Le désir de s'évader par le suicide est fréquent. L'évitement des contacts sociaux et la dépendance vis-à-vis des autres aboutit fréquemment à un rejet par le milieu et/ou le conjoint qui ne supporte plus l'humeur morose et les commentaires critiques ou désabusés du dépressif. Au niveau des troubles comportementaux, on observe un ralentissement moteur ou bien inversement, de l'agitation. Les comportements actifs et productifs sont diminués, alors que les comportements passifs et improductifs sont accrus.

Un certain degré d'anxiété psychique ou somatique, qui n'est cependant pas au premier plan, est compatible avec le diagnostic de dépression. Enfin, les troubles des fonctions cognitives font partie intégrante du syndrome dépressif et se manifestent par une pensée caractérisée par le pessimisme et le nihilisme. Les cognitions se traduisent par des verbalisations désespérées sur soi-même, le monde extérieur et le futur.

ÉVALUATION, DIAGNOSTIC ET ANALYSE FONCTIONNELLE

Selon le DSM-III-R, la dépression peut se présenter sous différentes formes. La forme unipolaire majeure se traduit par un épisode isolé ou des épisodes récurrents qui peuvent présenter des caractéristiques psychotiques (délire) et/ou mélancolique. Dans la mélancolie, les troubles des fonctions végétatives sont au premier plan. La forme unipolaire mineure, encore appelée dysthymie, correspond à une humeur triste et au moins deux symptômes dépressifs présents de façon quasi-constante durant deux ans. Enfin, les troubles bipolaires présentent en alternance des épisodes d'excitation maniaque et des épisodes dépressifs ou combinent les deux séries de symptômes. Ils peuvent être eux aussi majeurs ou mineurs (cyclothymie).

Nous reproduisons trois fiches d'auto-évaluation qui sont à la fois des instruments d'évaluation et de traitement. Ces trois instruments suffiront au clinicien pour conduire à bien et évaluer une thérapie.

1. La fiche « trois colonnes » qui permet d'évaluer, en dehors de la thérapie, la situation qui a déclenché une émotion dépressive particulièrement intense et les monologues intérieurs (pensées automatiques) et le degré de croyance en la véracité de ce monologue (annexe 9).

2. La fiche « cinq colonnes » qui ajoute une colonne à la fiche précédente où le patient doit écrire les réponses rationnelles à sa pensée automatique dépressive et une colonne où il doit évaluer le résultat de cette mise en question : degré de croyance en la pensée automatique dépressogène après examen contradictoire (annexe 10).

3. Une fiche d'activité hebdomadaire où le sujet note en leur attribuant une note de 0 à 5 le plaisir ressenti ou le sentiment de maîtrise au cours des activités effectuées pendant la semaine (annexe 11).

Afin de bien comprendre l'analyse fonctionnelle de ce problème, voyons rapidement quelques éléments de base du modèle cognitivo-comportemental de la dépression, modèle emprunté de Beck *et al.* (1979). Ce modèle d'intervention psychologique est le plus utilisé actuellement. Il s'adapte essentiellement aux dépressions non mélancoliques et sans caractéristiques psychotiques, qu'elles soient majeures ou mineures. Le cadre habituel du traitement est ambulatoire.

L'hypothèse centrale des thérapies cognitives est que les sujets dépressifs présentent des schémas cognitifs, situés dans la mémoire à long terme qui filtrent l'information, ne retenant que les aspects négatifs de l'expérience vécue. Les schémas contiennent un ensemble de règles inflexibles ou « postulats silencieux » qui se présentent sous une forme impérative : par exemple «je dois tout le temps et toujours tout réussir», «je dois tout le temps et toujours être aimé de tout le monde». Ces postulats implicites et automatiques guident les jugements que le sujet porte sur lui même. La perte de l'estime de soi, l'indécision, le pessimisme, le désespoir ne sont que la traduction clinique de la perturbation du traitement de l'information par les schémas. Les événements cognitifs traduisent cliniquement les schémas. Ce sont les monologues intérieurs fait d'autoverbalisations défaitistes («Tu ne vaux rien, tu ne feras jamais rien»), et d'images mentales lugubres. Le passage des schémas aux événements cognitifs se fait par l'intermédiaire de *distorsions cognitives* ou erreurs logiques.

□ **L'inférence arbitraire**

Elle représente l'erreur logique la plus fréquente et la plus générale. Elle consiste à tirer des conclusions sans preuve. Il s'agit de conclusions qui sont faites sur la base d'informations inadéquates ou impropres. Ainsi, un de nos patients dépressifs avait le travail d'organiser des réunions. S'il parlait beaucoup dans les réunions, il avait le sentiment que les autres le rejetteraient du fait de son excès de pouvoir. Inversement, s'il parlait peu, il considérait que les autres allaient le rejeter car il ne leur apportait rien. Son postulat de base gravitait autour du fait qu'il était une personne inadéquate à la situation.

□ **L'abstraction sélective**

Elle consiste à se centrer sur un détail hors du contexte de sorte que la forme et la signification globale de la situation ne sont pas perçues. Le sujet dépressif ne retiendra d'une soirée entre amis que le moment où la conversation a cessé de le mettre en valeur.

□ **La surgénéralisation**

A partir d'un seul incident le sujet va étendre à toutes les situations possibles une expérience malheureuse isolée. Un échec professionnel limité deviendra le signe d'un échec irrémédiable qui influencera toutes les situations à venir.

□ **La maximalisation et la minimisation**

Elle consiste à attribuer une plus grande valeur aux échecs et aux événements négatifs et à dévaloriser les réussites et les situations heureuses.

□ **La personnalisation**

Elle consiste à surestimer les relations entre les événements défavorables et l'individu. Tout ce qui peut avoir trait à la vulnérabilité individuelle, l'échec, l'incapacité, la dépendance et l'agressivité et/ou l'indifférence des autres sera reliée automatiquement à la responsabilité personnelle du sujet.

TRAITEMENT

Le traitement cognitivo-comportemental de la dépression est une psychothérapie brève qui se déroule sur environ vingt séances. En général, on effectue une ou deux séances par semaine; de ce fait les thérapies cognitives durent de trois à six mois. Il est recommandé au début de prévoir deux séances par semaine. Elle utilise à la fois des techniques cognitives et des techniques comportementales pour modifier les systèmes de croyances négatifs des sujets dépressifs en leur apprenant à différencier les faits de leur appréciation subjective. Le thérapeute a un rôle actif et se sert de techniques comportementales et cognitives dont le but est d'apprendre au patient à tester ses pensées dépressogènes aussi bien au cours des séances de thérapie, que lors «d'épreuves de réalité» dans la vie de tous les jours. C'est une thérapie structurée au cours de laquelle le thérapeute et le patient se mettent d'accord sur un «agenda» qui précise en début de séances les thèmes abordés («sur quoi voulez vous travailler aujourd'hui»). Le style de la thérapie est directif et l'accent est mis sur une relation de collaboration. Le thérapeute résume très fréquemment les points importants qui apparaissent au cours de l'entretien : «si j'ai bien compris, nous avons vu que...». A la fin de chaque séance le thérapeute demande au patient de résumer ce qu'il a compris de la séance et le compare à ce qu'il a retenu lui-même. Enfin le thérapeute demande au patient si quelque chose lui a déplu dans la séance. Ceci de façon à mettre à jour les pensées négatives concernant la thérapie et le thérapeute, et également de corriger ses propres erreurs. Des tâches pratiques sont mises en place en dehors des séances. D'un commun accord sont programmées des expériences de plaisir et de maîtrise dont le but est de tester les pensées dépressives en les confrontant à la réalité.

Voici une description assez typique de ce que l'on retrouve dans un traitement de patient dépressif.

Séances 1-5

Après une revue des plaintes du patient et une évaluation clinique du risque suicidaire et des alternatives thérapeutiques que ce risque pourrait éventuellement indiquer, le thérapeute présente les principes de thérapie cognitive. Il montre dès la première séance que la pensée est une interprétation de la réalité et donne une expérience immédiate à travers un problème concret apporté par le patient. Il est important aussi de construire une relation positive et de collaboration. Un bref manuel *Combattre la dépression* (traduit dans Blackburn et Cottraux, 1988) expliquant les relations entre pensées, émotions et comportements ainsi que les principes de la thérapie cognitive peut être remis au patient pour lui faciliter la pratique quotidienne.

☐ Mise à jour des pensées automatiques

Les premières séances consistent à repérer les émotions et les affects, et à les relier aux pensées et aux comportements. Le thérapeute expliquera d'abord au patient ce que l'on entend par pensée automatique. Il s'agit «d'une pensée ou une image mentale dont vous n'êtes peut-être pas conscient à moins de vous concentrer sur elle : elle fonctionne malgré vous et son contenu est le plus souvent négatif». La mise à jour des pensées automatiques peut être faite par des questions directes. L'on utilisera aussi le jeu de rôle pour recréer les situations ou des techniques de visualisation en imagination. De même, lorsque l'émotion apparaît spontanément, le thérapeute demandera au patient quels monologues intérieurs et quelles images ont déclenché ce sentiment de tristesse. Une fiche d'auto-enregistrement peut aussi être utilisée : la fiche trois colonnes (cf. annexe 9) a pour fonction d'enregistrer la situation déclenchante, l'émotion ressentie et la pensée automatique associée. Après quelques exercices avec le thérapeute, le patient la remplit en dehors des séances chaque fois qu'il se sent triste, anxieux, apathique ou en colère. Il convient de faire quelques exemples en séance pour bien manier cet auto-enregistrement qui comme toutes les autres techniques que nous venons d'énumérer a pour objet de faire prendre conscience au sujet du sens négatif qu'il donne aux événements. Cette auto-notation peut d'ailleurs dans un premier temps accroître la dépression. Il faut donc rapidement commencer à modifier les pensées dépressives.

☐ Évaluation du niveau d'activité et lutte contre l'inactivité

Un plan d'activités hebdomadaires permettant d'enregistrer les expériences de plaisir et maîtrise sera remis au patient dès la première séance (annexe 11). Dès la première séance sera discuté également avec le patient un programme de tâches graduées destinées à lutter contre l'inactivité, à accroître les expériences de plaisir, de maîtrise et les contacts sociaux. Une première tâche simple sera aussitôt mise en place.

☐ Tester les pensées automatiques en séance

Au cours de ces quatre premières séances seront discutées avec le patient les pensées automatiques en utilisant un certain nombre de techniques :
– examiner les preuves pour et contre ces pensées négatives ;
– considérer les probabilités pour et contre la pensée négative ;
– diminuer la responsabilisation excessive du sujet ;
– décentrer et distancier le sujet des préoccupations négatives et auto-critiques.

☐ **Tester les pensées automatiques dans la réalité**

Cela sera fait par des tâches de plaisir et de maîtrise fixées en accord à la fin de chaque séance et suivies sur la fiche (annexe 11).

☐ **Généralisation questionnement des pensées automatiques**

A l'enregistrement de la fiche trois colonnes s'ajoutent deux colonnes pour la mise en question des pensées automatiques qui accompagnent les émotions anxieuses, dépressives ou agressives (annexe 11).

Séances 6-20

A ce point, le but essentiel est d'isoler les postulats. Au fil des séances, vont apparaître des thèmes récurrents qui s'organisent sous forme de postulats, discutés avec le patient.

☐ **Mise à jour des postulats**

Plusieurs techniques sont possibles. En général, on recherchera les thèmes communs à plusieurs pensées automatiques et leur sens implicite en allant du particulier au général et du général au particulier. On étudiera les scénarios répétitifs de rejet ou d'échec au cours de la vie du patient. Ils reflètent des règles personnelles rigides et implicites sans doute acquises au cours d'expériences précoces que l'on pourra être amené à réactiver dans certains cas.

Le thérapeute peut aussi utiliser la technique dite de «flèche descendante» qui permet à partir d'une pensée automatique dépressive de descendre pas à pas jusqu'aux postulats dépressogènes, en demandant à chaque étape au patient : «quelle est la pire conséquence et qu'est ce que cela représente pour vous».

☐ **Modification des postulats**

Il faut surtout en retenir l'esprit de la thérapie qui est de ne pas confronter le patient à des erreurs de jugement, mais par un jeu progressif de questions et de réponses pour lui faire prendre conscience du caractère dysfonctionnel, illogique et déficitaire des principes cachés qui régissent son comportement. A travers ce «dialogue socratique», le thérapeute développera la capacité d'effectuer des raisonnements alternatifs par rapport aux postulats de manière à remplacer les distorsions logiques par des réponses plus en rapport avec la réalité.

Pour ce faire, on peut se servir de *techniques de solution de problèmes* qui permettent de tester les arguments pour et contre une pensée automatique ou un postulat. Elles peuvent aussi tester l'utilité à court, moyen, et long terme de maintenir un tel système de croyances. En voici un modèle :

• *Postulat :*

« Si je ne réussis pas cet examen, ma vie sera définitivement un échec, car je serai rangé définitivement dans la catégorie des ratés ». Pourcentage de croyance dans le postulat :   %. Veuillez lister les arguments pour et contre cette position. La fiche à cinq colonnes de Beck peut aussi être utilisée pour tester les postulats irrationnels (cf. annexe 9), lorsqu'ils apparaissent dans la vie quotidienne. Finalement, le patient arrivera à intérioriser cette méthode de restructuration de ses distorsions cognitives.

Enfin, des épreuves de réalité évaluée par la fiche « Plan d'activités hebdomadaire » (annexe 11) permettront au patient de bénéficier d'expériences de plaisir et de maîtrise dans la réalité qui invalideront ses postulats. Le jeu de rôle, la présentation d'images mentales sous relaxation facilitent cet affrontement de la réalité et favorise les rencontres sociales qui pourront devenir positives.

Séance de fin de traitement

La thérapie se termine par une récapitulation de ce qui a été compris et un programme de maintien des tâches cognitives et comportementales.

Soulignons quelques difficultés que l'on rencontre fréquemment dans l'application de cette thérapie. La thérapie cognitive est surtout efficace dans les dépressions d'intensité légère ou moyenne qu'il s'agisse de dépressions majeures ou d'états dysthymiques au sens du DSM-III-R. Le fait qu'il y ait, au premier plan, des perturbations somatiques liées à la dépression-anorexie, perte de poids, insomnie, ralentissement- sans représenter véritablement une contre indication incite à préférer des antidépresseurs ou à les associer. Il est nécessaire que le patient présente une mémoire et une concentration suffisante et qu'il puisse faire le lien entre humeur et événements extérieurs, ainsi qu'entre humeur et pensée. Ce qui implique des capacités d'auto-observation et d'auto-contrôle. La mélancolie représente une contre-indication, de même que la dépression au cours des états psychotiques ou dans le cadre d'une psychose maniaco-dépressive (maladie bipolaire). Les quelques travaux sur la mélancolie et les dépressions psychotiques ont été négatifs. Le sens du réel doit être conservé pour pouvoir tester les hypothèses dépressives dans la réalité.

Les thérapies cognitives peuvent représenter une alternative aux antidépresseurs dans la mesure où certains patients les refusent, présentent des contre-indications ou encore les tolèrent mal. L'observance de la thérapie cognitive est en général meilleure que l'observance des traitements antidépresseurs. Certains ont suggéré de n'utiliser la thérapie cognitive qu'en cas d'échec avéré de deux traitements antidépresseurs différents correctement conduits et évalués.

RÉSULTATS

Depuis 1977, de nombreux travaux ont montré la valeur curative et préventive de la thérapie cognitivo-comportementale dans la dépression. Une méta-analyse (Dobson, 1989) qui incluait 28 études a montré la supériorité de la thérapie cognitive comparée à une liste d'attente, à la psychopharmacologie et à la thérapie comportementale. Les thérapies cognitives ont ces dix dernières années renouvelé l'approche psychothérapique de la dépression. Elles représentent une solution pour les nombreux patients qui ne répondent pas aux antidépresseurs ou en sont une contre-indication.

Bibliographie

BLACKBURN I., COTTRAUX J. — *Thérapie cognitive de la dépression*. Masson, Paris, 1988.
BECK A.T., RUSH A.J., SHAW B.F., EMERY G. — *Cognitive therapy of depression*. Guilford, New York, 1979.
COTTRAUX J., BOUVARD M., LÉGERON P. — *Méthodes et échelles d'évaluation des comportements*. Application Psychotechniques, Issy les Moulineaux, 1985.
DOBSON K. — A meta-analysis of the efficacy of cognitive therapy for depression. *J. Consult. Clin. Psychol.*, *57*, 414-419, 1989.

NOM :   PRÉNOM :   AGE .   DATE :

Situation	Émotion(s)	Pensées automatiques
Décrire :		
1. L'événement précis produisant l'émotion déplaisante ou	1. Spécifier : triste, agressif(ve), anxieux, etc.	1. Ecrire la pensée automatique qui a précédé l'émotion, suivi ou accompagné
2. Le fil d'idées, de pensées, de souvenirs ou la rêverie, etc., produisant l'émotion déplaisante.	2. Evaluer l'intensité de l'émotion. 0-8	2. Evaluer votre niveau de croyance dans la pensée automatique. 0-8
heure		

ANNEXE 9. — *Fiche « trois colonnes »*.

Situation	Émotion(s)	Pensées automatiques	Réponse rationnelle	Résultat
Décrire :				
1. L'événement précis produisant l'émotion déplaisante ou	1. Spécifier : triste, agressif(ve), anxieux, etc.	1. Ecrire la pensée automatique qui a précédé l'émotion, suivi ou accompagné	1. Ecrire la pensée rationelle produite pour répondre à la pensée automatique.	1. Réévaluer votre niveau de croyance dans la pensée automatique.
2. Le fil d'idées, de pensées, de souvenirs ou la rêverie, etc., produisant l'émotion déplaisante.	2. Evaluer l'intensité de l'émotion.	2. Evaluer votre niveau de croyance dans la pensée automatique.	2. Evaluer votre niveau de croyance dans cette réponse rationnelle.	2.Spécifier et évaluer les émotions qui s'en suivent.
	0-8	0-8	0-8	0-8
heure				

ANNEXE 10. — *Fiche « cinq colonnes »*.

NOM :　　　　　PRENOM :　　　　Semaine du　　au

Veuillez préciser vos activités de plaisir (P) et de maîtrise (M) en leur attribuant une note de 0 à 5 selon l'intensité du plaisir et de la maîtrise.

	Lundi	Mardi	Mercredi	Jeudi	Vendredi	Samedi	Dimanche
9-10							
10-11							
11-12							
12-13							
13-14							
14-15							
15-16							
16-17							
17-18							
18-19							
19-20							
20-24							

ANNEXE 11. — *Plan d'activité hebdomadaire*.

2

TROUBLES DU CONTRÔLE

11

Hyperactivité chez l'enfant

B. DARRAS

Parmi les troubles du contrôle, l'hyperactivité touche entre 5 et 20% des enfants scolarisés. Toutes les études s'accordent sur le fait qu'elle concerne davantage les garçons que les filles. Les enfants hyperactifs présentent une activité débordante et l'agitation dont ils font preuve est sans objectif précis et amène presque toujours l'entourage à consulter avec des plaintes pressantes «il faut faire quelque chose... c'est insupportable». Face à ces enfants qui dérangent à la maison et à l'école, face aux plaintes de l'entourage, le clinicien doit être attentif à préciser le type d'hyperactivité auquel il est confronté. Il existe en effet deux types d'enfants hyperactifs qui nécessitent chacun un traitement spécifique. Plusieurs études ont montré que si quelques enfants hyperactifs réagissaient bien à certains médicaments, dont les amphétamines, il en est un nombre important pour qui ce traitement médicamenteux s'est avéré sans effet positif et pouvait même aller jusqu'à provoquer des complications sérieuses. Un bon diagnostic différentiel s'impose donc au départ.

TABLEAU CLINIQUE

En fait, la notion d'hyperactivité se retrouve dans deux concepts qui ont évolué parallèlement en Europe et dans les pays anglo-saxons. Tandis que l'on parlait d'un côté «d'instabilité psychomotrice», les pays anglo-saxons développaient la notion «d'hyperkinésie» ou de «Minimal Brain Dysfunction» (MBD). Dans tous les cas, il s'agit d'enfants qui bougent sans cesse, ne tiennent pas en place, ne savent pas se tenir longtemps à une même activité. Ils ont du mal à respecter des consignes qui leur sont imposées, ils touchent à tout, sont souvent impulsifs et l'entourage a du mal à canaliser leur agitation débordante. Ce qu'il faut souligner, c'est que, de part et d'autre, les auteurs se sont attachés plus ou moins rapidement à établir une distinction entre les troubles de l'hyperactivité d'origine organique et ceux qui proviennent plutôt d'une désorganisation socio-affective.

Un chercheur canadien, Jacques Thiffault (1982) s'est particulièrement penché sur les problèmes des enfants hyperactifs; il invite tous les cliniciens à distinguer les deux visages de l'hyperactivité :
– l'hyperactivité constitutionnelle avec déficit moteur;
– l'hyperactivité socio-affective sans déficit moteur.

Quatre grands symptômes caractérisent l'hyperactivité en tant que syndrome :
1) l'hyperkinésie;
2) l'absence de capacité d'attention soutenue ou distractibilité;
3) l'impulsivité;
4) l'excitabilité.

A ces quatre symptômes de base, il faut ajouter des symptômes socio-affectifs. Il s'agit notamment : (1) de la dépression et dévalorisation qui découlent des échecs répétés auxquels ces enfants sont confrontés, leurs tentatives d'actions aboutissant trop rarement à une réussite; (2) du refuge dans des comportements anti-sociaux tant dans leur famille que vis-à-vis de leurs pairs ou à l'école.

Leur hyperactivité non finalisée dérange, irrite, agace et provoque immanquablement le rejet.

ÉVALUATION, DIAGNOSTIC ET ANALYSE FONCTIONNELLE

Le clinicien confronté à un cas d'hyperactivité se doit de recueillir le plus grand nombre de données, par observation, par entretiens avec l'entourage, questionnaires aux enseignants, mais aussi par des tests moteurs. La caractéristique essentielle qui permet de différencier les deux types d'hyperactivité est sans aucun doute la présence ou l'absence d'un déficit moteur. Il est donc indispensable de pouvoir apprécier les capacités motrices de ces enfants. Cette évaluation sera confiée, si nécessaire, à un spécialiste, psychomotricien ou kinésithérapeute, à qui l'on demandera de préciser le niveau de développement moteur de l'enfant. Celui-ci peut être déterminé par l'Echelle de développement moteur de Lincoln-Ozeretsky, revu par Sloan (1955), corrigée et étalonnée sur une population française par Roge (1983). Pour que l'on puisse parler d'hyperactivité constitutionnelle, avec déficit moteur, il faut que le retard de développement moteur soit d'au moins 2 ans.

En plus du retard moteur, l'hyperactivité constitutionnelle se différencie de l'hyperactivité socio-affective par l'existence de symptômes neuro-moteurs. Ceux-ci se manifestent par la présence de quatre types de difficultés.

Une maladresse des mouvements volontaires. Celle-ci s'exprime par une pauvreté des coordinations oculo-manuelles et globales, des difficultés d'apprentissage des sports individuels ou collectifs, une désorganisation de la motricité fine, une absence de contrôle-moteur. Cette maladresse des mouvements volontaires implique invariablement des troubles des apprentissages instrumentaux.

L'existence de «paratonies». Il s'agit en fait d'une incapacité à obtenir chez l'enfant un relâchement volontaire d'un muscle ou d'un groupe musculaire. Ces paratonies peuvent être mises en évidence par des épreuves de décontraction passive ou ballant. On demande au sujet de laisser les deux bras complètement mous. La vérification se fait à trois niveaux :

a) après mobilisation des épaules, en imprimant aux bras de grandes oscillations ;

b) même épreuve par mobilisation du coude, pour tester le ballant des avant-bras ;

c) on réitère l'exercice au niveau des poignets.

Chez les sujets présentant une hyperactivité constitutionnelle, on n'obtient jamais la capacité de «se laisser faire».

La persistance de difficultés de dissociation et de coordination est toujours présente. Elle se manifeste par la présence anormale pour l'âge de syncinésies d'imitation et de syncinésies de diffusion tonique.

Les difficultés d'orientation et de structuration spatio-temporelle sont toujours importantes chez les hyperactifs constitutionnels. Les psychologues formés à l'examen psychologique de l'enfant connaissent bien les épreuves qui permettent d'appréhender ce type de difficultés.

Les données recueillies à ce niveau seront confrontées à l'annexe 12 située en fin de chapitre.

Pour compléter l'analyse différentielle des deux types d'hyperactivité, après avoir établi la distinction au niveau des déficits moteurs, il est nécessaire d'observer la manière dont les symptômes classiques s'expriment. L'annexe 13 renseigne immédiatement le clinicien sur le type d'hyperactivité auquel il va devoir faire face en fonction de l'expression spécifique de chacun des symptômes classiques.

• *Concernant l'hyperkinésie, on précisera :*

– les conditions d'apparition ;

– le caractère irrégulier ou constant des décharges ;

– le lien ou l'indépendance de l'hyperkinésie avec les contingences de milieu particulières ;

– la finalité des gestes.

• *Concernant la distractibilité et l'incapacité d'attention soutenue, on observera :*

– la manière dont elle s'exprime ;

– les facteurs déclenchants ;

– les bénéfices secondaires qui en résultent.

• *Pour l'impulsivité, on précisera :*
  – le caractère précoce ou acquis;
  – la manière dont elle s'exprime (difficultés de freinage moteur, difficultés à persévérer dans une action entreprise ou recherche d'assouvissement immédiat des besoins).

• *Quant à l'excitabilité, on recherchera :*
  – la présence ou l'absence d'hyperexcitabilité sensorielle;
  – la capacité de l'enfant à se concentrer;
  – la capacité à tirer profit des apprentissages en groupes.

Les annexes figurant en fin de chapitre résument clairement la façon dont chacune des hyperactivités se différencie tant du point de vue des caractéristiques de la motricité et des troubles instrumentaux que du point de vue de l'expression des symptômes classiques de l'hyperactivité.

Enfin, avant d'aborder le traitement à envisager pour ce type de difficultés, il nous paraît important de mentionner ici que lorsqu'un enfant se présente en consultation avec de l'agitation et des troubles de l'attention, il est souvent préférable d'éliminer l'éventualité d'une atteinte de type épileptique.

TRAITEMENT

Comme nous l'avons déjà souligné, il est nécessaire d'établir un bon diagnostic différentiel car les deux types d'enfants hyperactifs ont besoin de traitements différents.

Traitement pharmacologique

Certes, toutes les études montrent qu'il peut y avoir, dans certains cas, une amélioration avec les médications. Mais cette amélioration porte plus sur la capacité d'attention que sur l'hyperkinésie. L'enfant est plus attentif, mais il n'y a pas de modification de la situation familiale, sociale ou scolaire. D'autre part, il faut ajouter les effets secondaires qui peuvent surgir avec l'utilisation des amphétamines notamment sur la croissance physique. Enfin, il faut également souligner qu'il existe toujours un risque de dépendance aux médicaments.

En matière de médication, la prudence s'impose. En 1973, Jacob *et al.* ont signalé que chez certains enfants, les symptômes pouvaient être amplifiés par les médications courantes. Les conclusions de Thiffault dans ce domaine sont claires : une *médication d'appoint est parfois bénéfique, mais uniquement dans le cas de l'hyperactivité constitutionnelle.* Elle est toujours à proscrire dans les cas d'hyperactivité socio-affective sans déficit moteur.

Psychomotricité

Dans le cas de *l'hyperactivité constitutionnelle avec déficit moteur*, une prise en charge psychomotrice est nécessaire. Elle s'attachera tout particulièrement à *diminuer les symptômes neuro-moteurs* et aura donc pour objectif :
1. l'augmentation et l'ajustement des mouvements volontaires ;
2. la réduction des paratonies et l'obtention d'une meilleure régulation du tonus ;
3. l'amélioration des dissociations et des coordinations ;
4. l'acquisition d'une meilleure orientation dans l'espace et dans le temps.

Dans le cas de l'hyperactivité socio-affective, on ne constate pas les mêmes difficultés motrices et les troubles instrumentaux sont souvent insuffisants pour qu'on en tienne compte. Si une approche psychomotrice peut toutefois être envisagée avec les enfants de ce type, elle sera davantage axée vers :
1. une augmentation de la capacité à maintenir son attention par rapport à son objectif déterminé ;
2. une diminution de l'impulsivité ;
3. un entraînement à la relaxation.

Cette approche thérapeutique peut être envisagée en groupe pour ces enfants qui profiteront avantageusement des renforcements vicariants. L'approche psychomotrice s'inscrira dans la perspective cognitivo-comportementale décrite plus loin.

Relaxation

Si la relaxation semble nécessaire et souhaitable auprès des hyperactifs, il faut tenir compte des remarques suivantes. L'utilisation de cette technique n'est possible et efficace que si l'on obtient l'adhésion du patient ; elle ne sera véritablement efficace que si elle est régulièrement pratiquée et encouragée : avec le thérapeute, à domicile, voire même à l'école. Ceci semble plus important encore dans le cas des hyperactivités socio-affectives. Si l'enfant est envahi d'un sentiment d'incompétence à contrôler sa maladresse, l'apprentissage du contrôle moteur doit se faire progressivement. Lorsque les paratonies sont importantes, comme c'est le cas dans les hyperactivités constitutionnelles, une approche préalable à la relaxation abordera le tonus par le biais d'exercices de tension/détente et un travail contre résistance. Négliger ces étapes risquerait de plonger l'enfant hyperactif dans une incompétence totale qui ne ferait que renforcer son angoisse et son agitation.

Approche cognitive et comportementale pluridisciplinaire

Pour faire face aux difficultés de maintien de l'attention et favoriser les apprentissages des enfants hyperactifs, il semble nécessaire d'encourager l'utilisation de l'apprentissage par modeling. Les différents intervenants thérapeutiques vont proposer à l'enfant hyperactif des modèles dont l'activité sera toujours orientée vers un but, qu'il s'agisse d'apprentissages scolaires, de motricité fine, de motricité globale, ou de cognitions ou d'apprentissages de comportements socialisés.

Les auto-renforcements proposés par le modèle tomberont toujours sur le maintien de l'attention et la réalisation de l'objectif préalablement fixé.

Il faut également rappeler ici que Meichenbaum (1974) a développé, en référence aux travaux de Vygotski et de Luria, la technique du «self instructional training». Il a analysé des enfants hyperkinétiques et a mis en évidence la pauvreté de leur langage intérieur : si l'on parvient à enrichir celui-ci, on diminue considérablement l'hyperactivité. Les principes de base de cette technique sont les suivants : au cours d'apprentissages moteurs, scolaires, cognitifs ou affectifs : faire verbaliser le discours intérieur du sujet ; anticiper verbalement les étapes successives à respecter pour aboutir à une action finalisée préalablement définie. La verbalisation du discours intérieur se fait successivement à voix haute, à mi-voix, puis elle est progressivement chuchotée, murmurée. Cette démarche systématisée semble extrêmement efficace pour réduire l'agitation, diminuer l'impulsivité, favoriser l'ajustement cognitif et comportemental. Elle est toutefois insuffisante à elle seule dans le cas des hyperactivités socio-affectives qui ont besoin d'une intervention spécifique supplémentaire.

Approche spécifique pour les hyperactifs socio-affectifs

Pour ces enfants, il faut rappeler que leur agitation apparaît souvent comme une défense vis-à-vis de l'angoisse associée à certaines situations, à certains milieux sociaux, à certaines contingences. Comme nous l'avons dit plus haut, pour eux, l'hyperkinésie n'est pas permanente, elle est liée à une ou plusieurs situations socio-affectives particulières. De ce fait, pour cette catégorie particulière d'hyperactifs, une thérapie comportementale devra toujours être associée aux autres modes d'approche thérapeutique. Elle agira tantôt sur les émotions : par des jeux de rôle, notamment par modeling sur le thérapeute ou dans des groupes avec possibilité de renforcements vicariants, le thérapeute entraînera l'enfant à une meilleure discrimination perceptive des expressions émotionnelles chez autrui et à une expression plus adéquate et différenciée de ses propres expressions émotionnelles. Chez des enfants qui sont souvent excessifs, démesurés dans leurs démonstrations d'affects ou d'émotions, des situations déclenchant des émotions sont évoquées en présence de l'enfant. Le thérapeute ou les autres enfants d'un groupe servent de modèle plus expressif. L'enfant hyperactif face aux modèles qui lui sont proposés apprendra à reconnaître, puis à imiter les différentes expressions. Il devra ensuite trouver dans son propre registre mimique, gestuel et postural les expressions les plus adéquates sans faire comprendre à son entourage ce qu'il ressent.

La découverte qu'il peut se faire mieux comprendre par autrui, qui perçoit mieux ce qu'il ressent, la valorisation des expressions émotionnelles plus diversifiées et mieux adaptées, serviront de renforcement positif et augmenteront ainsi la fréquence d'apparition des expressions plus adéquates.

Tantôt il interviendra au niveau des cognitions, à partir des situations réelles vécues par l'enfant ou à partir de situations évoquées par lui et dans lesquelles les contextes socio-affectifs déclenchant l'hyperactivité ont été bien cernés, un travail de restructuration cognitive pourra être entrepris qui permettra de faire face aux problèmes de dévalorisation, sentiment de persécution, anticipation des conséquences de l'action. Enfin, il faudra toujours insister sur la réorganisation des contingences de milieu. Par contingences de milieu, il faut comprendre toutes les conditions d'environnement qui peuvent avoir une influence sur le déclenchement ou le maintien des états d'agitation ou d'excitation de l'enfant hyperactif. Un certain nombre d'entre elles sont à l'origine de l'angoisse des enfants et ont contribué à l'apparition des troubles. Elles peuvent maintenir et renforcer ceux-ci si elles ne sont pas prises en compte et modifiées. Dans certains cas, une intervention directe sur le milieu doit être envisagée comme, par exemple, un changement de classe, voire même un changement d'école. La pertinence de ce type d'intervention dépend bien évidemment de la qualité de l'analyse fonctionnelle qui sera pratiquée pour chaque enfant.

RÉSULTATS

Si de bons résultats sont obtenus au cours des séances thérapeutiques, mais que le milieu familial se plaint toujours d'une agitation importante à la maison, il y a lieu d'investiguer davantage. Il faut savoir notamment si certaines contingences n'ont pas été omises dans le recueil des données comme :

– sorties fréquentes des parents en soirée, l'enfant étant livré à lui-même ou à un frère ou une sœur tyrannique ou autoritaire ;

– visites fréquentes des amis ou amies de l'un ou l'autre membre de la fratrie, l'enfant hyperactif étant exclu du groupe et se manifestant par son hyperactivité ;

– obligation pour l'enfant de partager sa maison et ses jeux avec d'autres enfants de son âge ou plus jeunes dont sa mère a la garde, etc.

Dans certains cas, ces contingences ne peuvent pas être modifiées et un travail plus important au niveau des cognitions sera bénéfique.

Bibliographie

MEICHENBAUM D. — *Clinical implications of modifying what clients say to themselves.* University of Waterloo, Research Reports in Psychology. Waterloo, Ontario, Research Report, 1972, n° 42, 1971.

THIFFAULT J. — *Les enfants hyperactifs.* Amérique Press, Montréal, 1982.

I. Hyperactivité constitutionnelle avec déficit moteur	II. Hyperactivité socio-affective sans déficit moteur

Caractéristiques différentielles

– Provoquée par des facteurs endogènes	– Acquises et conditionnées par des facteurs psycho-sociaux
– Concerne 1/3 des sujets hyperactifs	– Concerne 2/3 des sujets hyperactifs
– Carcatérisée par des difficultés évidentes dans la réalisation motrice spatio-temporelle	– Motricité normale ou même supérieure
– Le retard de développement moteur de ces enfants est d'au moins 2 ans	– Troubles instrumentaux insuffisants pour qu'on en tienne compte
Présence de symptômes neuro-moteurs	*Absence de symptômes neuro-moteurs*

1) Maladresse des mouvements volontaires
2) Existence de « Paratonies »
3) Persistance de difficultés de dissociations et de coordinations
4) Difficultés d'orientation et de structuration spatio-temporelle

ANNEXE 12. —

I. Hyperactivité constitutionnelle avec déficit moteur	II. Hyperactivité socio-affective sans déficit moteur
A) Hyperkinésie – apparition précoce de décharges motrices exagérées – constance de ces décharges – indépendance au contexte – absence de finalité dans l'exécution des gestes	A) Hyperkinésie – apparition brusque d'agitation – irrégularité de l'hyperkinésie – existence d'un lien à une situation socio-affective particulière
B) Distractibilité Incapacité d'attention soutenue – caractère constant – davantage causée par l'hyperkinésie	B) Distractibilité Incapacité d'attention soutenue – fuite dans le rêve – moyen d'éviter des situations anxiogènes – disparaît lorsqu'elle n'est plus nécessaire comme défense
C) Impulsivité – difficultés de freinage moteur – difficultés à persévérer dans une action entreprise	C) Impulsivité – plutpot acquise, résultat d'une déviation affective ou éducative – caractère immature et régressif, pouvoir d'évasion – recherche d'assouvrissement immédiat des besoins
D) Excitabilité. Réactivité excessive aux stimuli sensoriels – concentration psychique impossible ou insuffisante – distractibilité provoquée par une « hyper-excitabilité sensorielle »	D) Excitabilité – pas d'hyperexcitabilité sensorielle – enfants pouvant tirer profit des apprentissages en groupe

ANNEXE 13. — *Expression des symptômes classiques.*

12

Tics

R. LADOUCEUR

Les tics sont des mouvements ou vocalisations rapides, momentanés, involontaires, récurrents, non rythmiques et stéréotypés. Durant le sommeil ou lors d'activités absorbantes comme la lecture ou la couture, ils sont souvent inexistants. Ils apparaissent habituellement pendant l'enfance ou l'adolescence sous la forme d'une réaction physique normale à un événement stressant comme la mort d'un proche ou l'entrée à la garderie. Ils persisteront après la disparition de ce stress et leur fréquence augmentera progressivement. Environ 20 % des enfants âgés de 5 à 10 ans manifestent ce trouble, alors que 1 % des adultes souffrent de ce problème. On note que trois hommes pour une femme ont des tics. Sous l'effet de la tension ou du stress, la fréquence et la sévérité seront significativement plus élevées. Les tics faciaux et du haut du corps sont les plus fréquents.

TABLEAU CLINIQUE

Le tic prendra une forme simple ou complexe, bien que la ligne de démarcation entre les deux types soit difficile à établir. Dans sa forme simple, mentionnons le clignement des yeux, le haussement des épaules, les tensions au niveau du cou, les grimaces. Au point de vue moteur, on retrouve le dégagement de la gorge, les grognements et les reniflements. Les tics complexes se traduisent par des mouvements faciaux involontaires et répétitifs, comme se mordre, se frapper ou sauter. Sur le plan verbal, on rencontre la répétition de mots ou de phrases qui sont hors contexte, la palilalie (répéter ses propres mots ou sons) et l'écholalie (répéter le dernier son, mot ou phrase d'une autre personne). L'anxiété sociale et la dépression accompagnent souvent ce trouble. Ces patients éviteront souvent des situations sociales ou professionnelles par gêne reliée à leur tic. Il est intéressant de faire remarquer que plusieurs patients rapportent pouvoir contrôler leur tic dans certaines situations pendant une brève période, habituellement pendant des activités absorbantes ou qui demandent une attention soutenue de la part du sujet. Mentionnons enfin que peu de patient éprouveront le tic pendant le sommeil.

ÉVALUATION, DIAGNOSTIC ET ANALYSE FONCTIONNELLE

Avant de poser ce diagnostic, on s'assurera que le tic n'est pas secondaire à une autre psychopathologie. Le DSM-III-R énumère plusieurs caractéristiques du tic. Après avoir distingué s'il s'agit d'un mouvement moteur ou d'une vocalisation, on poursuit en précisant que le mouvement ou la vocalisation doit être «involontaire, soudain, rapide, récurrent, non rythmique et stéréotypé». Bien qu'il soit ressenti comme irrépressible, le patient pourra le supprimer pendant une période de temps variable. Le clinicien sera surtout consulté pour des tics moteurs : c'est la raison pour laquelle le traitement décrit au cours du présent chapitre s'adresse principalement à ce type de tic. Deux autres éléments sont à retenir. Les tics se manifestent à de nombreuses reprises pendant la journée, quasiment tous les jours, et ce, durant plus d'un an. Selon le DSM-III-R, le début remonte avant l'âge de 21 ans. Précisons que nous abordons ici le tic moteur et non le tic verbal chronique, le tic transitoire ou la Maladie de Gilles de la Tourette. Par contre, le lecteur qui rencontrera ces derniers problèmes pourra adapter la méthode d'intervention décrite plus bas.

L'auto-enregistrement, mesure la plus fréquemment utilisée, servira à établir le niveau de base du tic. Pour ce faire, le patient remplira quotidiennement une fiche sur laquelle il inscrira la fréquence du tic. Etant donné que le tic est un comportement automatique, irréfléchi et rigide, le seul fait de noter sa fréquence augmente la prise de conscience du patient. Il importe de rendre le client attentif à ces manifestations et de l'examiner bien à fond. Dans certains cas, ce procédé à lui seul diminuera la fréquence du tic, voire l'éliminera. Les données ainsi recueillies seront colligées sur un graphique afin de suivre adéquatement l'évolution du traitement. Nous suggérons au patient de garder ce graphique bien en vue afin qu'il amène une plus grande prise de conscience de l'état de son problème et de ses progrès en cours de thérapie. Les annexes 14 et 15 présentent ce matériel d'évaluation.

Lors des entrevues, le thérapeute identifiera les points suivants :
1. Dans quelles situations la fréquence du tic est-elle élevée ?
2. Quelles sont les activités suscitant l'apparition du tic ?
3. Le patient prend-il des médicaments pour contrôler son tic ?

TRAITEMENT

La *prise de conscience* et le *renversement d'habitudes* s'avèrent très efficaces pour éliminer les tics. Par prise de conscience, nous entendons «... la connaissance des conditions sous lesquelles un comportement se produit et la capacité de l'individu à les verbaliser» (Ladouceur et Mercier, 1984). Ceci fait référence aux comportements internes (pensées, images, appréhensions) et aux comportements externes ou manifestes. Essentiellement, il s'agit de rendre le client attentif aux manifestations de son tic et de lui apprendre une réponse incompatible à son problème. Pour lui faire prendre conscience de son tic, dans un premier temps, le client sera invité à décrire son tic et à préciser son contenu et son contexte. Pendant les entrevues, le thérapeute signalera chaque émission du tic, rendant ainsi le patient attentif à son problème. Ensuite, le patient identifiera et développera une réponse incompatible, empêchant ainsi l'émission du tic.

Voici en détail la méthode par *renversement d'habitudes* qui comprend huit éléments :

1. *Description du tic*. Le patient produit volontairement le tic devant le thérapeute et en fait une description détaillée.

2. *Identification du tic*. Le patient apprendra à détecter chaque manifestation du tic. Le thérapeute lui signalera verbalement chaque occurrence.

3. *Indices prédicteurs de l'émission du tic*. Le patient devra apprendre à reconnaître les indices qui l'amènent à émettre le tic. Par exemple, une légère tension dans le cou sera à l'origine de l'étirement du cou.

4. *Apprentissage d'une réponse incompatible au tic*. Afin de contrer l'émission du tic, le patient apprend et développe un mouvement incompatible à sa production. Ce nouveau comportement ne devra pas interférer avec les activités habituelles et pourra être émis facilement pendant plusieurs minutes de suite. Cette réponse incompatible permettra au patient de se rendre compte de l'absence du tic : il est important de l'effectuer dès l'émission du tic. Avant d'utiliser cette technique, le thérapeute pourra suggérer au patient de pratiquer cette réponse en imaginant des situations dans lesquelles le tic se présente plus fréquemment. Par exemple, pour un patient dont le tic est un balancement de gauche à droite de la tête, la réponse incompatible sera de tendre les muscles du cou. Le patient clignant des yeux sera invité à exercer une légère pression de la paupière vers le haut.

5. *Examen des inconvénients*. Le thérapeute passe en revue les inconvénients, les embarras et les souffrances que lui cause le tic.

6. *Support social*. La famille et les amis du patient pourront augmenter sa motivation en notant les périodes d'absence du tic, renforçant ainsi ses efforts. Ils lui rappelleront l'importance de pratiquer la réponse incompatible. Le thérapeute pourra téléphoner au patient pour s'informer de son état.

7. *Répétition en imagination*. Le client imaginera pendant 15 minutes par jour les situations à risque, détectera les signes avant-coureurs et appliquera la réponse incompatible.

8. *Généralisation*. Progressivement, le patient est invité à utiliser cette méthode dans les situations à risque.

Dans notre pratique, nous colligeons sur un graphique les données hebdomadaires rapportées par le patient. Cela s'est avéré une motivation et un renforcement puissant à poursuivre les pratiques.

Le *renversement d'habitudes* est une technique simple et très efficace pour contrer et éliminer les tics. Après quelques jours de traitement, nous obtenons habituellement une diminution de 90 % de la fréquence. Si vous n'obtenez pas ce résultat, vérifiez si le patient effectue correctement la réponse incompatible dès que le tic se présente. Il est possible que le client ne porte pas une attention suffisante au tic et qu'il ne le reconnaisse pas adéquatement. Il importe alors de reprendre les exercices visant à augmenter sa prise de conscience.

La participation de la famille et des amis est fortement recommandée. Ils renforceront ses efforts et ses succès et lui rappelleront de faire ses exercices.

RÉSULTATS

Les résultats de cette technique s'avèrent très positifs. Plus de 80 % des patients traités réussissent à éliminer cette habitude involontaire. Cette méthode ne nécessite aucun appareil comme c'est le cas du biofeedback qui est peu recommandé aujourd'hui, car la généralisation des gains thérapeutiques au milieu naturel pose souvent problème. Ici, nous avons une méthode dont la principale utilité est que le patient peut s'en servir en tout temps et dans toutes les situations. Notre expérience clinique révèle que les patients développent l'automatisme inverse à leur tic, c'est-à-dire qu'ils émettent rapidement le comportement incompatible avant l'émission du tic.

Bibliographie

Azrin N.H., Nunn R.G. — Habit reversal : A method of eliminating nervous habits and tics. *Behav. Res. Ther.*, *11*, 619-628, 1973.

Azrin N.H., Nunn R.G., Frantz S.E. — Habit reversal vs negative practice treatment of nervous tics. *Behav. Therapy.*, *11*, 169-178, 1980.

Ladouceur R. — Habit reversal treatment : Learning an incompatible response or increasing the subject's awareness. *Behav. Res. Ther.*, *17*, 313-316, 1979.

Ladouceur R., Mercier P. — Awareness : An understudied cognitive factor in behavior therapy. *Psychol. Rep.*, *54*, 159-178, 1984.

Fréquence du tic	Description de la situation	Cognitions appréhensions	Niveau d'anxiété 0-10	Remarques

ANNEXE 14. — *Fiche d'auto-enregistrement.*

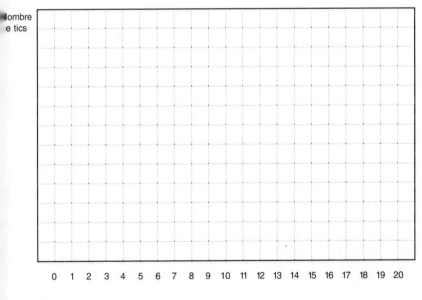

Nombre de tics

0 1 2 3 4 5 6 7 8 9 10 11 12 13 14 15 16 17 18 19 20

Jours

ANNEXE 15. — *Évolution des tics par jour.*

13

Insomnie

R. LADOUCEUR

L'insomnie est un problème répandu. Des études de prévalence menées dans plusieurs pays indiquent qu'entre 15 % et 30 % de la population souffre d'insomnie. La moitié de ces gens connaissent des problèmes de sommeil graves. Fréquemment considérée comme un problème médical, l'insomnie a été traditionnellement traitée par des médicaments. Environ 40 % des insomniaques consomment quotidiennement des hypnotiques alors que 25 % en utilisent de façon intermittente. Près du tiers des insomniaques prennent de l'alcool pour faciliter le sommeil et la moitié absorbe en plus des hypnotiques.

TABLEAU CLINIQUE

Morin (1992) a récemment publié une excellente synthèse du tableau clinique et des interventions non pharmacologiques de ce trouble du sommeil. Rappelons que l'insomnie chronique peut avoir de graves conséquences à plusieurs niveaux, à savoir personnel, familial, social et professionnel. L'individu qui en souffre depuis plus d'un an et qui n'a pas réussi à régler son problème malgré plusieurs tentatives infructueuses peut développer un état dépressif important. L'abus et la dépendance aux somnifères sont une condition fréquente chez le patient insomniaque.

Les causes de l'insomnie sont multiples ; il peut s'agir de facteurs médicaux, psychologiques, comportementaux, professionnels, etc. Les horaires de veille/sommeil irréguliers sont une cause fréquemment rapportée dans les écrits. Ces patients doivent constamment adapter leur sommeil à des heures différentes. Pensons entre autres aux infirmières, pilotes d'avion et agents de bord, voyageurs internationaux. Des événements de vie importants et stressants (naissance, mariage, divorce, décès, nouvel emploi) peuvent également engendrer l'insomnie. Après quelques nuits d'un sommeil non récupérateur, certains individus vont tenter de reprendre le sommeil perdu. Ils feront des efforts soutenus pour induire volontairement le sommeil et ainsi tenter de dissiper totalement et définitivement la fatigue accumulée. Malheureusement, plus l'individu fait des efforts pour s'endormir, plus il risque d'augmenter son temps de latence et voir se développer des problèmes d'endormissement. Paradoxalement, un cercle vicieux s'enclenchera, car plus la personne tente de «contrôler» l'apparition d'un sommeil rapide, long et profond, plus elle risque d'obtenir l'effet contraire.

Enfin, rappelons pour le clinicien que de nombreux patients se présentent au cabinet de consultation se plaignant de ne pas avoir dormi depuis plusieurs nuits ou d'avoir fermé l'œil à peine quelques heures au cours des dernières semaines, voire des derniers mois. Cette exagération n'est pas volontaire de la part du patient, car cette insomnie subjective reflète réellement sa perception du problème. Des mesures objectives et physiologiques révéleraient que l'individu surestime son temps de latence. Malgré l'invraisemblance des rapports subjectifs du patient, il est souvent difficile de corriger cette évaluation. N'oublions pas que la mesure principale qui sera utilisé au cours de nos traitements reposera uniquement sur la subjectivité du patient.

ÉVALUATION, DIAGNOSTIC ET ANALYSE FONCTIONNELLE

Dans le grand public, l'insomnie se traduit par un sommeil insatisfaisant. Elle se retrouve habituellement sous l'une des formes suivantes : (1) l'insomnie initiale : difficulté à s'endormir au coucher, (2) l'insomnie intermittente : réveils fréquents pendant la nuit, et (3) l'insomnie terminale : réveil matinal tôt sans pouvoir se rendormir. Un autre critère particulier à l'insomnie est la fatigue résultant d'un sommeil perturbé. Le patient mettra 30 minutes avant de s'endormir s'il s'agit d'un insomniaque léger et plus d'une heure pour l'insomniaque grave.

Selon le DSM-III-R, l'insomnie se diagnostique selon les trois critères suivants :
A. Difficulté d'endormissement ou du maintien du sommeil ou un sommeil non réparateur,
B. Cette difficulté survient au moins trois fois par semaine pendant au moins un mois. Elle est suffisamment intense pour entraîner une fatigue diurne significative ou la constatation, par l'entourage, de signes attribuables à la perturbation du sommeil, comme une irritabilité ou un handicap dans le fonctionnement diurne.
C. Le trouble ne survient pas exclusivement au cours d'un trouble du rythme veille-sommeil ou d'une Parasomnie.

Il importe de distinguer l'insomnie primaire de l'insomnie secondaire. Dans le deuxième cas, l'insomnie résulte de la présence d'un autre trouble qu'il faudra d'abord traiter. Par exemple, chez l'individu éprouvant de sérieuses difficultés conjugales combinées à de l'insomnie, le thérapeute abordera le problème conjugal en premier, sinon il accusera un échec dans sa tentative d'éliminer l'insomnie.

Bien qu'il soit louable d'obtenir des données objectives de la fréquence et de la sévérité de l'insomnie, pour la plupart des cliniciens, cet objectif est irréaliste. Notre intervention s'articulera plutôt à partir des données subjectives rapportées par le patient. Afin de réduire les biais importants liés à ce procédé, il faudra bien préciser les informations demandées au patient. Par exemple, une fiche d'auto-enregistrement remplie chaque matin par le patient est plus précise qu'un rapport verbal, global et rétrospectif. Nous adapterons ces fiches en fonction des caractéristiques du problème de chaque individu. Nous utilisons fréquemment la fiche suivante avec nos patients (voir annexe 16).

Le patient remplira ces fiches pendant au moins deux semaines afin d'identifier le problème et d'établir un niveau de base, c'est-à-dire une mesure initiale pré-traitement de l'insomnie. Cette dernière précisera la gravité du problème, sa fréquence, et s'il y a présence d'un ou plusieurs types d'insomnie. Nous colligerons ces données sur un graphique afin de suivre l'évolution des résultats et rectifierons, s'il y a lieu, l'intervention en fonction des difficultés rencontrées (voir annexe 17).

Pendant les entretiens, le thérapeute explorera les dimensions suivantes :
1. Le patient se sent-il fatigué au moment d'aller se coucher ou se couche-t-il parce que l'heure idéale est arrivée ?
2. Le patient se couche-t-il et se lève-t-il à des heures régulières ?
3. Est-il satisfait de son rendement au travail ?
4. Prend-il des médicaments pour dormir ?
5. Consomme-t-il de l'alcool pour mieux dormir ?
6. Consomme-t-il des excitants pendant la soirée (e.g. café, chocolat, etc.) ?
7. Quelles sont ses activités pendant la soirée ?
8. Souffre-t-il de problèmes professionnels, familiaux, sentimentaux, financiers, etc. ?
9. Y-a-t-il eu des changements importants dans sa vie depuis peu ?
10. Anticipe-t-il des événements négatifs importants ?

Ces questions ont pour objet d'identifier les facteurs associés à l'insomnie. Si le thérapeute soupçonne la présence des éléments mentionnés ci-haut, il les évaluera systématiquement à l'aide de fiches d'auto-enregistrement semblables à celle que nous venons de décrire.

TRAITEMENT

Les insomniaques possèdent habituellement peu d'informations sur le sommeil, ou des informations erronées. La première étape du traitement consistera à transmettre les informations de base sur le sommeil. Voici les plus importantes :

1. La qualité, la profondeur et la continuité du sommeil importent autant que le nombre d'heures de sommeil.

2. Le vieillissement amène une diminution de la qualité et de la quantité de sommeil : ceci est tout à fait normal.

3. La quantité de sommeil varie énormément d'une personne à l'autre. Certains ont besoin d'un minimum de neuf heures par nuit, d'autres fonctionnent très bien avec cinq heures de sommeil.

4. Une seule nuit de sommeil normal récupérera les effets négatifs d'une nuit perturbée ou trop brève.

5. Les personnes souffrant d'insomnie surestiment le temps pendant lequel elles demeurent éveillées. De ce fait, elles aggravent leur problème de sommeil, développant une appréhension à l'égard du coucher.

Suite à la correction des croyances erronées à l'égard du sommeil, le traitement actuellement le plus efficace pour solutionner l'insomnie est le *contrôle par le stimulus*. Cette approche thérapeutique, repose sur les principes du conditionnement opérant et vise le réaménagement des contingences de l'environnement. Il est connu que nos comportements sont habituellement émis dans des situations spécifiques, situations qui deviennent des signaux ou des indices pour émettre le comportement-cible. Par exemple, allumer une cigarette après le repas, sentir la faim lorsqu'il est midi, baisser automatiquement la voix en entrant dans une église, etc. L'insomniaque entretient habituellement une mauvaise hygiène de vie à l'égard de son sommeil. Il a un cycle irrégulier d'éveil-sommeil et le sommeil n'est pas associé à des stimuli appropriés. L'individu devra se mettre au lit et se lever à des heures régulières, et l'endroit où se déroule le sommeil sera toujours le même. Ceci amenera le sommeil sous des stimuli discriminatifs spécifiques. L'insomnie découlerait de la présence de stimuli discriminatifs reliés à des activités incompatibles avec le sommeil telles lire, manger, regarder la télévision dans son lit. Les directives du *contrôle par le stimulus* cherchent à renforcer la chambre et le lit en tant que situations facilitant le sommeil et à éliminer les activités incompatibles.

Voici les consignes que nous utilisons avec nos patients :

1. Couchez-vous seulement lorsque vous êtes fatigué.

2. Une heure avant le coucher, cessez toutes activités exigeantes au plan physique et intellectuel.

3. N'utiliser votre lit que pour dormir : éliminer toute autre activité telle que lire, manger, regarder la télévision, téléphoner. L'activité sexuelle est la seule exception à cette règle.

4. Si quinze minutes après votre coucher vous ne dormez pas, levez-vous et allez dans une autre pièce. Ne retourner au lit que lorsque le sommeil se fera sentir.

5. Si au retour dans votre lit, vous éprouvez de nouveau de la difficulté à dormir, répétez l'étape 4.

6. Levez-vous et couchez-vous toujours à la même heure, peu importe la durée du sommeil de la nuit précédente. Ne vous couchez pas plus tôt parce que vous êtes très fatigué.

7. Ne faites jamais de siestes pendant la journée. Cela brise le cycle régulier d'éveil-sommeil que vous tentez de régulariser.

Le thérapeute examinera avec le patient les difficultés rencontrées dans la mise en application de ce programme et apportera immédiatement les solutions nécessaires. On pourra alors ajouter des exercices de relaxation de type Jacobson ou le training autogène de Schultz. Récemment, Morin (1992) suggérait l'utilisation d'une nouvelle méthode nommée *La Restriction du sommeil*. Elle consiste à limiter le temps passé au lit au nombre d'heures réelles de sommeil. Par exemple, un patient qui rapporte dormir en moyenne quatre heures par nuit mais consacre neuf heures au lit, devra passer un maximum de quatre heures au lit par nuit. L'enregistrement du niveau de base comme nous l'avons mentionné plus haut déterminera cette première étape. Lorsque le pourcentage du temps passé au lit par rapport au temps de sommeil rapporté par le patient est supérieur à 90 %, le patient ajoutera 15 minutes de plus au lit. Cette restriction se poursuivra jusqu'à ce que l'objectif du patient soit atteint.

RÉSULTATS

Plusieurs études empiriques confirment l'efficacité de cette méthode : plus de 75 % des patients retrouvent un sommeil satisfaisant tant chez les adultes que chez les personnes âgées. Son application est particulièrement utile auprès des personnes du troisième âge, compte tenu de la prévalence élevée de ce problème dans cette population.

Les études comparant l'efficacité relative de cette méthode par rapport à d'autres interventions comportementales (e.g. relaxation, intention paradoxale, etc.) ont démontré la supériorité du *contrôle par le stimulus*. Si vous n'obtenez pas les résultas attendus, vérifiez si le patient suit les directives, en particulier s'il ne fait pas de sieste le jour, s'il se couche seulement lorsqu'il est fatigué, etc. Si tel est le cas, vérifiez alors les activités cognitives du patient lorsqu'il se met au lit ou lorsqu'il attend le sommeil. Il est fort probable que ce dernier fasse un effort pour tomber endormi. Il s'enclenche souvent un cercle vicieux : plus le patient désire s'endormir rapidement, moins il réussit, et évidemment, plus il devient anxieux et par conséquent plus il aura de difficulté à s'endormir. Il importe de corriger cette attitude inefficace et de la remplacer par une image compatible avec le sommeil. Un entraînement à la relaxation facilitera ce processus.

Il importe de suivre systématiquement ce procédé pendant quatre à cinq semaines avant d'obtenir des changements significatifs. Un suivi de trois mois, avec des rencontres d'une demi-heure tous les quinze jours, est fortement recommandé.

Bibliographie

Boisvert J.M., Melanson D., Filion M. — *Vaincre l'insomnie.* Le Jour, Montréal, 1985.
Lacks P. — *Behavioral Treatment for Persistent Insomnia.* Pergamon, New York, 1987.
Ladouceur R., Gros-Louis Y. — *L'Insomnie : traitement comportemental.* Presses de l'Université du Québec, Montréal, 1984.
Morin C. — Perspectives cognitivo-comportementales dans le traitement de l'insomnie chronique. *Science et Comportement,* 22, 1992.

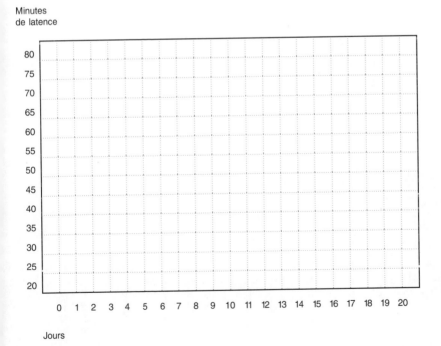

ANNEXE 16. — *Évolution de l'insomnie.*

Journée	Heure du coucher	Heure du début du sommeil	Temps de latence	Nombre de levers avant le sommeil	Nombre de réveils	Heure des réveils	Repos ressenti 0 à 10	Médicaments et commentaires
Lundi								
Mardi								
Mercredi								
Jeudi								
Vendredi								
Samedi								
Dimanche								

ANNEXE 17. — *Fiche d'auto-enregistrement.*

14

Onychophagie

R. LADOUCEUR

L'onychophagie, le rongement des ongles, est un problème répandu. Sa prévalence chez l'adulte se situe entre 20 et 25 %. Chez les enfants, le pourcentage s'élève à 28 % pour les jeunes âgés de 5 à 6 ans, et atteint jusqu'à 60 % au début de l'adolescence. Bien que le rongement des ongles soit un phénomène répandu, il est souvent peu remarqué puisque ces individus maquillent souvent les conséquences de leurs gestes. L'onychophagie inclut également le mordillement des cuticules et de la peau autour des ongles. Il résulte donc que certaines composantes ne sont pas identifiées comme étant de l'onychophagie alors qu'elles en font partie.

Les conséquences du rongement des ongles sont d'ordre psychologique et physique. Le patient entretient souvent une perception négative de lui-même en raison de son incapacité à se contrôler. Parmi les conséquences physiques, notons la décoloration, le manque d'éclat, la séparation ainsi que l'épaississement des ongles. Dans certains cas, en raison de l'infection, suivra une perte de l'ongle.

ÉVALUATION, DIAGNOSTIC ET ANALYSE FONCTIONNELLE

Notons que ce problème n'est pas un trouble psychiatrique, c'est pourquoi le DSM-III-R ne fournit aucun critère diagnostique pour l'onychophagie. Néanmoins, le rongement des ongles demeure problématique pour de nombreux individus. Habituellement, ils ne consulteront pas leur médecin de famille pour ce problème ; ils profiteront plutôt d'une consultation pour un autre problème pour aborder cette question. L'intervenant ne sait habituellement pas quoi répondre. Ce chapitre présente une méthode efficace et facile d'application pour résoudre ce problème. La définition de l'onychophagie est la suivante :

Acte de mordre, tirer, ou arracher les ongles (des mains ou/et des pieds), ou la peau située près des régions immédiates de l'ongle ou les cuticules.

Le rongement des ongles se retrouve sous trois formes : léger, modéré, et sévère.

Léger : Le bout de l'ongle (la partie blanche) est irrégulier, mais raisonnablement intact. Onychophagie confirmée par le questionnement en entrevue.

Modéré : Le bout de l'ongle (partie blanche) est absent. Rongement régulier confirmé par le questionnement en entrevue.

Sévère : L'ongle est rongé au-delà de la partie qui ne touche pas à la peau. Le tissu normalement caché par l'ongle est visible.

On peut diviser en deux autres catégories les personnes qui se rongent les ongles, selon le nombre de doigts qui sont endommagés. Les patients qui rongent tous les ongles sans exception seront dits des rongeurs définis, alors que ceux pour qui le problème ne s'étend qu'entre un et neuf doigts sont dits des rongeurs indéfinis.

La mesure la plus fréquemment utilisée est l'auto-enregistrement. Elle fournit un niveau de base de la fréquence du rongement des ongles et précise la sévérité du cas. Le patient remplit quotidiennement une fiche à cet effet. L'annexe 18 présente un exemple de fiche fréquemment utilisée. L'auto-enregistrement augmente la prise de conscience des mouvements associés à l'onychophagie. Cette habitude se développe graduellement et devient rapidement automatique. Il importe de sensibiliser le client à la chaîne de comportements qui le mène à se ronger les ongles. En plus des fiches, le client illustrera les données recueillies à l'aide d'un graphique, permettant de suivre l'évolution du traitement (voir annexe 19). Ce graphique aidera le patient à prendre conscience de son comportement.

D'autres méthodes sont utilisées pour mesurer les changements, par exemple faire une égratignure sur l'ongle. Photographier l'ongle s'avère celle la plus appropriée, puisqu'elle fournit une mesure permanente et objective. Enfin, on pourra examiner l'apparence des doigts, en comptant le nombre d'ongles rongés ayant des traces de sang ou des plaies en train de se cicatriser. Notons que les cuticules ne sont pas de bons points de référence car elles peuvent être facilement endommagées, ce qui biaise l'évaluation.

Lors des entrevues, le thérapeute examinera les aspects suivants :
1. Dans quelles situations le patient se ronge-t-il les ongles ?
2. Quelles activités sont les plus propices au rongement des ongles ?
3. Quels sont les mouvements initiaux ?
4. A-t-il des mouvements associés au rongement des ongles ?
5. Quels sont les aspects du rongement des ongles qui agacent ? (ces derniers sont utilisés pour motiver le patient)

TRAITEMENT

Le traitement comprend deux volets : 1) rendre le patient apte à reconnaître la chaîne de comportements causant le rongement des ongles et 2) apprendre une réponse incompatible avec son problème. Cette méthode, appelée le *renversement d'habitude*, est très efficace pour résoudre ce problème. Pour débuter, il faut rendre le client attentif aux diverses composantes. La personne se placera devant un miroir, et se rongera les ongles tout en observant et en notant les mouvements effectués. Si les ongles sont rongés de différentes façons l'individu fera une liste des diverses conduites. Toujours devant le miroir, le patient décrira à voix haute la manière dont il se ronge les ongles. Cela se fait tout en se concentrant sur les mouvements. La seconde étape consiste à apprendre une réponse incompatible au rongement des ongles. On doit respecter certains critères, si l'on veut sélectionner adéquatement ce nouveau comportement :

1. L'action ne doit pas interférer avec les activités de tous les jours.
2. Cette réponse peut être répétée pendant plusieurs minutes sans paraître inhabituelle.
3. Elle est incompatible avec le rongement des ongles, c'est-à-dire qu'elle empêche la personne d'effectuer ce comportement.
4. Lorsque cette réponse est exécutée, elle permet au patient de s'apercevoir de l'absence du rongement des ongles.
5. Elle permet de renforcer les muscles antagonistes à ceux du rongement des ongles.

Parmi les mouvements incompatibles fréquemment utilisés, on retrouve le geste de serrer le poing, laisser sa main sur son genou, serrer légèrement sa cuisse. Ce mouvement incompatible sera maintenu environ trois minutes dès que le client se ronge les ongles ou en ressent l'envie. Avant d'utiliser la réponse incompatible dans le milieu naturel, le patient pratiquera seul, mentalement, ces exercices en décrivant à haute voix les détails du contexte. En continuant d'imaginer la séquence en question, il doit commencer les mouvements associés au rongement et effectuer immédiatement la réponse antagoniste. Lorsque le patient se sent confiant de pouvoir faire face à ce genre de situation, il en essaie une autre. Chez certains patients, nous ajouterons l'enseignement de la relaxation visant à contrôler la nervosité et l'envie de se ronger les ongles. Il s'agit de ralentir le rythme de la respiration et d'effectuer des inspirations et expirations plus profondes. Il en va de même pour la musculature qui doit être plus détendue, relâchée.

Le support des amis et de la famille est également important. Il est nécessaire de féliciter l'individu pour les efforts et améliorations visibles, ainsi que de lui rappeler qu'il doit pratiquer ses exercices. Cela aide à maintenir la motivation du patient. Pour faciliter la diminution de l'envie de se ronger les ongles, il importe de limer les ongles et d'entretenir régulièrement les cuticules et la peau autour des ongles.

RÉSULTATS

Le taux de réussite de cette méthode s'élève à 90 % après quelques jours de traitement. Si on n'obtient pas les résultats escomptés, vérifiez si la personne effectue la réponse incompatible chaque fois qu'elle a envie ou qu'elle se ronge les ongles. Il est aussi pertinent de s'assurer que les mouvements instigateurs du rongement des ongles sont bien reconnus. Les jeunes enfants se montrent souvent peu coopératifs, puisque la motivation vient des parents plutôt que de l'enfant. Dans ce cas, les parents peuvent guider eux-mêmes l'enfant lorsqu'il ne fait pas les exercices requis. Pour des enfants plus âgés, pratiquer les exercices dans leur chambre, lorsqu'ils omettent d'effectuer la réponse incompatible, peut être un bon moyen pour les inciter à émettre ce comportement chaque fois qu'ils se rongent les ongles.

Bibliographie

Azrin N.H., Nunn R.G. — Habit Reversal : A method of eliminating nervous habits and tics. *Behav. Res. Ther*, *11*, 619-628, 1973.

Hadley N.H. — *Fingernail Biting : Theory, research and treatment*, Spectrum, New York, 1984.

Ladouceur R. — Habit Reversal Treatment : learning an incompatible response or increasing the subject's awareness. *Behav. res. ther.*, *17*, 313-316, 1979.

Smith F.H. — *Nail Biting : The beatable habit.* Brigham Young University Press, Utah, 1980.

Heure	Fréquence	Situations	Émotions	Remarques

ANNEXE 18. — *Exemples de fiches à adapter. Auto-enregistrement des rongements d'ongles.*

Nombre de
rongements

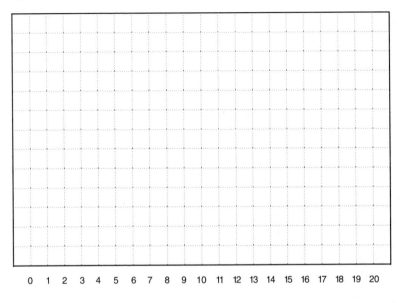

0   1   2   3   4   5   6   7   8   9   10   11   12   13   14   15   16   17   18   19   20

Jours

ANNEXE 19. — *Nombre de rongements par jour.*

15

Bégaiement

R. LADOUCEUR

Le bégaiement est un problème universel connu depuis des milliers d'années. Démosthène souffrait de ce trouble de langage. Il aurait corrigé son bégaiement en parlant avec des petits cailloux dans la bouche. Ce trouble a été l'objet d'un intérêt considérable depuis des siècles. Plusieurs hypothèses ont été émises concernant sa nature et son traitement.

TABLEAU CLINIQUE

Dans le langage populaire, le bégaiement se réfère à la répétition de syllabes, de mots ou de sons. Lorsque les répétitions, les blocages ou les prolongements deviennent fréquents ou entravent la communication, les interlocuteurs identifient l'individu comme un bègue. Malgré l'apparente facilité à identifier les bègues dans la vie courante, les spécialistes ne s'entendent pas pour définir ce comportement. Les théoriciens adoptent une définition du bégaiement qui est fonction de leur intérêt, de leur formation et surtout, de leur orientation théorique.

La prévalence du bégaiement chez l'enfant est de 3 à 4 %. Cependant, à l'âge adulte, elle serait de 1 % de la population générale. La plupart des cas commencent à bégayer avant l'âge de 5 ans. Aucun nouveau cas n'est découvert après l'âge de 11 ans. Dans environ 75 % des cas, le bégaiement est un phénomène transitoire qui disparaît sans traitement. Bien qu'il ne faille pas s'alarmer si son enfant commence à bégayer, il importe de consulter un professionnel qui connaît le sujet puisque ce trouble ne disparaît jamais de façon spontanée après l'enfance.

Les garçons présentent plus de problèmes de bégaiement que les filles (cinq garçons pour une fille). Certains croient que les garçons sont plus vulnérables que les filles à cause de plus grandes pressions parentales. Les théories psychologiques et physiologiques voulant expliquer ce phénomène ne sont pas confirmées par des données valides.

Dégageons les principales caractéristiques de ce trouble de langage. D'abord, nous retrouvons des perturbations fréquentes et involontaires dans la fluidité verbale telles que des répétitions, des pauses, des prolongations et des interjections. Deuxièmement, le patient présente une perturbation du rythme respiratoire, une tension musculaire dans les joues et la gorge et parfois des mouvements de certaines parties du corps. Enfin, ces caractéristiques s'accompagnent souvent d'un état émotionnel désagréable tel l'anxiété, l'irritation.

ÉVALUATION, DIAGNOSTIC ET ANALYSE FONCTIONNELLE

Le DSM-III-R définit le bégaiement de façon très vague : «Fréquentes répétitions ou prolongations de sons ou de syllabes qui perturbent nettement la fluence verbale.» Ces critères seront peu utiles au clinicien pour déterminer la présence d'un bégaiement cliniquement significatif.

Il est donc nécessaire de définir de façon adéquate et opérationnelle ce trouble du langage. Quatre éléments sont reconnus par la plupart des spécialistes de ce domaine : (1) l'hésitation ; la personne commence le mot ou la syllabe mais hésite avant de le compléter, (2) la répétition ; la personne prononce le mot ou la syllabe correctement mais répète le mot ou la syllabe en entier, (3) la prolongation ; la personne prononce la syllabe de façon prolongée (4) le blocage ; la personne est incapable de commencer un mot ou une syllabe.

Deux catégories de mesures sont utilisées : les mesures comportementales et les mesures subjectives. Les premières font référence au pourcentage de syllabes bégayées et au débit verbal. Il s'agit de compter le nombre total de syllabes prononcées par rapport au nombre de syllabes bégayées et d'en faire un pourcentage. La formule est la suivante :

$$\frac{\text{Syllabes Bégayées}}{\text{Syllabes Prononcées}} \times = \% \text{ SB}$$

Il ne faut compter la syllabe prononcée qu'une fois même si elle est bégayée plusieurs fois.

Examinons les quatre critères qui seront très utiles pour identifier les bégaiements :

(1) *Hésitation*
L'hésitation se caractérise par un léger bruit sonore avant de compléter le mot. (Ex. : Tu as un beau **ch** chapeau)
(2) *Répétition*
La répétition de mots ou de syllabes se caractérise par une répétition de l'unité (deux fois et plus). (Ex. : **Tu tu tu** as **un un** beau **cha cha** chapeau)

(3) *Prolongation*
La prolongation se caractérise par un étirement ou un allongement du son ou des mots. (Ex. : Tu**uuuu** as un beau**ooo** chapeau)
(4) *Blocage*
Le blocage se caractérise par des pauses avec un effort musculaire mais sans bruit sonore. (Ex. : (_____) Tu as un (_____) beau chapeau)
    Le tableau présenté ci-après permet d'exprimer le bégaiement d'un individu en terme de sévérité. Nous suggérons au bègue de noter sur un tableau (voir annexe 20) le pourcentage de ses bégaiements.

Sévérité	% SB
Légère	3 % à 5 %
Moyenne	6 % à 10 %
Sévère	11 % à 15 %
Très sévère	15 % et plus

    Pour établir la vitesse de parole, nous choisissons un échantillon d'une minute de conversation du bègue préalablement enregistré et nous comptons le nombre de syllabes prononcées. La mesure du débit verbal s'exprime en syllabes prononcées par minute ou SPM. Il importe de tenir compte de cette variable puisque l'objectif du traitement sera évidemment de diminuer le% SB sans ralentir le débit verbal.
    Une mesure subjective très utile est le test d'Erickson qui évalue les comportements d'évitement du bègue. Cet instrument de mesure est intéressant car après la thérapie, le patient ne devrait plus éviter. Des travaux ont démontré que plus le patient développe une fluidité verbale, plus il devient maître de la situation. Ainsi, le contrôle serait un bon prédicteur du maintien des gains thérapeutiques. Nous reproduisons cet instrument à la fin du chapitre (voir annexe 21).

TRAITEMENT

    Depuis les deux dernières décennies, l'approche comportementale a marqué d'importants progrès dans le traitement du bégaiement. Plusieurs techniques ont été développées, principalement basées sur l'apprentissage d'un nouveau rythme d'expression. En général, les résultats sont excellents à court terme, mais la généralisation et le maintien des gains thérapeutiques a posé de sérieux problèmes. Pour pallier à ces limites thérapeutiques, nous avons développé une intervention thérapeutique multidimensionnelle efficace. Voici une description de cette intervention développée au cours des douze dernières années à l'université Laval à Québec à partir des travaux de Azrin et Nunn (1974). Elle comprend sept composantes de base.
(1) *L'entraînement à la prise de conscience* permet au sujet de prendre conscience de ses bégaiements. En général, les bègues ne sont conscients

que de 28 % de leurs bégaiements (Ladouceur, Boudreau et Théberge, 1981). Cette prise de conscience facilite la diminution des bégaiements. Le thérapeute présente d'abord au sujet la définition du bégaiement, et lui signale chacun de ses bégaiements. Le sujet indique lui-même ses bégaiements. Cette phase du traitement se poursuit jusqu'à ce que le sujet identifie 85 % de ses bégaiements pendant deux séances consécutives.

(2) La *respiration régularisée* se compose des éléments présentés par Azrin et Nunn (1974).

Mise en évidence des inconvénients : le sujet énumère les inconvénients et les frustrations qui résultent du bégaiement. Cette étape vise à augmenter sa motivation.

Entraînement à la relaxation : puisque la tension musculaire est souvent associée au bégaiement, le sujet fait une courte relaxation au début de chaque séance. Il prend une posture détendue, ferme les yeux et respire profondément et lentement.

Anticipation du bégaiement : lorsque le sujet prévoit un bégaiement, il fait une pause.

Activités incompatibles : lors d'un bégaiement, le sujet cesse de parler. Il expire et ensuite inspire lentement, détend les muscles de sa poitrine et de sa gorge et émet les mots désirés.

Entraînement correctif : après un bégaiement, le sujet recommence les activités incompatibles. S'il oublie, le thérapeute le lui rappelle.

Entraînement préventif : lorsque le sujet anticipe un bégaiement, il pratique les activités incompatibles.

Pratique positive : le sujet fait des exercices structurés avec le thérapeute afin d'améliorer son aisance verbale.

Aide sociale : le sujet explique à des membres de sa famille ou à des amis ses nouvelles habitudes de langage. Il demande à ces gens de commenter son progrès et de lui rappeler d'utiliser la méthode.

Exercice en public : le sujet recherche et affronte des situations difficiles qu'il évitait auparavant.

Exercices après traitement : après le traitement, le sujet est encouragé à continuellement utiliser la méthode.

(3) *L'augmentation graduelle du débit verbal* facilite l'intégration de la respiration régularisée tout en permettant l'introduction des buts proximaux. Cette composante du traitement est introduite suite à une période de deux séances consacrées à l'apprentissage de la respiration régularisée. En premier, le sujet parle à une vitesse de 50 SPM en utilisant la respiration régularisée. Afin de lui permettre d'atteindre ce débit verbal cible, le thérapeute chronomètre quelques échantillons de sa conversation. A cette vitesse, chaque mot se trouve prononcé lentement, ce qui favorise l'aisance verbale. Si le bègue maintient cette vitesse tout en émettant moins de 3 % SB pendant deux séances consécutives, le débit verbal cible augmente à 75 SPM (+ ou - 20). Cette augmentation de 25 SPM à la fois se poursuit jusqu'à ce que : (1) le sujet atteigne au moins son débit verbal pré-traitement avec moins de

3% SB pendant deux séances consécutives; ou (2) le sujet ou le thérapeute ne prévoit aucun nouveau progrès.

(4) La *restructuration cognitive* vise à corriger les cognitions négatives et inadéquates du client. Le sujet explicite ses pensées négatives et automatiques concernant son bégaiement dans certaines situations sociales. A l'aide du clinicien, il les évalue en fonction de leurs dimensions irrationnelles et inhibitrices. Il formulera de nouvelles pensées plus justes et productives qui favoriseront une diminution de l'anxiété sociale.

(5) *Pratique en groupe.* Dès que nous pouvons former un groupe, nous invitons les bègues à y participer. Les effets sont nombreux : généralisation des gains thérapeutiques, suggestions de moyens pour composer avec des situations difficiles, apprentissage de procédé de solutions de problèmes et entraînement aux habiletés sociales.

(6) *Attitudes des parents.* Pour le traitement des enfants bègues, nous invitons fortement les parents à participer aux séances de thérapies afin d'apprendre la méthode et de l'utiliser à la maison avec l'enfant. De même, si le professeur de l'enfant manifeste de l'intérêt, nous l'intégrons au traitement. Avec les parents, nous identifions les attitudes négatives développées à l'égard de l'enfant bègue. Voici les principales attitudes à corriger ou à favoriser.

1) éviter de blâmer l'enfant pour ses hésitations;
2) éviter d'interrompre l'enfant lorsqu'il parle;
3) éviter de finir ses mots;
4) éviter de finir ses phrases;
5) éviter de deviner ce que l'enfant veut ou essaie de dire;
6) éviter de questionner l'enfant sans arrêt sans lui donner le temps de répondre;
7) éviter de corriger constamment le comportement verbal de l'enfant (être moins critique);
8) donner des renforcements positifs lorsqu'il s'exprime avec une plus grande fluidité;
9) regarder l'enfant quand il parle (être à l'écoute, être intéressé par ce qu'il dit);
10) parler lentement;
11) utiliser un langage simple;
12) identifier et modifier les circonstances qui semblent faire augmenter les hésitations;
13) encourager l'enfant à parler durant des situations qui facilitent un bon débit verbal.

RÉSULTATS

L'utilisation souple de cette intervention permet d'obtenir des résultats très intéressants. Nos études montrent un taux de succès d'environ 75 % avec un maintien des gains thérapeutiques lors des tests de rappel effectués à 6 et 12 mois (Caron et Ladouceur, 1989; Dugas et Ladouceur, 1988; Ladouceur, Caron et Caron, 1989; Saint-Laurent et Ladouceur, 1987). Bref, lorsque le bègue démontre une bonne motivation, que le thérapeute connaît bien les méthodes thérapeutiques appropriées et que les efforts de mise en pratique dans le milieu naturel sont constants, il y a lieu d'anticiper des résultats cliniquement significatifs.

Bibliographie

AZRIN N.H., NUNN R.C. — A rapid method of eliminating suttering by a regulated-breathing method. *Behav. Res. Ther.*, *12*, 279-286, 1974.

CARON C., LADOUCEUR R. — A multidimentional behavioral treatment for child stutterers. *Behav. Modification*, *13*, 206-215, 1989.

DUGAS M., LADOUCEUR R. — Traitement multidimensionnel et progressif des bègues sévères. *Science et Comportement*, *18*, 221-233, 1989.

LADOUCEUR R., CARON C., CARON G. — Stuttering Severity and treatment outcome. *J. Behav. Ther. Ex. Psychiatry*, *20*, 49-56, 1989.

	Vrai	Faux
Je sens habituellement que je fais une bonne impression quand je parle	___	___
Il est facile pour moi de parler avec tout le monde	___	___
Il est très facile pour moi de regarder mon auditoire quand je parle à un groupe	___	___
Il est difficle de parler à une personne comme mon professeur ou mon patron	___	___
Même l'idée de parler en public m'effraie	___	___
Certains mots sont plus difficiles que d'autres à dire pour moi	___	___
J'oublie tout dès que je commence à faire une allocution	___	___
Je suis très sociable	___	___
Quelques fois, les personnes semblent mal à l'aise quand je parle avec elles	___	___
Je n'aime pas avoir à présenter une personne à une autre	___	___
Je pose souvent des questions quand je suis dans des groupes de discussion	___	___
Il est facile pour moi de garder le contrôle de ma voix quand je parle	___	___
Ça ne m'ennuie pas de parler devant un groupe	___	___
Je ne parle pas assez bien pour faire le genre de travail que j'aimerais	___	___
Mon élocution est plutôt agréable et facile à écouter	___	___
Je suis quelquefois embarrassé par la façon dont je parle	___	___
Je fais face avec une complète confiance à la plupart des situations où j'ai à parler	___	___
Il y a peu de personnes avec lesquelles je peux parler avec facilité	___	___
Je parle mieux que j'écris	___	___
Je me sens nerveux quand je parle	___	___
Il est difficile pour moi de faire la conversation quand je rencontre une personne nouvelle	___	___
Je suis très confiant en mes habiletés d'élocution	___	___
J'espère pouvoir dire les choses aussi clairement que d'autres le font	___	___
Même si je sais la bonne réponse, souvent je ne la donne pas parce que j'ai peur de parler	___	___

ANNEXE 20. — *Échelle d'Erikson* (forme abrégée).

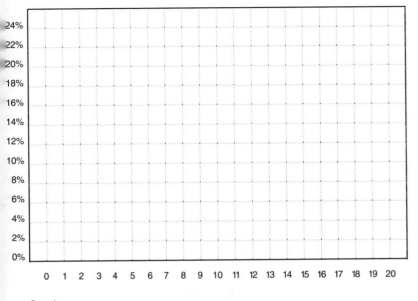

Semaine

ANNEXE 21. — *Évolution du bégaiement au fil des semaines.*

16

Énurésie

M.-R. DEBOT-SEVRIN

L'énurésie est un manque de contrôle de l'émission d'urine se manifestant par une miction complète, répétée et involontaire et survenant chez un enfant de plus de 5-6 ans. On dira qu'elle est primaire si l'enfant a toujours été énurétique, s'il n'a jamais acquis le contrôle sphinctérien ; qu'elle est secondaire (plus rare) si elle apparaît après une période de contrôle urinaire d'un an au moins. La fréquence d'apparition est à considérer : le trouble peut être quotidien, irrégulier, intermittent avec de longs intervalles de contrôle et enfin épisodique survenant lors de stress. Il faut toutefois différencier l'énurésie fonctionnelle de l'incontinence, celle-ci traduit l'existence d'une lésion organique, mécanique, nerveuse ou inflammatoire. Ses causes sont diverses : les polyuries des maladies métaboliques ; les affections urologiques rénales d'origine soit irritative ou infectieuse soit dues à des malformations congénitales ; les troubles neuro-musculaires en rapport avec des lésions acquises ou des affections congénitales. Signalons que selon les auteurs, les incontinences représentent de 10 à 20 % des énurésies. Il convient de spécifier si l'énurésie est de type primaire ou secondaire, si elle est nocturne, diurne ou si elle est mixte.

La fréquence de l'énurésie : 7 % des garçons et 3 % des filles à 5 ans ; 5 % des garçons et 2 % des filles à 10 ans ; 1 % des garçons à 18 ans, le pourcentage est quasi nul chez les filles. Il est indispensable de relever si d'autres troubles ne sont pas concomitants à l'énurésie fonctionnelle : le retard mental ou des troubles envahissants du développement, du somnambulisme, des terreurs nocturnes (cauchemars), des phobies : du noir, de la solitude ou des apprentissages scolaires (mauvais résultats) ; de l'hyperactivité avec hypertonie.

ÉVALUATION, DIAGNOSTIC ET ANALYSE FONCTIONNELLE

Les critères diagnostics du DSM-III-R sont les suivants :

10. Est-il suffisamment motivé pour faire une évaluation quotidienne de la fréquence des accidents ?
11. Mouille-t-il son lit plusieurs fois par nuit ou une ou deux fois seulement ?
12. Est-ce toutes les nuits que son lit est mouillé ?
13. A-t-on déjà essayé des traitements qui ont échoué ? Si oui, lesquels ?

☐ **Qualité du sommeil**

15. A-t-il un sommeil léger ?
16. Est-il insensible au bruit d'un réveil matin ?
17. A-t-il un sommeil très profond ?

☐ **Niveau émotionnel**

18. Est-il impressionnable ? Si oui, par quoi ?
19. A-t-il souvent des peurs ? du noir, de l'orage, d'être attaqué, des animaux ?
20. Est-ce qu'il panique à l'idée d'être séparé de ses parents, de sa famille ?
21. Est-il anxieux face à d'éventuels échecs scolaires ?

TRAITEMENT

L'approche thérapeutique comportera l'évaluation quotidienne de la fréquence des accidents (annexe 22). *Les attitudes éducatives des parents sont primordiales.* Ceux-ci doivent être des auxiliaires patients, réguliers dans leur demande et dans les constats des résultats. L'enfant doit les ressentir comme leur apprenant quelque chose de possible et de normal.

• *En cas de mictions diurnes, les parents sont invités à :*
  – fixer un tableau horaire de quatre mictions journalières : matin – midi – 4 heures – soir, qui doivent être respectées ;
  – repérer les manifestations corporelles préalables aux mictions, anticiper pour l'enfant et l'inviter à uriner.

• *En cas de mictions nocturnes :*
  – éveiller l'enfant lors du coucher des parents, et l'amener aux toilettes ; placer de grandes alèzes recouvertes d'un drap absorbant de manière à ne pas changer tout le lit s'il y a miction ;
  – aider l'enfant à replacer le drap sur l'alèze et à changer de pyjama ;
  – l'aider à remplir une fiche de réussites (annexe 22) ;
  – renforcer socialement l'enfant pour une nuit de propreté, le dire bien haut aux autres membres de la famille ;
  – par semaine et par jour de contrôle réussi, donner une récompense à déterminer selon les goûts de l'enfant.

☐ **S'il y a manque de contrôle en rapport avec le mécanisme sphinctérien**

L'approche thérapeutique comprendra :
– une explication claire, éventuellement avec dessins, de la mécanique sphinctérienne. Cette explication sera adaptée à l'âge de l'enfant. Ce qu'il doit comprendre, c'est qu'il y a une poche qui se remplit de liquide, que celle-ci peut en contenir une certaine quantité avant de se vider, que pour ce faire, il y a un robinet qu'on peut ouvrir et fermer par acte volontaire;
– sur cette explication, on invitera l'enfant à des *exercices de contrôle*.

Le cas rapporté à l'annexe 22 est celui d'un enfant atteint d'un trouble envahissant du développement. Il suit une thérapie cognitivo-comportementale du développement; son état s'est très nettement amélioré mais l'énurésie persiste à 10 ans. Les parents ont utilisé plusieurs méthodes de réveil, dont celle de l'appareil avertisseur.

Tous les matins, il rassemble draps de lit et pyjama, en fait un baluchon qu'il jette par la fenêtre. Il aboutit juste en face de la porte de la cuisine. Il prend son bain et descend ouvrir la porte, il récupère son linge et le met dans la machine à lessiver. Ce sont ses parents qui ont trouvé ce moyen pour que la fratrie ne le voit pas embarrassé par son trouble. Il faudra 6 mois d'annotation des mictions nocturnes pour arriver au résultat escompté. Il a reçu la récompense qu'il souhaitait : une nouvelle chambre avec un matelas de marque et de la moquette au sol.

• *La méthode d'Azrin et Thienes* n'est possible qu'avec une famille très motivée et en plus disponible. Sinon, il existe la courte hospitalisation dans un service spécialisé. Il est certain que si la famille emploie cette méthode chez elle, il doit toujours y avoir le soutien d'un superviseur extérieur. On doit travailler avec l'enfant jour et nuit.

Pendant la journée, on tentera d'allonger les intervalles entre deux mictions pour arriver progressivement à 4-5 mictions par jour. La quantité de liquide est alors mesurée. En fait, on demande à l'enfant de se retenir quand il ressent le besoin d'uriner et de se coucher sur son lit. Sous forme de jeu de rôle, il attendra que le besoin soit de plus en plus pressant et il fera comme s'il se réveillait : sautera hors du lit, se rendra aux toilettes, puis il sera récompensé.

Une heure avant le coucher, on répétera plusieurs fois un jeu de rôle qui consiste à entraîner l'enfant à l'organisation de son bien être nocturne : un lit bien propre dans lequel on place des draps; puis suivra un entraînement à l'utilisation positive de toilettes en quatre étapes : il se couche dans le lit comme s'il dormait, il compte jusqu'à 50, il se lève et va aux toilettes, il retourne au lit. Au moment de mettre l'enfant au lit, on lui rappelle qu'il va y arriver et on l'encourage.

Pendant la nuit, on réveille doucement et calmement l'enfant, toutes les heures jusqu'à une heure du matin, on le laisse décider s'il va aux toilettes ou s'il peut attendre une heure en plus. Quand un accident est arrivé, les parents montrent leur déception et l'enfant participe à la remise des draps dans le lit.

Les auteurs estiment obtenir des résultats réels et rapides par cette méthode.

• **Une autre méthode consiste à amener l'enfant à des mictions interrompues**, volontaires. Ce contrôle pourra être facilité par une kinésithérapie de la régulation et du contrôle des muscles abdominaux. La relaxation donne de bons résultats dans certains cas.

Les parents seront essentiellement des co-thérapeutes. Ils faciliteront la tâche de l'enfant en veillant à ce qu'il ait du linge propre de rechange (draps, pyjama), en évitant toute critique des frères et sœurs, en participant émotionnellement aux résultats de l'enfant : joie et récompense quand il réussit, encouragement à la persévérance et conviction qu'il va tôt ou tard y arriver quand il échoue. Les progrès de l'enfant seront répartis sur une fiche de contrôle (annexe 23).

☐ **S'il y a perturbations émotivo-affectives liées au contrôle sphinctérien**

• **L'approche thérapeutique** pour les enfants impressionnables est la sécurisation par la mère avant l'endormissement. La mère borde l'enfant après les précautions de propreté, lui parle, le sécurise sur ce qui l'inquiète, rassure sur l'amour des parents, lit une histoire amusante et souhaite de bons rêves. Le rituel dure de 10 à 15 minutes et est réservé à l'enfant énurétique.

Une fiche de contrôle (annexe 22 – soleil – pluie) permettra une complicité parents/enfants et pour ceux-là une possibilité de repérer les situations émouvantes.

• **Quand il y a des troubles de l'anxiété**, des phobies, de la dépression, on remarque que l'énurésie survient essentiellement après conflit ou après des rêves.

Le traitement de l'énurésie vient se greffer sur une thérapie cognitivo-comportementale. Il faut en réfléchir le moment et les modalités d'insertion.

On peut dire que l'énurésie n'est pas un trouble simple. Une analyse fonctionnelle rigoureuse doit amener le praticien à penser à l'adéquation des méthodes de traitement et toujours à suivre de très près les réactions de l'enfant et de sa famille.

Bibliographie

AZRIN N.H., THIENES P.M. — Rapid elimination of enuresis by intensive learningwithout a conditioning apparatus. *Behav. Ther.*, **9**, 342-354, 1978.

VERA L., LEVEAU J. — *Thérapies cognitivo-comportementales en psychiatrie infanto-juvénile*. Masson, Paris, 1990.

Je deviens propre   C'est raté

MOIS	Lundi	Mardi	Mercredi	Jeudi	Vendredi	Samedi	Dimanche	Récompense
J								
A		1	2	3	4	5		
N	6	7	8	9	10	11	12	
V	13	14	15	16	17	18	19	avion à construire
I	20	21	22	23	24	25	26	
E	27	28	29	30	31	1	2	playmobil
R								

Les jours de réussite du contrôle des mictions, l'enfant dessinera un beau soleil jaune et les autres jours ce sera un nuage avec pluie. Les jours ensoleillés seront récompensés et si en fin de semaine il y a quatre jours de soleil, il y aura une récompense supplémentaire.

ANNEXE 22. — *Enregistrements quotidiens des mictions nocturnes.*

Dates JANVIER	1 M	2 J	3 V	4 S	5 D	6 L	7 M	8 M	9 J	10 V	11 S	12 D	13 L	14 M	15 M	16 J	17 V	18 S	19 D	20 L	21 M	22 M	23 J	24 V	25 S	26 D	27 L	28 M	29 M	30 J	31 V
L'appareil a sonné	x		x			x				x			x					x					x								x
Heure	6		3 6							2 7			6					4					5								7
Diamètre de la tâche	5		15							12			6					4					2								2
Réveil sans sonnerie		x	x		x		x	x		x			x						x	x	x				x		x				
Heure		7	4		3		3	4		5			5						6	7	6				7		7				
Nuit propre sans réveil	x				x				x				x	x	x				x	x			x	x		x		x	x		x
Encouragement	+	0	0			0	+	0	0		0	+		0	+	+	+		0	0	0	+	+		0	+	0	+	+		+
Récompense																					avion à construire acquis pièce par pièce										

ANNEXE 23. — *Enregistrements quotidiens des mictions nocturnes (avec appareil). Cas de X.*

17

Tabagisme

A.-M. ETIENNE, O. FONTAINE

Le tabagisme est un comportement qui demeure encore très répandu malgré les multiples études scientifiques qui démontrent son caractère néfaste. Dès lors, il semble impératif de mieux connaître le fonctionnement du fumeur, ainsi que les divers facteurs qui entretiennent les habitudes tabagiques et les thérapies susceptibles d'interrompre cette conduite.

TABLEAU CLINIQUE

Les enfants de 7 à 8 ans considèrent le tabac comme étant réservé aux adultes. De plus, ils trouvent le goût et surtout l'odeur du tabac, désagréables. Mais vers l'âge de 12 ans, l'envie d'essayer les «privilèges» des adultes se fait de plus en plus forte; les sentiments de culpabilité ou de honte ne suffisent plus à empêcher la fascination provoquée par la cigarette. Fumer, pour l'adolescent représente un ou plusieurs des volets suivants : un symbole d'autonomie, une manière d'affirmer sa maturité, voire son identité sexuelle, un signe de reconnaissance du groupe ou d'appartenance, un symbole de lien social, un objet de séduction, une source d'excitation par la transgression des lois et des tabous, un coupe-faim, plus particulièrement pour les jeunes filles.

Au départ, pour l'adolescent, l'utilité du tabac est d'être régulateur de l'intégration sociale. Pour l'adulte, fumer est indicateur de toute une série de traits de personnalité : audace, énergie, etc. Au début, le fumeur cherche le plaisir de fumer et les agréments de convivialité que lui procure son habitude : la cigarette serait une façon d'entrer en contact avec autrui, de vaincre sa timidité. Ensuite, le fumeur poursuit le stimulus nerveux ou le calme que lui procure la fumée. A un stade avancé, auquel n'arrive d'ailleurs qu'une minorité de fumeurs, il fume pour effacer la sensation de «manque» qu'entraîne la déprivation même brève, à l'égard de la nicotine. Il s'agit du fumeur à la chaîne : celui qui sort d'une réunion ou d'un spectacle pour fumer, qui allume sa première cigarette au saut du lit, voire même pendant la nuit en cas d'insomnies.

Progressivement, l'acte de fumer s'ancre dans la vie quotidienne, personnelle, sociale; fumer s'inscrit alors dans un véritable rituel. Ces gestes rituels (prendre une cigarette, l'allumer, ...) permettent au fumeur de faire une petite pause, de se détacher momentanément de la situation, de s'éloigner pour quelques moments de ses tracas quotidiens, de se détendre devant une tension nerveuse. Enfin, par goût de la provocation, les fumeurs résistent et les chiffres de mortalité ne les effraient plus : «le plus dur n'est pas de mourir du tabac, mais de vivre avec un calvaire quotidien...». L'individu qui continue à fumer et qui reste en bonne santé, contrôle et défie la mort. Les fabricants de tabac semblent l'avoir compris et garantissent le rêve et le bien-être aux consommateurs de leur produit.

Les motifs d'une demande de sevrage tabagique peuvent donc s'étendre d'un souci pour sa santé jusqu'à l'acquisition d'un autre mode de gestion des relations sociales.

ÉVALUATION, DIAGNOSTIC ET ANALYSE FONCTIONNELLE

Critères diagnostics du DSM-III-R

Les critères diagnostiques du DSM-III-R au sujet d'une dépendance à une substance psycho-active sont les suivants :

A. Au moins trois des manifestations suivantes :

(1) Substance toxique souvent prise en quantité supérieure ou sur un laps de temps plus long que ce que la personne avait envisagé.

(2) Désir persistant de la substance toxique ou un ou plusieurs efforts infructueux pour réduire ou contrôler son utilisation.

(3) Temps considérable passé à faire le nécessaire pour se procurer la substance toxique, la consommer (p. ex. fumer sans discontinuer) ou récupérer de ses effets.

(4) Poursuite de la consommation de la substance toxique malgré la connaissance de l'exacerbation des problèmes sociaux, psychologiques ou physiques persistants ou récurrents déterminés par l'utilisation de cette substance.

(5) Tolérance marquée : besoin de quantités nettement majorées de la substance toxique (c'est-à-dire au moins 50 % d'augmentation) pour obtenir une intoxication ou l'effet désiré, ou effet nettement diminué en cas d'usage continu de la même dose.

(6) Symptômes caractéristiques de sevrage.

(7) La substance toxique est souvent prise dans le but de diminuer ou d'éviter les symptômes de sevrage.

B. Certains symptômes du trouble ont persisté au moins un mois ou sont survenus de façon répétée sur une période prolongée.

☐ Critères de quantité

Pour les fumeurs de cigarettes, il faut distinguer :
– le fumeur occasionnel, une à deux cigarettes par jour, non dépendant du toxique. La nocivité de ce tabagisme, à long terme, n'a pu être prouvée ;
– le fumeur régulier de moins de 10 cigarettes par jour, considéré comme non toxicomane, puisque n'ayant pas besoin d'augmenter sa dose ;
– les gros fumeurs de plus de 20 cigarettes par jour, aux risques très importants, deviennent peu à peu de véritables toxicomanes.

☐ Critères de qualité

Le tabac peut aussi répondre à différentes motivations. Le questionnaire de Horn (1978) permet de définir 6 types de fumeurs, donc de motivation (annexe 24).

Son utilisation est simple. Le patient entoure le chiffre qui correspond à la fréquence de son comportement. Prenons l'item A : les cigarettes m'aident à rester éveillé, concentré, efficace. La fréquence pour ce patient est de l'ordre «souvent». Il entoure le chiffre 4.

La correction du test se fait par sommation d'items :
– le tabac, stimulation (items A + G + M) : la cigarette accroît le sentiment d'énergie ; le fumeur se sent en forme lorsqu'il fume. Il l'aide à se réveiller, à poursuivre sa tâche ;
– le tabac, plaisir du geste (items B + H + N) : manipuler les objets associés à la cigarette procure beaucoup de satisfaction ;
– le tabac, relaxation (items C + I + O) : fumer accentue la sensation de plaisir et de détente.
– le tabac, réduction de l'anxiété (items D + J + P) : en cas de situation stressante, la cigarette est utilisée comme un tranquillisant ;
– le tabac, drogue (items E + K + Q) : le fumeur a besoin de sa dose «de nicotine», sans laquelle il éprouve des symptômes déplaisants de manque ;
– le tabac, automatisme (items F + L + R) : le fumeur n'éprouve plus de plaisir à fumer ; il allume une cigarette sans réellement réaliser qu'il le fait.

A l'intérieur de son comportement-problème (le tabac) le patient obtient une première hiérarchisation des difficultés à maîtriser pour obtenir un succès au niveau du sevrage.

TRAITEMENT

Le sevrage tabagique nécessite un minimum de trois entretiens proches dans le temps.

Premier entretien : évaluation du comportement tabagique à travers l'analyse fonctionnelle.

Deuxième entretien : détermination d'une date d'arrêt et recours à des stratégies alternatives.

Troisième entretien :
– évaluation des difficultés éventuelles rencontrées pour l'adoption du comportement d'abstinence ;
– renforcement et poursuite des stratégies alternatives en cas de réussite.

Premier entretien

L'analyse fonctionnelle porte sur :
– le nombre d'années de tabagisme ;
– les essais éventuels de sevrage antérieurs ;
– le nombre de cigarettes fumées par jour ;
– les inconvénients produits par le tabac en termes individuel (ex. : santé), social (ex. : incommodité) ;
– la description de l'entourage immédiat par rapport au tabac : fumeurs, non-fumeurs, ex-fumeurs ;
– les motivations à arrêter ;
– les situations, événements, personnes potentiellement sources de rechutes ;
– les types de fumeurs (questionnaire de Horn, en annexe).

Pour compléter ce relevé, la personne tiendra un carnet quotidien descriptif de son comportement tabagique (annexe 25). Afin d'obtenir une bonne compliance à ce carnet, il convient d'en expliciter les avantages. Un ensemble de stimuli discriminatifs tant positifs que négatifs, contrôle le tabagisme. Le carnet permet de les identifier qu'ils soient comportementaux, émotionnels ou cognitifs.

A côté des sources d'information recueillies, le thérapeute gardera à l'esprit quelques faits essentiels qui dépendent de l'âge et du sexe du patient.

a) il est impératif que la motivation à arrêter soit véritablement personnelle. Les études montrent qu'il est vain de commencer un traitement si l'individu se soumet au sevrage par pressions familiales, sociales, professionnelles ;

b) demander à un adolescent de se préoccuper de sa santé est souvent utopique. Par contre, valoriser les capacités sportives, intellectuelles est mieux accepté. Il importe également d'insister sur le caractère de maturité que représente le refus du tabagisme. Cette cognition doit remplacer la distorsion commune : « Pour être un homme, fumer est un minimum » ;

c) la possibilité d'une prise de poids, bien que non systématique, doit être envisagée avec le sujet et peut faire l'objet d'une collaboration avec un(e) diététicien(ne) ou un(e) nutritioniste ;

d) enfin, une réduction progressive donne de nettement moins bons résultats qu'un sevrage complet « brutal ».

Deuxième entretien

Le thérapeute doit pouvoir combiner toutes ces sources d'informations. Supposons un cas où l'analyse fonctionnelle met en évidence un environne-

ment professionnel déclencheur du comportement tabagique, une surconsommation tabagique pendant les heures de travail et un score élevé en
termes d'anxiété et d'automatisme du test de Horn.

Le carnet quotidien relève (1) des situations professionnelles précises où
la consommation tabagique double (2) des émotions et cognitions de type
inquiétude, sentiment d'incapacité, difficultés relationnelles; (3) une réduction significative de la consommation durant le week-end. Il s'agit d'abord
de clarifier les liens entre augmentation de la consommation et situations
déclenchantes.

Ensuite, le thérapeute s'interroge sur les solutions que le sujet pourrait
mettre en place pour résoudre ce problème étant entendu que le tabac n'est
jamais la bonne solution. Une grande créativité cognitivo-comportementale
est de mise (ex. : manipuler un autre objet, boire de l'eau, se lever...) jusqu'à
l'expression des émotions négatives. L'objectif consiste à développer avec
le sujet un maximum de substituts au comportement tabagique.

Le thérapeute doit veiller à ne pas s'engager dans un scénario argu-
ments/contre-arguments : l'individu fournissant des explications rationnelles
à son comportement tabagique, le thérapeute tentant de lui démontrer rationnellement qu'il existe d'autres stratégies plus appropriées ou d'autres renforcements positifs. Le contrat de départ pour le thérapeute se situe dans le
constat : «je ne fume plus, mais je n'arrive pas à intégrer les conséquences
de ce nouveau comportement». Il s'agit d'évaluer la capacité du fumeur à
s'imaginer dans le futur comme non-fumeur, c'est-à-dire d'examiner les ré-
sistances internes et externes à ce changement.

La troisième étape est de fixer une date d'arrêt, proche du troisième entretien.

Troisième entretien

L'échec ou le succès déterminent son contenu.

En cas d'échec, notre expérience indique deux sources importantes :
– l'inadéquation du moment choisi pour arrêter. En effet, pour augmenter
la probabilité de réussir son sevrage, il importe d'être en possession de toute
son énergie personnelle : des soucis familiaux, un problème financier ou
professionnel risque d'empêcher cette mobilisation. Le patient, pendant quelques jours ou quelques semaines, se trouve dans la nécessité de se préoccuper de lui-même et des conséquences de ce nouveau comportement;
– le caractère médiateur de ce comportement. L'arrêt du tabac suscite
alors irritabilité, agressivité, troubles relationnels et parfois apparaît une
symptomatologie dépressive réactionnelle. Dans ces cas, le tabagisme permet de maîtriser des réactions comportementales inadéquates. Par exemple,
au cours d'une conversation entre collègues, plutôt que d'agresser celui-ci
en cas de discordance au sujet de la méthode de travail, le patient saisit sa
cigarette et sort de la pièce pour la fumer.

En cas de succès, les renforcements positifs ne seront pas épargnés. Maintenir ce nouveau comportement devient l'objet du nouveau contrat thérapeutique. Il reste à mettre en garde l'individu devant sa certitude d'être enfin débarrassé de ce comportement. Un état de vigilance demeure nécessaire et après plus mois, les renforcements positifs et la valorisation sociale gardent toute leur importance.

RÉSULTATS

La complexité du sevrage tabagique a donné lieu à un foisonnement de méthodes. Ces traitements nombreux, mais de valeur inégale (de 20 % à 50 % de réussites) sont par exemple le plan de 5 jours, l'homéopathie, l'auriculothérapie, etc. Il faut rester prudent vis-à-vis des résultats décrits par ces méthodes notamment en raison du caractère peu scientifique des études réalisées et également du suivi réalisé après 6 mois à 1 an — délai reconnu comme insuffisant pour garantir le maintien du sevrage tabagique. Les techniques de type cognitivo-comportemental présentent l'avantage de s'intéresser tant aux réussites qu'aux échecs et à travers son analyse fonctionnelle, outil de départ, de sélectionner les stratégies les plus efficaces pour augmenter les probabilités d'amener le changement et son maintien.

Le sevrage tabagique se structure autour de 3 axes : évaluation, stratégies alternatives et renforcements. Le recours aux techniques cognitivo-comportementales pourra s'enrichir éventuellement dans une pratique de groupes.

Enfin, les échecs thérapeutiques s'expliquent peut-être par une trop grande focalisation sur le comportement tabagique au détriment des conséquences d'un nouveau comportement : je ne fume plus.

Bibliographie

DESLYPERE J.P. — Comment cesser de fumer ? *Journal de Cardiologie*, 2, 75-78, 1990.

FRYDMAN M. — *Les habitudes tabagiques. Comment les démystifier*. Labor, Bruxelles, 1987.

HORN D. — Who is quitting and why ? *In* SCHWARTZ (Ed.), *Progress in smoking cessation*. American Cancer Society, 1978.

LAGRUE G., DEMARIA C., GRIMALDI B. — Peut-on traiter la dépendance tabagique ? *La Revue du Praticien*, 27, 2548-2551, 1990.

Importance : 5 = très importante
           4 = tout à fait important
           3 = important
           2 = sans grande importance
           1 = sans importance, pas nécessaire

A. Les cigarettes m'aident à rester éveillé, concentré, efficace   5   4   3   2   1

B. C'est agréable de tenir une cigarette entre les doigts   5   4   3   2   1

C. Fumer représente pour moi quelque chose de beau,
   une détente   5   4   3   2   1

D. Quand je suis contrarié, j'allume une cigarette   5   4   3   2   1

E. Je n'y tiens presque plus quand mon paquet est vide   5   4   3   2   1

F. Je ne remarque souvent même plus que je fume, c'est tout à
   fait automatique   5   4   3   2   1

G. Je fume pour me stimuler, pour me mettre en forme   5   4   3   2   1

H. Le simple fait d'allumer une cigarette procure aussi du plaisir   5   4   3   2   1

I. J'aime fumer, tout simplement   5   4   3   2   1

J. J'allume une cigarette quand je ne me sens pas très bien ou
   quand je suis énervé   5   4   3   2   1

K. Je suis tout étonné quand je ne fume pas   5   4   3   2   1

L. Il arrive que j'allume une nouvelle cigarette avant d'avoir
   terminé la précédente   5   4   3   2   1

M. Je fume pour retrouver mon entrain   5   4   3   2   1

N. J'ai du plaisir à regarder les volutes de la fumée   5   4   3   2   1

O. La cigarette fait partie de mon agrément, quand je me sens
   bien et détendu   5   4   3   2   1

P. Je fume quand je suis préoccupé, pour m'en sortir   5   4   3   2   1

Q. Quand je n'ai pas pu fumer pendant un moment, le désir
   devient irrésistible   5   4   3   2   1

R. Je constate parfois avec étonnement que j'ai une cigarette
   aux lèvres   5   4   3   2   1

ANNEXE 24. — *Questionnaire de Horn.*

Cigarette n° 1	Heure	Importance	Lieu ou activité	Personne(s) présente(s)	Situation déclenchante	Emotions ressenties	Pensées associées

Importance : 5 = très importante
            4 = tout à fait important
            3 = important
            2 = sans grande importance
            1 = sans importance, pas nécessaire

ANNEXE 25. — *Carnet quotidien descriptif du comportement tabagique.*

18

Jeu pathologique

R. LADOUCEUR

Si de nombreuses personnes s'adonnent régulièrement au jeu, elles ne sont pas pour autant des joueurs invétérés ou pathologiques. Les études de prévalence, bien que peu nombreuses, concordent pour établir à au moins 1,5 % le nombre de joueurs pathologiques adultes. La disponibilité croissante des jeux de hasard et d'argent augmente le nombre de ces joueurs excessifs. Ces habitudes de jeux n'arrivent pas sournoisement à l'âge adulte. Des études menées auprès d'adolescents(es) canadiens, américains et anglais précisent qu'au moins 2 % présentaient déjà les critères du DSM-III. Ce problème provoque de graves difficultés non seulement à l'individu lui-même mais à son milieu immédiat, car pour chaque joueur pathologique, au moins dix autres personnes subissent des effets négatifs.

PSYCHOLOGIE DU JEU

Pour quelles raisons ces jeux sont-ils si populaires alors que l'espérance mathématique de gain est négative ? La première raison habituellement évoquée pour expliquer cette habitude gravite autour du gain monétaire. Mais une analyse en profondeur du phénomène du jeu révèle des explications inattendues. Les joueurs développent une perception de contrôle illusoire à l'égard des jeux de hasard et d'argent (Langer, 1975). En faisant appel à des habiletés ou des stratégies, pourtant inefficaces dans ces situations, l'individu surestimerait ses probabilités de gagner. La fréquence de contact avec le jeu, le degré de compétition et d'implication du joueur, la complexité du jeu, facilitent le développement de ce contrôle illusoire. Dans notre laboratoire, nous avons vérifié le bien-fondé de cette interprétation. Par exemple, les joueurs de roulette qui lancent eux-mêmes la bille (participation active) rapportent une perception de contrôle plus élevée que les joueurs pariant pendant que le croupier exécute cette tâche. Pourtant l'issue du jeu ne dépend en aucune façon de la personne qui lance la bille.

Au cours d'études menées avec différentes catégories de joueurs (occasionnels, réguliers et pathologiques) et de jeux (loteries, poker, blackjack, roulette), plus de 70 % des pensées du joueur sont erronées, c'est-à-dire qu'elles s'écartent, ignorent, voire nient l'importance du «hasard» comme déterminant l'issue du jeu (Gaboury et Ladouceur, 1989). Pendant ces recherches, nous avons observé un phénomène inattendu : la prise de risque monétaire assumée par le joueur augmente au fur et à mesure qu'il participe au jeu. Le contact ou l'exposition directe au jeu incite le joueur à assumer une prise de risque monétaire grandissante. Cette tendance se manifeste tant chez les joueurs réguliers que chez les joueurs occasionnels, et ce, qu'ils jouent seuls ou en groupe ou qu'ils jouent à la machine à sous, à la roulette ou au Blackjack. Si l'individu participe à plusieurs séances de jeu, il parie plus de la deuxième séance de jeu que lors de la première séance.

Pourquoi un individu joue-t-il et comment devient-il joueur pathologique ? Les résultats des recherches conduites au cours des dix dernières années à l'Université Laval à Québec, font ressortir les éléments suivants. L'origine de ces activités remonte habituellement à l'adolescence. La première motivation de l'individu est essentiellement de gagner de l'argent. Plusieurs joueurs pathologiques se souviennent de gains importants lors de leurs premières expériences de jeu. L'individu qui s'adonne à un jeu de hasard et d'argent perd de vue la dimension hasard et se concentre sur la possibilité de «contrôler» ou «d'influencer» le jeu en sa faveur. Récemment, nous avons étudié la relation entre les croyances erronées et l'excitation physiologique rapportée par les joueurs. Les résultats furent très révélateurs. La fréquence des verbalisations erronées était directement reliée à l'augmentation du rythme cardiaque et les joueurs réguliers manifestaient plus d'activation physiologique que les joueurs occasionnels.

TABLEAU CLINIQUE

L'individu devient joueur pathologique au cours d'un long processus. On peut identifier quatre phases chez le joueur. Une période de gains a souvent été présente dans la carrière du joueur pathologique. Comme nous le mentionnions plus haut, les activités de jeu débutent pendant l'adolescence ou même pendant l'enfance. Souvent, l'individu a eu la chance ou la malchance, selon le point de vue où l'on se place, d'obtenir plusieurs gains. Ces gains lui apportent de l'argent qui symbolise le pouvoir et la reconnaissance sociale. Avec cet argent il est très généreux : il fait des cadeaux à ses amis ou à sa compagne, s'acquittera plus souvent qu'à son tour de la note au restaurant ou au bistrot. Évidemment, suivra tôt ou tard une phase de pertes. Ayant éprouvé non seulement le plaisir de gagner mais étant convaincu qu'il contrôle le jeu, il attribue ses pertes à des conditions extérieures (par exemple, la piste de course était en mauvais état, son joueur préféré de foot était mal en point). Il nie la réalité, convaincu qu'il retrouvera sa «forme antérieure». Il ne comprend pas ce qui se passe, il retournera au jeu pour se «refaire», pour gagner l'argent perdu. Ceci l'amènera à emprunter, à vendre de ses biens, à hypothéquer sa résidence, à commettre des actes illégaux pour financer ses activités de jeu. Soulignons que le joueur n'est pas un psychopathe; ses comportements n'ont pas un but antisocial. Tout au contraire, il est convaincu qu'il remettra l'argent acquis par mensonge ou par vol, car, après tout, cet argent ne sert qu'à jouer pour récupérer l'argent perdu. Il devient alors anxieux, obsédé par le jeu et dépressif. Cette phase peut durer 5, 10 ou 15 ans. Finalement, il entre dans une phase de désespoir. Dans un ultime effort, il fait appel à une personne de son milieu qui se portera garante en lui prêtant une somme importante d'argent. Il redevient de nouveau euphorique, croyant que la chance lui sourira encore, mais il perdra tout et n'aura d'autre solution que de consulter. Plusieurs auront alors sérieusement envisagé le suicide. On compare souvent l'évolution du jeu pathologique au cancer, en ce sens qu'il débute lentement et sournoisement, sans signaler sa présence, et devient tout à coup très agressif.

ÉVALUATION, DIAGNOSTIC ET ANALYSE FONCTIONNELLE

Il existe peu d'instruments valides pour diagnostiquer le jeu pathologique. Le premier outil généralement utilisé est le DSM-III-R. Les critères pour distinguer un joueur social ou occasionnel d'un joueur pathologique existent seulement depuis la parution du DSM-III en 1980. Voici les critères du DSM-III-R de cette pathologie (APA, 1987) : le joueur doit présenter au moins quatre des critères suivants :
(1) le sujet est fréquemment préoccupé par le jeu ou essaie d'obtenir de l'argent pour jouer;
(2) jeu fréquent comportant des enjeux importants ou se prolongeant pendant une durée supérieure à celle prévue;
(3) besoin d'augmenter l'importance ou la fréquence des paris pour atteindre l'état d'excitation désirée;
(4) agitation ou irritabilité quand il est impossible de jouer;
(5) pertes répétées d'argent au jeu et lors de tentatives de regagner le lendemain l'argent perdu (pour se «refaire»);
(6) efforts répétés pour arrêter ou restreindre cette activité;
(7) jeu fréquent lorsque les échéances sociales ou professionnelles sont imminentes;
(8) sacrifice d'importantes activités sociales, professionnelles ou récréatives pour le jeu;
(9) poursuite du jeu en dépit d'une incapacité à acquitter le montant de ses dettes ou de problèmes sociaux, professionnels ou légaux significatifs, alors que le sujet se rend compte qu'il aggrave ces derniers en jouant.
Le groupe d'entraide Joueurs anonymes a développé un instrument pour mesurer les comportements problèmes à l'égard du jeu (annexe 26). Un in-

dividu doit rencontrer 7 critères sur 20 pour être considéré comme joueur pathologique. Cependant, les professionnels de la santé mentale croient que la démarcation exigerait une réponse positive à 12 questions plutôt que 7. Bref, le clinicien pourra utiliser ces deux moyens d'évaluation afin de poser un diagnostic fonctionnel précis.

TRAITEMENT

Le traitement que nous avons développé avec les joueurs pathologiques dans notre clinique comprend cinq éléments. Voici une brève description des composantes thérapeutiques de cette intervention.

Information sur le jeu

Cette phase initiale vise à informer le joueur de ce qu'est un jeu de hasard et d'argent. Cela peut surprendre quelques cliniciens, mais la plupart des joueurs connaissent mal ce qui détermine ces jeux. Nous indiquons que le hasard est le seul déterminant du jeu, que les tours sont indépendants, qu'aucune stratégie ne favorise le joueur à long terme, que le jeu suscite des perceptions illusoires de contrôle, et que le jeu est conçu pour être toujours à l'avantage du tenancier. Pendant cette phase, le clinicien notera les croyances erronées entretenues par le joueur.

Correction des croyances erronées

Le sujet apprend à utiliser la méthode de pensée à voix haute (voir Gaboury et Ladouceur, 1989) qui consiste à dire tout haut ce qu'il se dit intérieurement. Ensuite, le clinicien accompagne le sujet à une séance de jeu et enregistre ses verbalisations. Nous effectuons cette démarche dans notre laboratoire qui comprend plusieurs types d'appareils de jeu. Si nous ne pouvions procéder de la sorte, l'utilisation de l'imagination, comme on le fait en désensibilisation systématique, pourrait remplacer l'expérience *in vivo*. Le clinicien attire l'attention du patient sur ses croyances erronées, sur la prédominance des verbalisations inadéquates à l'égard du jeu. Le patient doit ensuite réussir à identifier 80 % des verbalisations inadéquates. Suit la correction ou la restructuration cognitive telle qu'utilisée en thérapie cognitive (voir Blackburn et Cottraux, 1988).

Entraînement à la solution de problème à l'égard du jeu

L'entraînement à la solution de problème sera souvent une phase importante. Elle comporte cinq étapes : 1) orientation générale du problème,

2) définition et formulation du problème, 3) énumération des solutions potentielles, 4) mise en place d'une solution, 5) vérification de l'efficacité. Le patient apprend à appliquer cette démarche lorsqu'il est en situation conflictuelle (D'Zurilla, 1986).

Entraînement aux compétences sociales

Le joueur apprend sous forme de jeu de rôle à refuser les demandes qui lui sont faites, à composer avec les commentaires négatifs et désagréables de ses pairs et à développer un réseau social qui lui convient.

Prévention des rechutes

Plusieurs thérapeutes soutiennent que la phase la plus importante dans toute démarche de changement est la phase de maintien, et ce surtout avec les problèmes de dépendance. Le patient est informé des possibilités d'un retour au jeu excessif pendant une certaine période. Le thérapeute lui apprendra à reconnaître les situations à risque, qu'une chute n'est pas une erreur irréparable, mais une difficulté surmontable. Nous avons adapté aux joueurs pathologiques le programme de prévention des rechutes de Marlatt et Gordon (1985).

Le groupe Joueurs anonymes (Gamblers Anonymes) est l'organisme le plus connu pour aider les joueurs pathologiques. Fondé en 1957 en Californie, ce groupe d'entraide adopte les objectifs des Alcooliques anonymes. Évidemment, l'abstinence totale est le seul objectif poursuivi. Le critère de réussite est de deux ans d'abstinence totale. En Ecosse, Stewart et Brown ont étudié les effets thérapeutiques de ce groupe. Leurs résultats indiquent que seulement 7 % des joueurs présentent ce critère et seulement 16 % des participants fréquentent ce groupe depuis plus de deux ans. Ils rapportent que 22 % ne reviennent pas après la première rencontre et qu'après dix rencontres, 70 % des participants ont quitté le groupe. Il existe un roulement important des bénévoles au sein de cette organisation par comparaison avec les Alcooliques anonymes où les nouveaux membres sont souvent en contact avec des bénévoles qui sont sobres depuis plus de dix ans. Brown a aussi précisé les caractéristiques des membres qui poursuivent et ceux qui abandonnent les rencontres. Il conclut que le programme s'avère plus efficace pour les joueurs ayant un problème excessif de jeu, associé à des problèmes familiaux, interpersonnels, professionnels et financiers. Ceux qui abandonnent les rencontres sont généralement plus jeunes, souvent poussés par des contraintes extérieures et moins motivés à changer leurs habitudes de jeu. Les membres réguliers se souviennent d'une première impression positive du groupe, de s'être sentis compris et écoutés. Étant donné le taux de succès peu élevé, ces joueurs devraient associer une psychothérapie individuelle avec un professionnel de la santé. Nous suggérons à tous nos patients de fréquenter aussi les Joueurs anonymes.

RÉSULTATS

Nous avons conduit les premières études évaluant rigoureusement l'efficacité de notre thérapie. Les résultats montrent que la majorité des patients réussit à ne plus jouer. Certains ont réussi à adopter un mode de jeu contrôlé. Cependant, il est prématuré de suggérer un tel objectif avec tous les patients. Il importe de préciser que le clinicien constatera que pendant le traitement, les rechutes sont la règle et non l'exception. Il ne faudrait pas être surpris devant une telle évolution du traitement.

Bibliographie

BLACKBURN I., COTTRAUX J. — *Thérapie cognitive de la dépression.* Masson, Paris, 1988.
D'ZURILLA T.J. — *Problem-solving therapy : A social competence approach to clinical interventions.* Springer, New York, 1986.
GABOURY A., LADOUCEUR R. — Erroneous perceptions and gambling. *J. Soc. Behav. Pers.*, *4*, 411-420, 1989.
LANGER E. — The illusion of control. *J. Pers. Soc. Psychol.*, *32*, 311-328, 1975.
MARLATT G.A., GORDON J.R. — *Relapse prevention : Maintenance strategies in the treatment of addictive behaviors.* Guilford, New York, 1985.

Pour y répondre, posez-vous les questions suivantes et répondez aussi honnêtement que possible.

1. Le jeu est-il une cause d'absence de votre travail ?

2. Le fait de jouer rend-il votre famille malheureuse ?

3. Le jeu provoque-t-il des problèmes de sommeil ?

4. Jouez-vous au point d'affecter votre réputation ?

5. Avez-vous déjà éprouvé des remords après avoir joué ?

6. Avez-vous déjà joué dans le but de gagner de l'argent afin de payer vos dettes ?

7. Avez-vous déjà commis ou envisagé de commettre un acte illégal afin de financer vos activités de jeu ?

8. Après une perte, sentez-vous le besoin de retourner jouer pour récupérer l'argent perdu ?

9. Depuis que vous jouez, manquez-vous d'ambition ?

10. Après un gain, éprouvez-vous le besoin de retourner jouer afin de gagner davantage ?

11. Jouez-vous souvent le dollar disponible ?

12. Avez-vous déjà emprunté de l'argent pour jouer ?

13. Avez-vous déjà vendu un objet personnel pour jouer ?

14. Etes-vous réticent à utiliser votre « argent de jeu » pour régler vos comptes ?

15. Le jeu vous rend-il insouciant à l'égard du bien-être de votre famille ?

16. Avez-vous déjà joué plus longtemps que vous en aviez l'intention ?

17. Jouez-vous pour fuir des ennuis ou des embarras. ?

18. Les frustrations vous portent-elles à jouer ?

19. Le jeu est-il un moyen de célébrer un événement heureux ?

20. Avez-vous déjà pensé au suicide à cause de vos problèmes de jeu ?

ANNEXE 26. — *Les 20 questions des Joueurs anonymes.*

3

TROUBLES SEXUELS

19

Troubles du désir sexuel

G. TRUDEL

Les problèmes reliés au manque de désir sexuel ont suscité un intérêt grandissant au cours des dernières années. Historiquement, les problèmes reliés à cette phase avaient longuement été négligés, l'accent étant mis sur les difficultés retrouvées aux autres phases de l'activité sexuelle (phase d'excitation et d'orgasme). Vers la fin des années 70, des auteurs ont étudié spécifiquement la phase du désir sexuel et ont développé des méthodes d'évaluation et d'interventions spécifiques à cette phase (voir Leiblum et Rosen, 1988).

L'intérêt pour l'étude des problèmes reliés au désir sexuel a été accentué notamment par trois raisons. Premièrement, on s'est rendu compte que les problèmes de désir sexuel constituent le type de problème sexuel pour lequel les couples consultent le plus souvent. Deuxièmement, ce problème peut affecter le fonctionnement sexuel masculin et féminin. Troisièmement, ce problème est souvent associé à d'autres problématiques sexuelles et de couple. Lorsque c'est le cas, le traitement de ces divers problèmes est souvent compliqué par la présence d'un manque de désir sexuel qui ralentit considérablement le traitement des autres dysfonctions sexuelles, notamment en provoquant un manque d'adhésion dans l'application des méthodes de traitement.

TABLEAU CLINIQUE

Il n'est pas facile de définir la phase de désir sexuel. On pourrait cependant considérer qu'il s'agit de l'ensemble des comportements moteurs, des comportements verbaux, des cognitions et fantasmes ainsi que des réactions affectives qui précèdent le comportement sexuel consommatoire. Les personnes souffrant d'un problème de désir sexuel hypoactif présenteraient des difficultés au niveau d'un ou de plusieurs aspects (verbal, cognitif ou moteur) de la phase de désir sexuel. Ce problème est beaucoup plus difficile à décrire qu'un problème qui implique une réaction spécifique de l'appareil génital tel qu'un problème de dysfonctionnement érectile chez l'homme ou un problème d'anorgasmie chez la femme.

Si l'on se fie à des données recueillies à l'aide du Système multiaxial d'évaluation des dysfonctions sexuelles (Schover, Friedman, Weiler, Heiman et LoPiccolo, 1982), on pourrait décrire ces personnes de la façon suivante :
1) Ils (elles) ont une basse fréquence d'activité sexuelle ;
2) ils (elles) aimeraient avoir des activités sexuelles moins souvent ;
3) ils (elles) auraient moins souvent des activités de masturbation ;
4) ils (elles) ressentent moins souvent le désir d'avoir des activités sexuelles ;
5) ils (elles) sont insatisfaits de leur sexualité ;
6) ils (elles) perçoivent moins de satisfaction sexuelle chez leur conjoint(e) ;
7) ils (elles) réagissent de façon moins positive aux avances sexuelles de leur conjoint(e) ;
8) ils (elles) réagissent moins à la présentation de matériel érotique ou pornographique.

Ces personnes présentent souvent d'autres problématiques sexuelles (associées aux phases d'excitation ou d'orgasme), un bas niveau de satisfaction associé aux activités sexuelles et un degré de détresse maritale plus élevé que les couples ne présentant pas ce type de problème. Le répertoire d'activités sexuelles des sujets avec un problème de désir sexuel est également plus restreint.

Le désir sexuel hypoactif pourrait apparaître lors d'un mauvais fonctionnement sexuel résultant d'une dysfonction sexuelle ou d'un état d'insatisfaction sexuelle. Un problème de désir sexuel hypoactif pourrait aussi traduire un mauvais fonctionnement de couple. Dans certains cas, une combinaison de ces deux facteurs serait associée à l'émergence d'un problème de désir sexuel hypoactif.

Au niveau des mécanismes théoriques, Trudel (1988) a tenté d'expliquer l'établissement et le maintien du désir sexuel hypoactif par un processus d'évitement ou d'échappement. Pour diverses raisons (e.g. présence d'une dysfonction sexuelle, présence d'un niveau élevé d'insatisfaction sexuelle, présence d'un état de détresse maritale), les activités sexuelles ou l'idée d'avoir des activités sexuelles provoquent une source d'inconfort que le sujet essaie de réduire. Cette problématique se perpétue par le mécanisme d'évitement ou d'échappement.

ÉVALUATION, DIAGNOSTIC ET ANALYSE FONCTIONNELLE

Le DSM-III-R donne une définition relativement peu précise et dans une certaine mesure circulaire du désir sexuel hypoactif qui laisse place à un niveau élevé de subjectivité de la part du clinicien notamment sur ce que l'on doit entendre par *déficience* de «fantasmes sexuels» et du «désir d'avoir des activités sexuelles». Ce problème est donc défini de la façon suivante : «*Absence ou déficience persistante et répétée de fantasmes sexuels et du désir d'avoir des activités sexuelles. Le jugement que doit faire le clinicien sur la déficience ou l'absence doit tenir compte de facteurs comme l'âge, le sexe et le contexte de vie de la personne.*»

Il faut distinguer les problèmes de désir sexuel primaires ou secondaires suivant qu'il s'agit d'un état qui s'est développé plus récemment ou d'une situation qui existe depuis toujours. Il importe aussi de distinguer les problèmes globaux ou situationnels suivant que le sujet a un problème qui affecte tout son fonctionnement sexuel ou suivant qu'il s'agit d'un problème spécifique à son fonctionnement sexuel. Dans la majorité des cas, le clinicien rencontrera des personnes qui ont un problème secondaire et situationnel avec un(e) partenaire particulier(ière).

Il importe d'évaluer non seulement le désir sexuel comme tel mais les divers facteurs qui y sont associés, à savoir le fonctionnement sexuel au niveau des diverses phases de l'activité sexuelle et le fonctionnement de couple. Parmi les points les plus importants à évaluer au cours de l'entrevue, mentionnons :

a) fréquence quotidienne des fantasmes sexuels ;
b) fréquence hebdomadaire des activités sexuelles ;
c) nombre de fois que le sujet initie des activités sexuelles ;
d) fréquence hebdomadaire des activités sexuelles principalement pour répondre à une demande de son (sa) conjoint(e) plutôt que par intérêt personnel ;
e) évaluation des idées négatives qui peuvent affecter le fonctionnement sexuel des sujets ;
f) évaluation de diverses problématiques sexuelles (e.g. anorgasmie, dysfonction érectile, etc.) ;
g) Évaluation de la satisfaction sexuelle et des divers facteurs pouvant la réduire en plus d'un dysfonctionnement sexuel spécifique (e.g. stéréotypie des activités sexuelles, faible développement des activités préliminaires d'excitation, etc.) ;
h) Évaluation de la situation de couple et du degré de détresse maritale.

TRAITEMENT

L'essentiel des informations que nous avons sur le traitement de ce problème est basé sur des données cliniques. Le traitement que nous proposons s'inspire à la fois de programmes d'intervention comme ceux de McCarthy (1984) et de LoPiccolo et Friedman (1988), de même que de certaines données provenant de nos recherches visant à évaluer les caractéristiques des couples présentant un problème de désir sexuel hypoactif. Ce traitement vise

à améliorer la qualité de vie sur le plan sexuel et sur le plan du fonctionnement de couple. Il s'agit d'un traitement multimodal. Dépendant de l'évaluation faite par le clinicien d'une problématique de couple présentant un
désir sexuel hypoactif, l'accent sera mis sur une ou plusieurs dimensions.

☐ **Information sur les diverses phases de l'activité sexuelle
incluant la phase de désir**

Dans cette phase, le clinicien donnera des informations sur ce qu'est le
fonctionnement sexuel habituel. L'accent sera mis sur le désir sexuel habituel
par opposition à un désir sexuel hypoactif en mentionnant le caractère relatif
de toutes données statistiques sur le sujet (e.g. fréquence des activités
sexuelles) et sur l'importance d'en arriver à un niveau d'adaptation qui soit
satisfaisant à l'intérieur du couple.

☐ **Restructuration de certaines idées négatives qui peuvent
influencer le désir sexuel à la baisse**

Plusieurs idées provenant d'une éducation sexuelle sévère ou d'expériences sexuelles négatives peuvent influencer à la baisse le niveau de désir
sexuel. Par exemple, une personne peut avoir développé pour des raisons
diverses des idées négatives d'auto-dévalorisation au sujet de son propre
corps, notamment au niveau des régions génitales. Elle peut aussi avoir des
idées et des réactions négatives lorsqu'elle pense à son corps nu au cours
d'activités sexuelles. Une personne peut constamment trouver des idées négatives sur le déroulement des activités sexuelles («ma partenaire n'est pas
assez excitée», «mon partenaire n'a pas assez d'érection», «elle bouge trop»
ou «pas assez», «il ne me touche jamais de la bonne manière», etc.). Des
idées culturellement répandues peuvent entraîner une mauvaise perception
de l'activité sexuelle, augmenter la tension au cours de ces activités et entraîner l'apparition du processus d'évitement décrit plus haut. Par exemple,
un homme peut croire que l'issue d'une activité sexuelle repose entièrement
sur lui. Inversement, une femme peut se voir totalement dépendante de son
partenaire au niveau de sa réactivité sexuelle et, comme conséquence, avoir
des expériences sexuelles peu stimulantes et finir par se désintéresser des
activités sexuelles.

Des idées négatives peuvent survenir après l'activité sexuelle au sujet de
la réussite. Comme on peut concevoir que l'issue d'une activité sexuelle suit
essentiellement les lois de la courbe normale et que les activités sexuelles
aboutissant à un résultat entièrement satisfaisant sont probablement excep-
tionnelles, on peut concevoir que cette personne développera des idées dévalorisantes concernant ses activités sexuelles et en perdra l'intérêt. Ces
idées s'accompagnent souvent de culpabilité parce que la personne a l'impression que le tout dépend d'une mauvaise performance de sa part et de
ressentiment dirigé vers le(la) partenaire que l'on tient pour responsable de
ce qui est perçu comme une faible qualité dans les activités sexuelles. Ces

idées seront contrées par des stratégies de restructuration cognitive ou par des méthodes de thérapie rationnelle.

☐ **Favoriser l'émergence d'idées positives et de fantasmes**

Cet aspect prendra plusieurs formes allant tout simplement du fait, par exemple, de favoriser la lecture de littérature érotique à l'application de stratégies d'intervention visant à augmenter la présence de fantasmes sexuels. Pour plusieurs auteurs, augmenter la fréquence des fantasmes sexuels serait un élément important du traitement de ce problème. Plus un individu aurait des fantasmes sexuels fréquents et stimulants, plus son désir sexuel serait élevé.

A titre d'exemple, mentionnons un scénario typique des étapes à suivre avec un sujet pour augmenter ses fantasmes. Une première étape consiste à souligner l'importance des fantasmes dans la phase de désir sexuel. Une deuxième étape consiste à demander à un(e) client(e) s'il a déjà eu ou non des fantasmes et si oui d'en faire l'inventaire. Si le sujet a des fantasmes mais qu'ils se manifestent peu souvent, il faut s'interroger sur les facteurs qui interfèrent avec le processus fantasmatique. Souvent, il faut retourner à l'étape antérieure et réduire les idées négatives qui interfèrent avec la sexualité. Si les fantasmes sont inexistants ou très rares, l'étape suivante consistera à trouver des moyens pour augmenter la fréquence des fantasmes. Le sujet sera alors amené à examiner diverses catégories de fantasmes et tentera d'en trouver qui seront susceptibles d'agir sur le processus de désir et d'activation sexuels. Les principales catégories sont au nombre de 6 : a) les idées érotiques (e.g. activité sexuelle de groupe), b) les endroits érotiques (e.g. avoir des activités sexuelles dans un endroit inhabituel comme sur une plage), c) les moments érotiques (e.g. un moment différent comme par exemple en regardant la télévision), d) les personnes érotiques (e.g. penser à une personne très excitante comme un(e) acteur(trice) que l'on trouve très séduisant(e) sexuellement, e) les situations érotiques (e.g. être dévêtu(e) par quelqu'un), f) les sensations érotiques (e.g. le son de la respiration d'un(e) partenaire, un souffle sur le corps, une odeur de parfum). Comme complément, une troisième étape consiste à consulter du matériel que le sujet juge érotique. Enfin, une dernière étape consiste à tenter d'imaginer clairement et dans le détail les fantasmes que le sujet juge les plus stimulants. Le sujet pourra répéter cet exercice quotidiennement jusqu'à ce qu'il puisse en imaginer facilement et clairement plusieurs. Il sera aussi amené à intégrer à sa vie sexuelle des éléments de sa vie fantasmatique qu'il juge réaliste de mettre en application.

☐ **Augmenter la qualité et le caractère stimulant des activités sexuelles à l'intérieur du couple**

Une première méthode peut être basée sur l'application de techniques de sensibilisation corporelle non-génitale et génitale proposées par Masters et

Johnson. Ces méthodes diminuent l'anxiété et les réactions négatives d'un sujet par rapport aux activités sexuelles tout en favorisant l'émergence de réponses sexuelles et la perception de ces dernières.

Une deuxième stratégie d'intervention met l'accent sur l'amélioration de la qualité de la vie sexuelle. Il s'agira d'étendre l'activité sexuelle à l'extérieur des lieux où elle se passe actuellement, de découvrir les préférences sexuelles de l'autre partenaire par des exercices de toucher et de favoriser le plaisir sexuel. On peut aussi provoquer volontairement un état d'inconfort sur le plan sexuel de façon à bien identifier les procédures qui favorisent cet inconfort et d'engager des stratégies de résolution de problème par rapport à cette situation. Une deuxième stratégie consiste à demander à chaque membre du couple de ne plus envisager l'attrait à l'intérieur du couple comme étant quelque chose de magique qui résulte d'une «chimie indéfinissable» mais plutôt de faire des suggestions réalistes et constructives pour améliorer la vie sexuelle. Un troisième exercice vise à discuter de l'impact du problème du désir sexuel sur le degré de confiance à l'intérieur de la relation. Souvent les personnes croient qu'une perte de désir sexuel signifie perte d'intérêt plus générale pour le (la) conjoint(e), une diminution de l'amour ou une relation extra-conjugale. Un climat de méfiance peut alors s'établir dans le couple. Il serait important de clarifier ces aspects. Un quatrième exercice vise à demander à chaque membre du couple de suggérer des scénarios réalistes concernant des nouvelles activités sexuelles que chaque membre du couple aimerait expérimenter. Enfin, une dernière stratégie consiste à établir des attentes plus réalistes par rapport aux activités sexuelles et, notamment, de concevoir qu'une proportion relativement faible d'activités sexuelles chez un couple apporte un état de satisfaction optimal chez les deux partenaires.

☐ Vérifier la présence d'autres dysfonctions sexuelles

Il faut être conscient du fait qu'un manque d'intérêt pour les activités sexuelles peut résulter d'une dysfonction sexuelle et de l'état de frustration qu'elle génère par rapport à ce type d'activité. Les méthodes de traitement discutées dans les autres chapitres sur les autres problèmes sexuels pourront être appliquées souvent de façon conjointe à des stratégies visant à augmenter l'intérêt pour les activités sexuelles.

☐ Améliorer la qualité de la vie de couple

Suite à une identification des sources de mésentente et de détresse maritale, diverses méthodes peuvent être utilisées comme la résolution de problème et l'entraînement à la communication chez le couple (Beaudry et Boisvert, 1988 ; Wright, 1985).

Souvent, les couples aux prises avec des difficultés de désir sexuel hypoactif n'ont pas de difficultés à communiquer de façon générale. Cependant, au niveau affectif et sexuel, la communication semble plus difficile. Un des objectifs de l'entraînement à la communication consistera donc à travailler sur du matériel à caractère sexuel de façon à augmenter les capacités de chacun des membres du couple à communiquer avec plus d'aisance sur ce thème.

RÉSULTATS

Nous avons surtout à notre disposition des études provenant de données cliniques. Malgré la reconnaissance depuis peu de ce problème, les résultats sont relativement positifs. Par exemple, McCarthy (1984) mentionne des améliorations chez la majorité des sujets suite à l'application d'une approche multimodale. Schover et LoPiccolo (1982), abordant diverses problématiques de baisse de désir et d'aversion pour la sexualité, suite à un programme d'intervention, analysent les résultats sur plusieurs variables dépendantes. Dans l'ensemble, ce traitement améliore la satisfaction sexuelle. En somme, malgré la complexité apparente de ce problème, il est possible d'obtenir des résultats positifs.

Bibliographie

BEAUDRY M., BOISVERT J.M. — *Psychologie du couple*. Éditions du Méridien, Montréal, 1988.

LoPiccolo J., FRIEDMAN J.M. — Broad spectrum treatment of low sexual desire : integration of cognitive, behavioral and systemic therapy. *In* S.R. LEIBLUM and R.C. ROSEN (Eds). *Sexual Desire Disorders*. Guilford, New York, 1988, pp. 107-144.

LEIBLUM S.R., ROSEN R.C. — *Sexual Desire Disorders*. Guilford, New York, 1988.

McCARTHY B. — Strategies and techniques for the treatment of inhibited sexual desire. *J. Sex Marital Ther.*, *10*, 97-104, 1984.

SCHOVER L.R., LoPiccolo J. — Treatment effectiveness for dysfunctions of sexual desire. *J. Sex Marital Ther.*, *8*, 179-197, 1982.

SCHOVER L.R., FRIEDMAN J.M., WEILER S.J., HEIMAN, LoPiccolo J. — Multiaxial problem-oriented system for sexual dysfunctions : An alternative to DSM-III. *Arch. Gen. Psychiatry*, *39*, 614-619.

TRUDEL G. — *Dysfonctions sexuelles : évaluation et traitement*. Presses de l'Université du Québec, Québec, 1988.

WRIGHT J. — *La survie du couple*. La Presse, Montréal, 1985.

20

Trouble érectile

J. COTTRAUX

Les dysfonctions érectiles correspondent à une perturbation se situant au niveau d'une phase spécifique des réponses sexuelles masculines, celle de l'excitation. Il est d'usage d'après Masters et Johnson (1971) de diviser les réactions sexuelles en cinq phases principales : (1) excitation, phase dont la perturbation entraîne l'impuissance, (2) plateau, phase dont la perturbation entraîne l'éjaculation précoce, (3) orgasme, phase dont la perturbation entraîne l'éjaculation retardée, (4) résolution, (5) période réfractaire. Kaplan (1975) a proposé un modèle plus simple avec trois phases seulement : désir, excitation et orgasme. Dues à des causes psychologiques ou physiques ou aux deux, les dysfonctions érectiles peuvent s'accompagner de perte de libido, ou de difficultés d'éjaculation : éjaculation précoce sur verge flaccide ou anéjaculation. Elle correspond physiologiquement à une perturbation du réflexe érectile qui empêche le passage d'assez de sang dans les corps caverneux.

TABLEAU CLINIQUE

Typiquement, l'impuissance s'installe après un premier échec qui engendre une anxiété de performance. L'anxiété en elle-même, par l'excitation parasympathique qu'elle entraîne, va entraver des phénomènes neurovasculaires néfastes à l'érection. Le sujet va redouter de plus en plus cette confrontation à l'échec et développer des monologues intérieurs défaitistes. Malgré les tentatives au début confiantes de la ou les partenaires, il va se centrer de plus en plus sur la disparition intempestive de la tumescence.

Sous l'effet des échecs cumulés, il va petit à petit devenir le spectateur de sa propre sexualité, ce qui aggrave encore sa non-participation aux relations sexuelles. Les complications ne tarderont pas à apparaître : évitement plus ou moins total des relations féminines, attitude séductrice de couverture avec rejet de la partenaire avant l'instant critique, «machisme» affiché et masturbation chronique, ou refuge dans des activités artistiques ou sociales. Cette description correspond, en général, à l'impuissance primaire. L'impuissant secondaire continue en général ses tentatives infructueuses en changeant de partenaires pour vérifier la stabilité du comportement d'échec. La perte du désir, l'éjaculation précoce sur verge flaccide, les conflits conjugaux et les difficultés avec les partenaires l'amèneront à consulter.

La situation sexuelle déclenche des anticipations anxieuses, en particulier la sensation que la partenaire va exiger des rapports sexuels de qualité ou risque de rejeter ou de critiquer la performance masculine. Au moment des rapports, l'anxiété sera à son comble avec blocage respiratoire, accélération cardiaque, spasmes musculaires. Le sujet présente alors des autoverbalisations dépressives du type «une fois encore cela va échouer». Il ne peut se laisser aller à ses propres sensations ou sentiments. Le plus souvent, il se préoccupe trop de sa partenaire et surtout des jugements qu'elle pourrait porter, au lieu de se préoccuper du plaisir donné et reçu. Il entre donc dans un rôle passif et d'auto-observation critique : «le rôle du spectateur» (Masters et Johnson, 1971).

L'attitude de la partenaire va influer sur le maintien de l'anxiété. Etant donné la fréquence des dysfonctions érectiles, il est évident que la très grande majorité sont «guéris spontanément» par les partenaires. Ainsi, en sexothérapie, on voit surtout des cas persistants et rebelles, et souvent compliqués de mésentente du couple, où une boucle de feed-back négatif s'entretient dans la relation du couple et maintient l'anxiété. Des conflits d'argent, d'intérêt, de pouvoir, de dominance et de soumission, pourront expliquer une relation négative marquée par la colère et dont le résultat final sera la dysfonction érectile présentée comme symptôme du couple. En outre, à côté des antécédents immédiats, l'analyse fonctionnelle précisera les antécédents lointains du sujet : en effet, les expériences antérieures, les attitudes parentales, les modèles sociaux peuvent souvent expliquer qu'un individu attribue à un échec momentané une valeur définitive et entrer dans le cercle de l'échec/anxiété/échec.

ÉVALUATION, DIAGNOSTIC ET ANALYSE FONCTIONNELLE

Selon le DSM-III-R, il peut s'agir d'un échec complet répété ou persistant chez l'homme à atteindre ou maintenir une érection jusqu'à l'accomplissement de l'acte sexuel ou d'une absence répétée ou persistante du sentiment subjectif d'excitation sexuelle et de plaisir chez l'homme durant l'activité sexuelle. Il faut opposer l'impuissance primaire où le sujet n'a jamais pu avoir de relation sexuelle, à l'impuissance secondaire au cours variable, survenant chez des sujets qui jusque-là n'avaient pas ou peu de problèmes. La dysfonction peut être généralisée ou situationnelle, se limiter à certaines situations ou certaines partenaires. Enfin, elle peut être exclusivement psychogène ou psychogène et organique.

L'impuissance primaire du sujet jeune est souvent la manifestation de problèmes psychologiques importants : phobies, dépression, problèmes d'ordre psychotique ou personnalité pathologique. A l'inverse, l'impuissance secondaire survient, le plus souvent, entre 40 et 50 ans et est facilement rattachable aux événements actuels de l'existence. Les problèmes du couple, la lassitude libidinale, le «stress» professionnel, l'adaptation aux changements imposés par l'âge, le deuil et la séparation sont fréquemment retrouvés comme antécédents immédiats.

La pléthysmographie pénienne nocturne peut s'avérer intéressante pour distinguer une impuissance organique d'une impuissance psychogène. Elle est mise en œuvre par des laboratoires spécialisés.

Les premières entrevues seront consacrées à l'analyse fonctionnelle qui consiste au cours d'entretiens avec le sujet et avec sa partenaire (dans la mesure où cela est possible) à préciser depuis quand, où et comment et à la suite de quels événements se manifeste le trouble, et une fois la dysfonction installée, quels en sont les facteurs de maintien. La recherche des perturbations physiques doit faire partie du diagnostic et de l'analyse fonctionnelle de toute dysfonction sexuelle. Le meilleur critère de dysfonction érectile «psychogène» est la persistance d'érections matinales, nocturnes ou survenant hors de la situation sexuelle. Un examen médical permettra d'éliminer ou de confirmer une participation organique. De même, une glycémie et une glycosurie doivent être effectuées pour éliminer un diabète. Une fois ces facteurs éliminés, il restera essentiellement à préciser la prise de médicaments. Car, entre autres, hypotenseurs et psychotropes (neuroleptiques et antidépresseurs surtout) sont fréquemment responsables de dysfonctions érectiles. Les facteurs organiques qui peuvent être retrouvés dans 30 % des cas environ s'intriquent souvent avec les difficultés psychologiques. L'existence de perturbations organiques n'exclut donc pas la sexothérapie comportementale.

TRAITEMENT

Les techniques seront choisies en fonction des résultats individuels de l'analyse fonctionnelle et des résultats aux différents questionnaires et inventaires utilisés. Plusieurs cas peuvent se présenter. Voyons-les successivement.

- *D'abord, les cas simples dans lesquels les conseils sexuels comportementaux suffiront à régler la majeure partie du problème*

Ici, on a affaire, en général, à une dysfonction secondaire ou primaire mais sans répétition d'échec durant de longues années. Ce que les patients ou les couples viennent chercher est essentiellement une sorte de permission, avec information sexuelle, démystification des tabous, incitation à l'action ou des suggestions spécifiques (par exemple utiliser une position latérale, ou en position supérieure pour permettre une pénétration avec une verge à demi flaccide). Deux ou trois séances de conseils avec réassurance peuvent suffire. Bien que les patients fassent souvent appel au sexothérapeute, les généralistes, dûment informés, à l'aise avec ce genre de problèmes et ne tendant pas à imposer leurs propres normes, peuvent avoir d'excellents résultats.

• *L'impuissance primaire en traitement individuel*

Il s'agit en général d'une impuissance primaire chez un sujet jeune qui a toujours eu peur des femmes. Il vit seul, n'ayant pas de partenaire. On est souvent conduit à effectuer une désensibilisation systématique (Wolpe, 1975) sur 10 ou 15 séances d'une heure. Après analyse et classement selon leur degré d'anxiété des situations en relation avec la vie sexuelle qui provoquent l'anxiété, le sujet apprend la relaxation. On lui fait imaginer de façon progressive les scènes provocatrices d'anxiété. On réduit l'anxiété par l'induction simultanée de relaxation. Quand une image est trop anxiogène, le sujet le signale en levant le doigt et il est ramené sur une image moins anxiogène. Le processus thérapeutique est donc relativement long. Il prépare à affronter les situations réelles. Parallèlement à l'action de la désensibilisation systématique sur les émotions, il faudra faire un travail sur les distorsions cognitives du patient, à savoir les stéréotypes culturels ou personnels, les obligations, les postulats machistes, le sentiment de dévalorisation et de dévirilisation ou la nostalgie d'une érection mythique et marmoréenne (le mythe de Don Juan ou le complexe de Casanova). Après désensibilisation systématique et restructuration cognitive, il est conseillé au sujet de recommencer une vie sexuelle par étapes de façon à aborder sans anxiété la sexualité dans une ambiance dépourvue d'exigences et d'impératifs de «performance». Petit à petit, le sujet sortira du cercle anxiété-échec. Un élément important est représenté par ce que les sexologues appellent la «teasing technique» : il est demandé au sujet de faire stimuler son pénis par sa partenaire jusqu'à pleine érection dans une ambiance exempte d'exigences où chacun se centre sur les caresses et le plaisir mutuel. Lorsque l'érection est complète, la stimulation cesse et le sujet apprend à regagner et perdre l'érection sans anxiété.

• *Traitement en couple*

Le plus souvent, il s'agit d'une impuissance secondaire. Dans certains cas, les problèmes de désir et d'absence de désir ou les conflits du couple sont au premier plan. Dans ce cas, il vaut mieux, durant une dizaine de séances, améliorer la communication du couple par des techniques de contrat et des jeux de rôle. Dans un deuxième temps, on abordera plus directement la dysfonction sexuelle. Le programme classiquement utilisé est celui de Masters et Johnson (1971). Il s'agit d'un programme d'information et d'exposition graduée *in vivo*.

1. **Au cours d'entretiens,** qui peuvent se prolonger par des présentations vidéo ou des lectures, on fournira des informations sur les relations

sexuelles. Souvent, le thérapeute devra démystifier des stéréotypes sexuels ou les croyances erronées acquises au cours d'expériences antérieures ou qui sont liées à une éducation stricte. La déculpabilisation d'interdits familiaux, culturels ou personnels est souvent une étape nécessaire. La pratique de la relaxation, sera enseignée selon la méthode de Schultz ou de Jacobson, étant donné que l'anxiété vis-à-vis de l'acte sexuel ou de ses préliminaires est très fréquente. Ensuite, la thérapie se centrera sur l'accroissement de la communication dans le couple. L'accent mis sur le fait que la sexualité consiste autant à donner que recevoir. L'on mettra en évidence que l'échec sexuel aboutit souvent à mettre le sujet dans un «rôle du spectateur» passif où il observe et juge ses propres performances sexuelles au lieu de se laisser aller à ses sensations et au plaisir. La recentration du sujet sur ses propres sensations et celles de sa partenaire permettra de modifier l'observation obsessionnelle et auto-critique qui est bien souvent avec l'anxiété le principal facteur de perte d'érection.

2. **Interdiction des rapports sexuels pour réduire l'anxiété de performance.** En effet la plupart des sujets souffrant d'impuissance se fixent des objectifs de fréquence et d'intensité de rapports sexuels qui sont toujours déçus, plus ils essaient plus ils échouent, et plus ils sont culpabilisés. La mise au repos par une prescription d'absence de rapports sexuels va réduire l'anticipation anxieuse vis-à-vis de performances sexuelles et le sentiment de culpabilité qui est souvent lié à ce que le sujet considère que l'homme doit toujours et en toutes circonstances être actif sexuellement.

3. **«Focalisation sur les sens».** On conseillera d'abord de pratiquer à domicile, dans une ambiance sans exigences, des caresses se limitant à la peau avec exclusion des caresses sexuelles. Ce retour à une sexualité plus élémentaire est destiné à recentrer le couple plus sur les sensations amoureuses que sur la notion de performance liée à l'érection et la pénétration. Suivront les caresses sexuelles sans masturbation avec éjaculation, puis dans un second temps masturbation avec éjaculation. Là encore, le sujet et sa partenaire doivent se laisser aller au plaisir sans chercher à réaliser des exploits.

4. **L'individu apprendra à perdre et regagner l'érection sans anxiété au cours de stimulation manuelle de la verge par sa partenaire.** Même si l'érection disparaît, «il y aura toujours une autre fois». Finalement le sujet est désensibilisé à l'anxiété de voir disparaître son érection.

Une fois ces étapes réalisées, l'on conseille des rapports sexuels en position latérale, ou supérieure de la femme, car ils ne nécessitent pas une érection totale et de ce fait diminuent l'anxiété de la perte d'érection.

RÉSULTATS

Le travail initial de Masters et Johnson (1971) sur 245 sujets traités de façon intensive, sur une période de 15 jours, rapporte 60% des résultats positifs à 5 ans de post-cure dans l'impuissance primaire et 70-80 % de résultats positifs dans l'impuissance secondaire. Les patients étaient suivis par un couple de thérapeutes. Crowe *et al.* (1981) ont montré qu'un seul thérapeute était suffisant pour obtenir des résultats analogues. Obler (1975) a montré que la désensibilisation systématique donnait 80 % de résultats positifs contre 10 % en thérapie psychanalytique de groupe et dans le groupe-témoin.

Bibliographie

CROWE M.J., GILLAN P., GOLOMBOK S. — Form and content in the conjoint treatment of sexual dysfunction. A controlled study. *Behav. Res. Ther.*, *19*, 47-54, 1981.

MASTERS W.H., JOHNSON V.E. — *Les mésententes sexuelles et leur traitement.* Laffont, Paris, 1973.

OBLER M. — Systematic desensitization in sexual disorders. *J. Behav. Ther. Experimental Psychiatry*, *4*, 93-101, 1973.

KAPLAN H. — *The new sex therapy.* Brunner et Maze, New York, 1974.

WOLPE J. — *La pratique de la thérapie comportementale.* (Traduction J. Rognant). Masson, Paris, 1975.

21

Trouble orgasmique

O. FONTAINE

Les difficultés orgastiques constituent la difficulté sexuelle le plus souvent rencontrée chez la femme. Ses relations avec la frigidité ne sont pas toujours claires. La plupart des auteurs semblent cependant d'accord aujourd'hui pour en faire deux entités distinctes. Classiquement, on distinguera à ce trouble fonctionnel une forme *primaire*, lorsque la femme n'a jamais de sa vie fait l'expérience de l'orgasme et une forme *secondaire* dans le cas où le problème apparaît après une période où la femme accédait à l'orgasme.

TABLEAU CLINIQUE

L'anorgasmie regroupe en fait un ensemble de troubles à topographie très différente, dont la caractéristique commune est que la patiente n'arrive pas au réflexe orgastique. L'anorgasmie peut se retrouver chez une femme qui n'éprouve rien sur le plan sexuel, voire rejette la sexualité avec agressivité. A l'opposé, on verra une femme très amoureuse éprouvant une excitation certaine lors du rapport sexuel qu'elle souhaite, ne pouvant accéder à l'orgasme. Pour d'autres, l'orgasme sera parfois atteint, parfois pas ; ou encore l'orgasme se déclenchera avec un partenaire alors qu'il est impossible avec un autre.

En fait, les causes de l'anorgasmie sont multiples : refus de la sexualité par peur, rigidité religieuse, absence de désir, anxiété par rapport au jugement du partenaire, crainte de perdre son conjoint, inexpérience ou dysfonction sexuelle du partenaire, problématique de couple ou plus simplement encore fatigue excessive, maladie physique, prise de médicaments, soucis d'ordre professionnel ou autre, présence des enfants dans la maison. La demande de consultation dépendra de circonstances diverses : réaction négative du partenaire, image de soi dévalorisée, envie de connaître l'orgasme.

De nombreuses femmes anorgastiques ne consultent en fait jamais soit que cet état ne les perturbe pas, qu'elles se satisfont des plaisirs qui précèdent l'orgasme, soit que la demande d'accéder à l'orgasme leur apparaisse comme un vice, soit encore le fait d'avoir «joué la comédie» avec leur partenaire les empêche d'avouer leur problème.

ÉVALUATION, DIAGNOSTIC ET ANALYSE FONCTIONNELLE

Le DSM III- R définit l'inhibition de l'orgasme chez la femme de la manière suivante :
A. Absence ou retard répété ou persistant, de l'orgasme chez la femme après une phase d'excitation sexuelle normale, lors d'une activité sexuelle que le clinicien juge adéquate en intensité, en durée et quant à son orientation. Certaines femmes sont capables d'atteindre un orgasme lors d'une stimulation clitoridienne en dehors du coït mais sont incapables d'atteinte l'orgasme pendant le coït en l'absence de stimulation clitoridienne manuelle. Chez la plupart de ces femmes, cela constitue une variante normale de la réponse sexuelle féminine et ne justifie pas un diagnostic d'Inhibition de l'orgasme chez la femme. Toutefois, chez certaines de ces femmes, cela traduit une inhibition psychologique et le diagnostic est justifié. Ce jugement difficile s'appuie sur une évaluation approfondie de la vie sexuelle laquelle peut nécessiter un traitement d'essai dans certains cas.
B. Le trouble ne survient pas exclusivement au cours d'un autre trouble de l'axe I (autre qu'une Dysfonction sexuelle), comme une Dépression majeure.
On remarquera que cette définition est assez évasive, peu circonstanciée et que les auteurs avouent que le diagnostic est difficile et nécessite une évaluation approfondie de la vie sexuelle. Cette perplexité provient de l'extrême diversité de la réaction orgastique de la femme. Ainsi, dans une même période, l'orgasme sera tantôt possible tantôt impossible, ou encore la femme arrivera à l'orgasme dans certaines circonstances (ex. : stimulation du clitoris) alors qu'il sera inaccessible dans d'autres (ex. : coït). La femme anorgastique peut parfaitement être sexuellement très excitée, amoureuse et ne pas arriver à l'orgasme. Le problème se complique encore du fait que pour certains auteurs, d'orientation analytique, il y aurait 2 types d'orgasmes : l'un clitoridien serait l'indice d'une sexualité infantile, l'autre vaginal signerait une sexualité adulte. Aujourd'hui, cette distinction est rejetée par la plupart des spécialistes qui considèrent qu'il n'existe qu'une espèce d'orgasme féminin, comportant à la fois des facteurs clitoridiens et vaginaux.
En accord avec Kaplan (1979), on peut placer les orgasmes féminins sur un continuum : *à une extrême*, des femmes qui arrivent à l'orgasme par des fantasmes érotiques utilisés seuls... ; *plus loin*, certaines y parviendront à partir de caresses non génitales, d'autres nécessiteront des caresses génitales, d'autres encore exigeront des stimulations clitoridiennes intenses associées

ou non à des fantasmes érotiques; *à l'autre extrême*, enfin, on trouve 10 % des femmes qui malgré ces diverses stimulations n'arrivent pas à l'orgasme. On remarquera que l'orgasme obtenu par le coït ne représente certainement pas la forme normative de l'orgasme. En effet, de nombreuses femmes y arrivent avec difficulté sans l'aide par exemple de stimulations clitoridiennes manuelles (voir fin du chapitre). D'une manière toute fonctionnelle, on retiendra que l'orgasme est un réflexe qui se déclenche lorsqu'un certain seuil d'excitation est atteint. De nombreuses variables peuvent faciliter ou au contraire empêcher l'accès à ce seuil (relationnels, personnalité, physique...). L'analyse précise des relations sexuelles permettra de mettre en évidence toutes ces variations qui empêchent le réflexe orgastique. Lorsque la femme consulte, elle a souvent déjà une histoire assez longue d'anorgasmie. Certaines l'acceptent sans difficulté, en nient l'importance, ou se satisfont des autres aspects de la sexualité. D'autres par contre, développent un sentiment d'infériorité ou d'anxiété devant l'échec. D'autres enfin, vont développer une agressivité vis-à-vis du partenaire. L'ensemble de ces réactions peut développer un rejet progressif de la sexualité dans sa totalité et entraîner une rupture dans le couple.

Les causes de l'anorgasmie ne sont guère différentes de celles retrouvées dans d'autres dysfonctions sexuelles. Avec Poudat et Jarousse (1986), nous les regrouperons en 5 grandes catégories :
1. les facteurs dits traumatisants : manque d'information, culpabilité, expériences traumatiques diverses (viol, I.V.G., etc.);
2. pathologie conjugale : symptôme apparent d'une pathologie du couple;
3. rôle du mari : inexpérience de l'homme, dysfonction masculine (ex. : éjaculation précoce, ...);
4. facteurs liés à la psychologie de la femme : peur de se laisser aller au plaisir, fantasmes culpabilisés, etc.
5. causes organiques : endocriniennes, anomalies physiques de la sphère génitale, etc.

L'ensemble de ces facteurs devra être soigneusement répertorié avant toute intervention thérapeutique (analyse fonctionnelle).

TRAITEMENT

Le traitement de l'anorgasmie dépendra de l'analyse fonctionnelle qui en a été faite. Il sera toujours multimodal et multifocal. On peut cependant décrire un ensemble de pratiques à adapter en fonction de l'analyse fonctionnelle :

Anorgasmie primaire

L'hypothèse sur laquelle se base le thérapeute est que toute femme est capable d'arriver à l'orgasme. Seule une inhibition d'étiologie variable l'en empêche. L'objectif sera donc d'obtenir ce premier orgasme. La première phase du traitement consistera en une explication dédramatisante et déculpabilisante de la sexualité, souvent accompagnée d'un exposé sur l'anatomie et la physiologie de la sexualité féminine et masculine. On demandera à la patiente d'examiner en détail ce qui se passe durant les rapports sexuels : les descriptions de la patiente mettent souvent en évidence les conduites d'évitement qui empêchent l'accès à l'orgasme. Une de nos patientes déclarait ne pas arriver à se concentrer sur ce qu'elle faisait. Son esprit était envahi par des pensées diverses. Le thérapeute examine avec elle les moyens de se recentrer sur ses perceptions physiques : par exemple, tenter de remplacer les pensées parasites par des pensées érotiques.

Souvent le repérage, l'analyse et les tentatives pour éliminer les conduites d'évitement ne suffiront pas. Dans ces cas, on peut souvent postuler que la présence du partenaire joue un rôle inhibiteur sur le réflexe orgastique. On demandera à la patiente de chercher son premier orgasme seule. Les techniques les plus utilisées sont l'auto-masturbation, associée à des contractions cloniques des muscles pubo-coccygiens et des muscles du vagin. L'introduction de ces techniques demande une préparation rigoureuse. La masturbation demeure encore souvent culpabilisée, considérée comme dégradante. De même, le plaisir solitaire garde un relent d'interdit. Le thérapeute devra convaincre la patiente de l'absence de fondement de ces croyances. Il pensera également à préparer la survenue de l'orgasme en le ramenant à un réflexe à la limite banal qui comme le dit Kaplan «n'apportera pas à son existence un changement spectaculaire». Cet abord paradoxal est souvent hautement anxiolytique.

La période durant laquelle la patiente tente d'accéder au premier orgasme est suivie avec la plus grande attention par le thérapeute. Les techniques utilisées font souvent apparaître les problèmes psychologiques qui sous-tendent l'anorgasmie primaire : culpabilité religieuse, peur de la grossesse, peur d'abandon par le conjoint, etc. Chacun de ces problèmes sera traité dans une perspective cognitivo-comportementale adéquate : information/restructuration cognitive d'abord du couple.

Une fois, le premier orgasme obtenu en solitaire, il s'agira de revenir à l'orgasme hétérosexuel. Le partenaire et la patiente doivent réaliser que le problème n'est pas encore complètement résolu, que l'orgasme peut encore ne pas survenir rapidement et ne pas survenir à chaque rapport. Le partenaire est invité à se comporter comme il le fait d'habitude jusqu'à ce qu'il ait éjaculé ; ensuite il aidera la patiente à tenter d'atteindre l'orgasme sans rechercher la rapidité, la performance, en gardant à l'esprit que résoudre l'anorgasmie demande du temps.

Anorgasmie secondaire

Les causes possibles de l'anorgasmie secondaire peuvent être très nombreuses : fatigue chronique, anxiété, soucis, stress, suites d'un post-partum sont le plus fréquemment rencontrés. Ces facteurs externes à la relation sexuelle peuvent entraîner une anorgasmie secondaire passagère sans répercussion sur la sexualité. Dans d'autres cas cependant, la patiente ou le partenaire va se fixer sur ces problèmes transitoires et leur donner une dimension plus importante, qui par rétroaction risque d'aggraver et de chronifier ce qui n'était qu'un incident de parcours. La patiente, inquiète devant son anorgasmie, s'interrogera sur son changement de réaction qu'elle attribuera à des causes diverses : je ne suis plus capable de..., je deviens frigide..., je n'aime plus suffisamment mon partenaire... Ce dernier peut de son côté analyser l'anorgasmie récente de la patiente en termes de : elle ne m'aime plus..., je ne l'intéresse plus..., elle a un amant... S'ensuivent un ensemble de réactions qui aggravent le processus : la patiente va voir sa crainte de l'échec augmenter, va adopter un rôle de spectateur par rapport à sa sexualité ; le partenaire peut devenir irritable, culpabilisant, plus anxieux, plus exigeant dans les rapports sexuels. Ces diverses réactions, avec le temps, éloignent les partenaires, créent des difficultés de couple voire déclenchent des comportements qui engagent vers la rupture.

La thérapie sera variable suivant le moment où elle arrivera dans un processus en dégradation progressive. Ceci est vrai d'ailleurs pour toutes les dysfonctions sexuelles en général.

Si l'intervention est précoce, les facteurs de causalité mis en évidence par l'analyse fonctionnelle seront relevés et on explicitera aux partenaires le scénario «classique» vers une aggravation de ces dysfonctionnements qui de passagers et bénins qu'ils sont au départ, évoluent progressivement vers une destructuration clinique de la sexualité et de la relation du couple. L'explication du phénomène suffit parfois à restaurer la sérénité et la confiance et par là, à retrouver une sexualité progressivement normale. Par contre, si le problème a déjà un temps assez long d'évolution, on sera parfois obligé de structurer un traitement similaire à celui de l'anorgasmie primaire pour supprimer les inhibitions qui se sont créées et persistent parfois depuis plusieurs années.

Un autre type de problème fréquemment rencontré est celui de l'anorgasmie coïtale. De très nombreuses femmes sont capables d'un orgasme, par exemple par stimulation clitoridienne, alors qu'elles n'éprouvent qu'une très faible excitation durant l'intromission ou en tout cas, n'arrivent pas à l'orgasme. Dans certains cas, on peut sans doute évoquer un problème de seuil orgastique élevé lié à des inhibitions générales ou spécifiques vis-à-vis de la relation sexuelle (peur de grossesse, peur du pénis, culpabilité, ...). La plupart du temps, on peut, étant donné l'extension même de ce problème et le fait que chez nombre d'entre elles on trouve un plaisir à l'intromission ou en tout cas aucun déplaisir, penser qu'il s'agit là d'une réaction non pathologique. L'intromission du pénis stimule en fait très peu le clitoris et ceci plus particulièrement encore dans la position traditionnelle dite du «missionnaire». Ce type d'anorgasmie peut entraîner des réactions négatives soit chez la patiente soit chez le partenaire et amener ainsi progressivement une détérioration de la relation sexuelle et de couple.

Le premier temps du traitement visera à une information sur les raisons du dysfonctionnement. On proposera ensuite au couple de se «retrouver» dans des préludes affectifs et érotiques (sensate focus). Si ceux-ci créent un certain niveau d'excitation chez la femme, le partenaire sera invité à augmenter le plus possible l'excitation par une stimulation clitoridienne avant toute pénétration. A ce moment, le partenaire la pénètre avec des mouvements lents qu'il interrompt pour stimuler le clitoris soit en demeurant immobile dans le vagin, soit en se retirant. Cette succession de séquences a souvent un pouvoir excitant intense qui peut amener la patiente à l'orgasme. Chez certaines femmes cependant, l'excitation obtenue par stimulations clitoridiennes retombe lors du coït : on lui demandera d'essayer d'entretenir l'excitation par des mouvements accélérés du bassin. Si ceci n'est pas suffisant, on proposera à la patiente de stimuler elle-même son clitoris pendant le coït. Ces techniques associées à un suivi régulier du couple dans sa recherche de l'orgasme obtiennent des résultats le plus souvent positifs, qui se stabilisent après quelques semaines.

Certaines femmes pourront progressivement ne plus se servir de stimulations clitoridiennes pendant le coït, d'autres pas. Pour ces dernières et leurs partenaires, il faut éviter qu'ils ne considèrent le résultat obtenu comme un pis aller, mais bien comme une des modalités de la sexualité normale. Elle ne signe en rien une quelconque frigidité chez la femme ou une incompétence chez le partenaire.

L'anorgasmie secondaire peut encore représenter «l'épiphénomène» d'une problématique de couple plus générale qui la précède. Il est bien évident que les aspects sexologiques du traitement ne seront pas dans ce cas, mis à l'avant-plan.

Le thérapeute aura à évaluer la problématique de couple, la traiter si c'est possible pour son propre compte. En fonction des résultats, la sexualité peut s'établir ou se rétablir «spontanément» sans avoir à passer par un traitement plus spécifiquement sexologique. Dans certains cas au contraire, une approche de la sexualité devra être envisagée qui reprendra les procédures évoquées dans ce chapitre en les adaptant à la spécificité du problème.

RÉSULTATS

L'approche de l'anorgasmie ne se résume pas à un ensemble de techniques mécaniques que l'on met en place de manière stéréotypée. En effet, à travers l'analyse fonctionnelle précise qui est faite de la vie interne du couple, la thérapie sexuelle mobilise à travers un ensemble de conseils techniques une approche particulière de la relation de couple et par là, déclenche des réactions affectives, émotionnelles intenses. Les partenaires sont amenés à s'observer d'une manière différente dans une relation de co-thérapie, d'aide mutuelle et de confiance. La communication se fait plus intense, plus riche et conforte ainsi la relation du couple bien au-delà de la sexualité. Excepté des perturbations psychiatriques graves ou des difficultés de couple insurmontables, toute femme est capable d'accéder à l'orgasme; les thérapies évoquées dans ce chapitre sont à même d'y amener celles qui pour les diverses raisons évoquées éprouvent des difficultés, soit à un niveau primaire, soit à un niveau secondaire.

Bibliographie

KAPLAN H.S. — *La nouvelle thérapie sexuelle*. Buchet/Chastel, Paris, 1979.
POUDAT F.X., JAROUSSE N. — *Traitement comportemental des difficultés sexuelles*. 2ᵉ édition, Masson, Paris, 1992.
MASTERS W.H., JOHNSON W.C. — *Les mésententes sexuelles et leur traitement*. Laffont, Paris, 1971.

22

Éjaculation prématurée

J. COTTRAUX

Selon Masters et Johnson, est dit éjaculateur précoce, tout homme qui se retire dans 50 % des cas sans avoir satisfait sa partenaire. Kaplan (1974) considère que l'éjaculation précoce est une perte de contrôle du réflexe éjaculateur, en général liée à l'anxiété qui diminue l'érection et accélère l'éjaculation par excitation du système nerveux végétatif. Elle peut aboutir à une véritable phobie des rapports sexuels. Poudat et Jarrousse (1986), à la suite de Tordjman mettent en relief trois critères pour définir l'éjaculation prématurée : (1) l'éjaculation se produit de 30 secondes à une minute après l'intromission, (2) le nombre de mouvements de va et vient intravaginaux est inférieur à 10, et (3) dans 50 % des cas, l'homme atteint l'orgasme avant sa partenaire. Comme pour toutes les dysfonctions sexuelles, nous n'avons pas de données épidémiologiques concernant sa prévalence dans la population générale. Dans le rapport Simon, consacré aux comportements sexuels des Français, le temps moyen d'un coït serait de douze minutes.

Pour certains auteurs, l'éjaculation contrôlée en fonction des désirs de la partenaire serait une acquisition culturelle phylogénétiquement récente, alors que l'éjaculation rapide serait un phénomène naturel favorisant la reproduction et la survie de l'espèce. On pourrait objecter à cette conception que les rapports sexuels de beaucoup d'espèces animales sont infiniment plus lents que les rapports sexuels humains.

TABLEAU CLINIQUE

Selon le DSM-III-R, il s'agit d'une éjaculation répétée ou persistante lors de stimulations sexuelles minimes, ou avant (fiasco ante portas), pendant, ou juste après la pénétration. De toute manière, elle survient avant que le sujet ne souhaite éjaculer. Il faut également tenir compte de l'âge qui ralentit l'éjaculation et de la fréquence des rapports sexuels. Il n'est pas rare en effet de voir en consultation des sujets très jeunes, dont la fréquence des rapports est d'une fois tous les quinze jours, du fait de leur style de vie et qui demandent un traitement, alors qu'une augmentation de la fréquence des rapports sexuels serait le seul remède. En outre, il est fréquent que la nouveauté d'une partenaire ainsi que l'anxiété et l'excitation qui en résulte précipite l'éjaculation qui ensuite va se normaliser. Comme les autres dysfonctions sexuelles l'éjaculation prématurée peut être purement psychogène, ou représenter une intrication de facteurs physiques et psychologiques. Elle sera primaire si le sujet n'a connu que ce type d'orgasme et secondaire si elle est déclenchée par un stress professionnel, le développement de troubles anxieux, ou une mésentente conjugale plus diffuse que le simple problème sexuel.

Masters et Johnson (1971) divisent les réactions sexuelles en cinq phases principales : excitation, plateau, orgasme, résolution, période réfractaire. L'éjaculation précoce survient au cours de la phase de plateau ce qui explique qu'elle entraîne souvent peu de plaisir aussi bien chez le sujet que chez sa partenaire : le pic de l'orgasme se trouvant écrêté par l'émission prématurée du sperme.

ÉVALUATION, DIAGNOSTIC ET ANALYSE FONCTIONNELLE

Le patient peut venir consulter seul dans le cas où sa dysfonction est vécue dans la honte ou entraîne une fuite des partenaires. Le plus souvent l'on aura affaire à un couple qui vient consulter après avoir tenté diverses méthodes pharmacologiques ou mécaniques (pommades, condoms) pour résoudre le problème.

A l'origine de l'éjaculation précoce, on retrouve souvent un apprentissage difficile de la sexualité. Parfois, les premiers rapports sexuels ont eu lieu en voiture ou dans des situations où le couple risquait d'être surpris. L'inexpérience des deux partenaires, ou encore la peur d'être jugé par une partenaire beaucoup plus expérimentée peut également représenter un facteur de déclenchement. Il suffit parfois d'un premier rapport manqué pour que s'installe une anxiété anticipatoire importante qui résulte d'un véritable conditionnement classique associant situation sexuelle et réponses d'anxiété. Même dans les circonstances les plus favorables et avec des partenaires désirées, amoureuses et non-critiques, l'anxiété entraînera une baisse de l'érection et une précipitation de l'éjaculation (éjaculation sur verge flaccide).

Il n'est pas rare de retrouver un trouble anxieux à type d'anxiété généralisée focalisée entre autres sur la sexualité, s'accompagnant de cognitions négatives et de ruminations obsédantes du type : «Je suis un incapable», «Encore une fois cela va louper», «Encore une fois je vais être mal jugé et abandonné». Ces ruminations doivent être soigneusement étudiées et l'on peut s'aider pour cela de la fiche trois colonnes de Beck (cf. chapitre 10 sur la dépression). Le trouble sera maintenu car le sujet va se soulager de l'anxiété de performance en évitant les relations sexuelles. Le résultat chez le célibataire sera alors la solitude, ponctuée de conquêtes à qui il évitera de demander des rapports sexuels. Cette stratégie «d'allumage» sera parfois masquée par des récits d'aventures imaginaires. Dans un couple stable, l'on pourra retrouver aussi l'évitement qui sera à la longue renforcé par une partenaire soit déçue et critique soit silencieuse et résignée. Elle finira par refuser des rapports sexuels qui ne la satisfont pas et cherchera parfois une vie sexuelle extra-conjugale. L'impuissance secondaire et l'anorgasmie féminine viendront dans certains cas compliquer l'éjaculation prématurée. Certains couples continueront leur vie en se recentrant sur d'autres valeurs que la sexualité. Mais d'autres vont ressentir une souffrance qui va entraîner la demande de traitement.

TRAITEMENT

Le traitement se déroule en général sur 10 à 15 séances. Nous discuterons d'abord la thérapie d'un homme avec partenaire stable. La première étape comprendra la transmission d'information et une discussion en couple permettant de construire la confiance dans la thérapie. On dédramatisera en insistant sur le caractère curable du trouble et en discutant les postulats irrationnels concernant la sexualité. Si le couple éprouve aussi des difficultés, il faudra d'abord travailler sur la relation du couple qui a été détériorée par la dysfonction.

La cure est effectuée après les phases de focalisation sur les sens I (caresses non génitales) et II (caresses génitales). Au cours de cette phase d'éveil des sens, l'accent est mis sur le fait qu'il faut donner du plaisir pour en recevoir. L'abstinence sexuelle est de règle au début du traitement pour mettre au repos l'anxiété résultant de la répétition des essais suivis d'échecs.

Les étapes suivantes sont recommandées pour éduquer ou rééduquer le réflexe éjaculatoire. On procédera d'abord par l'apprentissage d'une position de contrôle éjaculatoire en recommandant la position supérieure de la femme ou une position latérale. Suivra une étape de masturbation par la partenaire, pendant laquelle le sujet la prévient qu'il est à une phase d'excitation où l'éjaculation est encore évitable (technique du Squeeze). Celle-ci comprime alors le pénis à la base du gland et comprime le canal urétral jusqu'à ce que le besoin d'éjaculer disparaisse. La même procédure est mise en place au cours d'un rapport sexuel : on apprend à l'homme à se retirer et à la femme à bloquer l'éjaculation en serrant le pénis entre ses doigts.

Une autre technique souvent plus facile à accepter et à réaliser, est sans doute celle de «l'arrêt-repartir» (stop-start) où l'homme apprend à percevoir les prémices de l'éjaculation et à arrêter ses mouvements (et de même la femme). Ceci a pour effet de gagner du temps et progressivement de récupérer un contrôle sur le réflexe éjaculatoire. Le but est que le sujet reste dans le vagin sans éjaculer et déconditionne ainsi son éjaculation réflexe.

Il est recommandé d'effectuer une phase de rapports sexuels en position latérale, car le besoin d'éjaculer s'y fait moins sentir. Par la suite, on utilise la méthode de «la position supérieure de la femme» pour les premiers rapports sexuels puis la position classique.

Chez le sujet sans partenaire, l'éjaculation précoce ou présentant des «fiascos ante portas» peut être traitée par désensibilisation systématique, dont c'est une excellente indication. On commencera par l'apprentissage d'une méthode de relaxation (Schultz ou Jacobson). Les différentes phases d'un rapport sexuel seront présentées progressivement sous relaxation après que le sujet les ait classées selon l'intensité de l'anxiété sur une échelle qui va de 0 à 100. Le thérapeute fait imaginer, en les suggérant verbalement, les scènes provocatrices d'anxiété en partant du niveau d'anxiété le plus bas. L'anxiété est réduite par l'induction simultanée de relaxation. Quand une image est trop anxiogène, le patient le signale en levant le doigt et il est ramené sur une image moins anxiogène. La désensibilisation qui se déroule sur 5 à 10 séances est arrêtée quand l'anxiété vis-à-vis des représentations anxiogènes apparait tolérable.

En général, l'anxiété débute bien avant les rapports sexuels proprement dits. Le simple fait de proposer un rendez-vous ou un dîner peut s'avérer anxiogène. Dans ces cas, *l'affirmation de soi* et le jeu de rôle peuvent s'avérer utiles pour répéter les situations. Certains sujets ne verront leur anxiété baisser que s'ils peuvent mentionner leurs difficultés sexuelles à la partenaire avant les rapports sexuels, et avoir une réponse dédramatisante de sa part. Ce qui est le cas le plus fréquent dans la réalité. Il n'est pas rare que les patients souffrent de trouble de l'affirmation de soi dans des domaines qui dépassent largement la sexualité. Ces techniques sont donc tout à fait adaptées.

Il faudra également modifier les *cognitions* négatives du sujet, montrer leur caractère anxiogène et l'aider à générer des pensées positives alternatives qui permettent de maîtriser la situation. Comme pour les dysfonctions érectiles, il est utile de modifier les postulats culturels «machistes» qui entraînent une anxiété importante vis-à-vis du jugement féminin. L'on peut également se servir des moyens présentés au chapitre 8 traitant des obsessions chez les sujets présentant des ruminations obsédantes qui font tomber l'érection et facilitent l'éjaculation. Le thérapeute mettra en évidence, comme pour les dysfonctions érectiles, «le rôle de spectateur» de sa propre sexualité que prend le sujet et l'aidera à le modifier, en lui demandant de se concentrer sur ses sensations plus que sur ses pensées. Cette concentration sur le corps et les sensations élémentaires sera réalisée sous relaxation.

Une fois le sujet préparé à une rencontre sexuelle, on insistera surtout sur le fait qu'il n'y a pas d'obligation à avoir un coït dès les premières fois et qu'il y aura toujours «une autre fois», ce qui peut déculpabiliser et désangoisser considérablement le patient. Le thérapeute recommandera d'avoir les premiers rapports sexuels dans une position qui facilite le contrôle éjaculatoire, à savoir position supérieure de la femme ou position latérale.

Examinons quelques problèmes particuliers fréquemment rencontrés dans le déroulement de ces traitements. Les techniques de contrôle de l'éjaculation nécessitent une excellente coopération entre les deux partenaires, de là la nécessité de synchroniser les techniques de contrôle et les mouvements au cours du coït. Certains cas sont très simples et peuvent bénéficier de quelques conseils spécifiques (squeeze, stop-start) qui sont aussitôt mis en pratique dans une atmosphère érotique. A l'inverse, le traitement peut s'avérer très difficile. Il n'est pas rare d'observer des «sabotages» du traitement du fait d'une mésentente conjugale chronique ou aiguë. La partenaire trouvera alors le programme thérapeutique fastidieux ou répugnant et aura tendance à accélérer ses propres mouvements au cours des rapports sexuels, ce qui maintiendra l'éjaculation prématurée. Ses commentaires désabusés ou critiques aggraveront encore le trouble. Il importe donc d'emblée de jauger l'adhésion du couple au programme. Il ne sert à rien d'entreprendre une thérapie de couple sans espoir de résultat. Il vaut mieux dans ce cas traiter le sujet seul. L'adhésion au programme thérapeutique est fonction de l'entente actuelle du couple et aussi de l'ancienneté du trouble. La chronicité entraîne parfois un «statu quo» dicté par les nécessités économiques ou les enfants, s'accompagnant de la recherche par la partenaire d'aventures extra-conjugales. Celles-ci seront parfois verbalisées au thérapeute, au cours d'un colloque singulier, pour justifier l'arrêt de sa présence aux séances.

RÉSULTATS

Environ les deux tiers des cas répondent à cette thérapie. Il faut cependant tenir compte du fait que comme beaucoup de troubles sexuels, l'éjaculation précoce est un phénomène fluctuant et souvent dépendant des deux partenaires. En outre il n'existe pas d'étude contrôlée sur les effets de l'approche sexothérapique en individuel ou en couple. L'éjaculation prématurée est une plainte fréquente en consultation sexologique. La clé du succès est surtout une analyse fonctionnelle soigneuse et une évaluation exacte des bénéfices du couple ou de l'individu à entreprendre une thérapie dont les principes sont simples et peuvent relever parfois du simple conseil comportemental.

Bibliographie

Masters W.H., Johnson V.E. — *Les mésententes sexuelles et leur traitement.* Laffont, Paris, 1971.
Poudat F.X. et Jarrousse N. — *Traitement comportemental des difficultés sexuelles.* Maloine, Paris, 1986.
Kaplan H. — *The new sex therapy.* Brunner et Mazel, New York, 1974.

23

Dyspareunie

E. HIRSH, O. FONTAINE

D'après les auteurs récents, 20 % des femmes consultant en gynécologie se plaignent de rapports sexuels douloureux, le plus souvent à l'intromission, plus rarement au cours du coït, pendant l'orgasme ou après le rapport. Et parmi elles, il y a 20 % des cas où l'examen gynécologique poussé ne retrouve pas de cause organique.

En ce qui concerne l'homme, les rapports douloureux sont le plus souvent d'origine organique. L'éjaculation douloureuse représente environ 60 % des cas de dyspareunie (Buvat) et 3 % des consultations pour dysfonctions sexuelles masculines (Waynberg). L'origine infectieuse de l'éjaculation douloureuse représente entre 36 et 64 % des cas selon les séries (Buvat/Hermabessiere, 1984).

TABLEAU CLINIQUE

Selon le DSM-III-R, la dyspareunie, c'est-à-dire les troubles sexuels douloureux, se diagnostique selon les deux critères suivants :

A. Douleur génitale répétée ou persistante, soit chez l'homme, soit chez la femme, pendant les rapports sexuels ou à la suite de ceux-ci ;

B. L'affection n'est pas due exclusivement à un manque de lubrification ou à un vaginisme.

En spécifiant :

1. exclusivement psychogène ou psychogène et biogène ; NB : si exclusivement biogène, coder sur l'axe III ;

2. de tout temps ou acquise ;

3. généralisée ou situationnelle.

Il s'agit, chez la femme d'une douleur apparaissant pendant les rapports sexuels, douleur tantôt superficielle, tantôt profonde et ce, même si la femme est désirante, réceptive et orgasmique. Ces patientes acceptent volontiers les examens gynécologiques dans l'espoir de trouver une explication rationnelle à leur problème. Dans le cas du vaginisme, trouble voisin, il s'agit de contractions involontaires souvent douloureuses, des muscles périvaginaux lors de toute tentative de pénétration quelle qu'elle soit. Ces patientes, au contraire des premières, craignent l'examen gynécologique et manifestent au cours de celui-ci des réactions de retrait parfois spectaculaires.

ÉVALUATION, DIAGNOSTIC ET ANALYSE FONCTIONNELLE

Un trouble sexuel quel qu'il soit résulte presque toujours de plusieurs étiologies médicales et psychologiques qui retentissent les unes sur les autres et qu'il convient d'investiguer soigneusement au cours des premiers entretiens. Dans le cas de la dyspareunie féminine, la cause initiale est souvent organique puis la dyspareunie est perpétuée par conditionnement ou est réactivée secondairement par des problèmes conjugaux ou personnels (dyspareunie acquise). Dans d'autres cas, la dyspareunie a toujours existé à la suite par exemple d'une défloration douloureuse. Le vaginisme par contre, trouve classiquement son origine dans des problèmes psychologiques. Chez l'homme, la douleur pré-éjaculatoire évoque plutôt une origine mécanique ou inflammatoire et la douleur per et/ou post-éjaculatoire, une origine psychologique.

Dyspareunie féminine

La douleur ayant toujours une composante émotionnelle, il est difficile d'apprécier sa réalité organique. On pourra dire sans se tromper que la dyspareunie est psychologique si elle est situationnelle : si elle n'apparaît qu'avec un seul partenaire ou dans certaines circonstances (par exemple, dyspareunie à éclipses au moment des conflits conjugaux) ou si la douleur varie ou si elle n'existe que par le pénis et non par le spéculum (attention aux facteurs organiques cachés). La douleur est d'origine physique si elle est provoquée toujours par la même palpation ou les mêmes manœuvres.

☐ Causes organiques

On se référera aux traités de gynécologie, mais citons à titre d'exemples : *au niveau de l'entrée du vagin*, une cicatrice douloureuse, l'atrophie ménopausique, *au niveau du vagin*, une infection, une insuffisance de lubrification (due à une carence en estrogènes ou à une cause psychologique, c'est alors dans ce cas un trouble de l'excitation sexuelle, mais par ailleurs toute douleur risque d'inhiber la lubrification) et *au niveau de l'aire profonde du pelvis*, une endométriose, un cancer du col, une déchirure du ligament large (syndrome de Masters et Allen).

☐ **Causes psychologiques**

Celles-ci pourront être dégagées en analysant avec la patiente des sentiments tels que la peur, la culpabilité, le dégoût vis-à-vis de la sexualité ainsi que de l'agressivité éventuelle vis-à-vis du partenaire.

La peur, la crainte de la douleur anticipe celle-ci et la précipite. Cette peur a le plus souvent été conditionnée par une réalité organique à présent résolue ou par le souvenir d'une défloration douloureuse. La femme est enfermée dans un cercle vicieux, la douleur entretenant la peur, la peur entretenant la douleur et le symptôme retentissant en plus sur la sexualité du partenaire. La dyspareunie peut également être une réaction à des peurs irrationnelles comme la peur d'une grossesse, d'un accouchement ou d'un enfant anormal ou tout simplement la peur de l'acte sexuel lui-même, la pénétration pouvant être vécue comme une agression.

Le sentiment de culpabilité trouve son origine dans des problèmes de l'enfance : une éducation rigide, puritaine ou religieuse n'est souvent pas favorable à l'épanouissement de la sexualité, des antécédents traumatisants culpabilisants comme le fait d'être surpris dans les premières masturbations marquent souvent l'enfant ou l'adolescent. L'empreinte d'une éducation rigide ou d'événements particulièrement traumatisants de l'enfance peut aller jusqu'au dégoût de la sexualité. Citons par exemple la vision d'un exhibitionniste, les antécédents de viol ou d'inceste paternel. Le dégoût de la sexualité peut également provenir de tendances homosexuelles inavouées ou d'événements plus récents comme l'échec du rapport sexuel de la nuit de noces. Il faudra également clarifier un quatrième sentiment souvent présent, c'est l'agressivité vis-à-vis du partenaire et parfois vis-à-vis des hommes en général. Le symptôme sexuel est alors une façon de réagir face à un conflit ou être le reflet d'une forte hostilité consciente ou non envers l'homme et la sexualité.

Dyspareunie masculine

Plus rare, la dyspareunie masculine est presque toujours due à des problèmes organiques. Dans certains cas, il s'agit d'une hypersensibilité du gland au contact du vagin, liée à un frottement du prépuce, à un phimosis ou à une inflammation de l'urètre terminal. Dans d'autres cas, des douleurs testiculaires peuvent être dues à une excitation sexuelle trop intense ou à une éjaculation douloureuse due à une maladie infectieuse. Il faudra donc demander avis à un urologue qui pratiquera l'examen local et prescrira les examens éventuels (ex. : spermoculture avec recherche de mycoplasmes et chlamydiae). En ce qui concerne les dyspareunies fonctionnelles, on peut retrouver selon les cas : une anxiété, un conflit conjugal, un problème sexuel de la partenaire (notamment une dyspareunie), un dégoût plus ou moins avoué de la sexualité avec sentiments de regret, de culpabilité et d'anxiété (notamment une peur de l'intimité), des tendances homosexuelles inavouées, un refus de paternité...

TRAITEMENT DE LA DYSPAREUNIE FÉMININE

Après diagnostic et traitement médico-chirurgical des causes organiques éventuelles, le traitement sexologique prendra le couple en charge, soit par une équipe bisexuelle, soit par un(e) thérapeute seul(e). En effet, il faut examiner, chaque fois que possible, un trouble sexuel en fonction du couple. Il n'est pas rare de rencontrer des troubles complémentaires, par exemple une dyspareunie avec une impuissance, une dyspareunie avec une éjaculation précoce. Dans ces cas, la dyspareunie peut être une réaction à la dysfonction sexuelle de l'homme et il faudra tenir compte des deux troubles dans la prise en charge.

Celle-ci se fera grâce à une thérapie brève qui comportera des consultations individuelles et de couple tous les huit à quinze jours selon leur disponibilité et ce, pendant trois à six mois. Lors de ces consultations, des exercices sensoriels et sexuels seront prescrits par étapes successives adaptées à chaque couple.

* *Première étape*

Un entretien avec le couple afin de bien poser le problème et de donner une information sur le cadre thérapeutique, puis un à trois entretiens avec chacun des deux partenaires afin de cerner la problématique de chacun d'entre eux sur le plan organique, socio-professionnel, familial, conjugal et personnel. En cas d'équipe bisexuelle, chaque partenaire du couple sera reçu par chaque co-thérapeute séparément. Cette première étape permettra d'évaluer le degré de cohésion du couple et sa volonté de résoudre le problème, conditions indispensables pour réaliser cette thérapie.

* *Deuxième étape*

Étape d'éducation et d'information anatomo-physiologique. Il faut que le couple se persuade qu'il n'y a pas ou plus de fondement organique à cette dyspareunie. On réalise cette information en s'aidant d'illustrations et éventuellement de l'examen gynécologique voire de l'examen du mari. Cela permet de faire prendre conscience aux époux de la réalité d'un spasme vaginal éventuel au cours de l'examen et de l'adaptation du pénis à la conformation du vagin (qui permet le passage d'un bébé!).

* *Troisième étape*

Prescription de massages mutuels à l'aide d'un véhicule (huile de massage). C'est l'étape de focalisation sensorielle (Sensate Focus de Masters et

Johnson). Il s'agit d'un massage-caresse que chaque partenaire effectue alternativement sans rapport sexuel et sans abord des sexes. Ces séances seront effectuées dans les meilleures conditions possibles : la température de la pièce doit être bonne, le téléphone décroché, les enfants absents ou couchés. Elles pourront être agrémentées d'une musique appropriée, d'une lumière douce, etc. Ces échanges rétablissent habituellement une bonne communication dans le couple et permettent un rapprochement sans le souci d'un rapport sexuel (puisqu'il est momentanément interdit) et donc sans anxiété. Il est, en outre, demandé à la femme d'observer ses organes génitaux dans un miroir, d'explorer avec ses doigts la cavité vaginale et de pratiquer les exercices de Kégel, c'est-à-dire les contractions des sphincters anal, urétral et vaginal. Cela permet à la femme de prendre conscience du fait qu'elle peut maîtriser ses sphincters.

• *Quatrième étape*

Si cette étape est positive, c'est-à-dire si le couple a pris plaisir à ces caresses désintéressées, à cette redécouverte de la géographie érotique de l'autre, à ce que représente le fait de donner et de recevoir (être actif ou passif) et, si la femme a bien progressé dans son auto-exploration, on peut permettre au couple d'étendre ces massages aux aires génitales sans négliger les caresses du stade précédent. On demandera au mari d'aborder le sexe de sa partenaire, d'abord superficiellement, puis de façon plus appuyée en se laissant guider par sa partenaire. Il introduira d'abord un doigt, puis deux, voire trois doigts dans la cavité vaginale, éventuellement enduit d'un lubrifiant ct masscra la paroi. Dcs antispasmodiques et des sédatifs de la douleur peuvent être prescrits. Par ailleurs, la femme continuera à s'explorer elle-même et tentera de supporter un tampon vaginal. Ceci se fera sur une durée de plusieurs semaines selon la progression du couple, selon l'évolution de la communication sensorielle et sexuelle. Il faudra, au cours des consultations, aider le couple à clarifier au fur et à mesure les difficultés qui surgissent. Ces étapes de sensibilisation sensuelle ne seront obligatoires que dans le cas du vaginisme. Dans le cas de la dyspareunie, elles seront laissées à l'appréciation du thérapeute.

• *Cinquième étape*

Le rapport sexuel sera autorisé lorsqu'un tampon vaginal sera supporté 24 heures sans douleur. On conseillera la position d'Andromaque (femme au-dessus) ou en ciseaux, qui permet à la femme de contrôler elle-même l'intromission afin de surmonter l'anxiété et l'inconfort transitoire. Bien entendu, la pénétration vient prolonger les caresses des étapes précédentes. La femme mobilise sa charnière lombo-sacrée dès qu'elle se sent bien. Elle s'arrête dès qu'une douleur apparaît puis reprend ses mouvements lorsqu'elle ne souffre plus. Son partenaire reste immobile. La durée des rapports peut augmenter progressivement jusqu'à provoquer l'éjaculation du partenaire. C'est donc la femme qui adapte le rythme du coït à ses sensations, à sa tolérance. Petit à petit, dans ce conflit entre le plaisir et la douleur, le plaisir prend le dessus, surtout si la femme parvient à associer des fantasmes positifs à la pénétration.

• *Sixième étape*

A partir de ce moment là, l'homme se mobilisera aussi au cours du rapport sexuel, mais progressivement, avec mesure. Le couple conviendra d'un code manuel ou verbal («oui» «non») informant l'homme de s'arrêter ou de diminuer ses mouvements.

• *Septième étape*

On redonnera la liberté totale de position au couple lorsque l'orgasme de l'homme sera obtenu par mobilisation des deux partenaires sans douleur de la femme. Le couple aura alors trouvé un rythme commun.

Après la thérapie, on recommandera au couple, dès que la femme aura de nouveau peur de souffrir, de reprendre la position d'andromaque et les principes qu'ils auront appris à maîtriser. Au cours de cette thérapie, seront abordés les problèmes pouvant interférer avec la sexualité en particulier les points conflictuels du couple.

En plus de la technique, les thérapies sexuelles font appel au feeling, à l'imagination et la créativité du ou des thérapeutes (en cas d'équipe bisexuelle). Ceux-ci seront informatifs, déculpabilisants, positifs et attentifs à adapter leurs directives selon les cas c'est-à-dire d'accompagner les couples sans les précéder, sans heurter leurs valeurs tout en les encourageant à se dépasser. La résolution du trouble s'effectue avec la dissolution de l'anxiété, de l'attitude de spectateur de soi-même dans l'acte sexuel et le rétablissement de la communication au sein du couple (verbale, sensorielle et sexuelle). Si l'anxiété de la femme dyspareunique est très importante, on peut associer à ce traitement comportemental systématique des séances de relaxation ainsi que des examens gynécologiques. Au cours de ceux-ci, on retrouvera les localisations douloureuses ressenties lors de l'intromission. Il est habituel que ces endroits que l'on peut masser soient indolores à l'examen ce qui contribue à sécuriser la femme.

TRAITEMENT DE LA DYSPAREUNIE MASCULINE

Au cas où on ne trouve aucune cause organique, il faudra analyser méthodiquement avec le patient, le mode d'installation, le point de départ, les facteurs conjugaux, familiaux, socio-professionnels et personnels qui pourraient interférer avec sa sexualité. La stratégie thérapeutique dépendra de ces différents éléments. On pourra notamment envisager une rééducation érotique par étapes successives en s'inspirant du schéma précédent (ne pas tenir compte dans ce cas des directives concernant la dyspareunie féminine). Souvent, le simple fait de discuter de sexualité avec le couple et de corriger certaines erreurs ou certaines habitudes suffit.

RÉSULTATS

Le pronostic de ce trouble chez la femme est en général très bon. Les échecs du traitement se voient dans les cas suivants : un dégoût très important de la sexualité, un couple précaire en voie de rupture. Le symptôme sexuel sera alors le signe d'un rejet du partenaire.

Bibliographie

ARVIS G. — Les dyspareunies masculines – Les accidents extra-génitaux du coït. *In* G. ARVIS (Ed.), *Andrologie*, tome 3, chap. 146. Maloine, Paris, 1991.
HERMABESSIÈRE J. — L'éjaculation douloureuse. *In* G. ARVIS (Ed.), *Andrologie*, tome 3, chap. 144. Maloine, Paris, 1991.
MASTERS W.H. et JOHNSON V.E. — *Les mésententes sexuelles.* Laffont, Paris, 1971.
TORDMAN G. — *La femme et son plaisir.* Londreys, 1987.
ZWANG G., ROMIEU A. — *Précis de thérapeutique sexologique.* Maloine, Paris, 1989.

24

Vaginisme

E. Hirsh, O. Fontaine

Il consiste en la contraction du tiers inférieur du vagin ce qui rend impossible ou très difficile la pénétration. Bien que l'on connaisse mal sa prévalence dans la population générale, ce problème représente néanmoins un motif fréquent de consultation gynécologique et sexologique.

ÉVALUATION, DIAGNOSTIC ET ANALYSE FONCTIONNELLE

Selon le DSM-III-R, le vaginisme correspond à un spasme involontaire, répété ou persistant de la musculature du tiers externe du vagin qui perturbe le coït. Il n'est pas dû exclusivement à un trouble physique. Il faut différencier le vaginisme primaire où la patiente n'a jamais pu avoir de relation sexuelle, du vaginisme secondaire, survenant chez des patientes qui jusque-là n'avaient pas problèmes. Le vaginisme peut être généralisé ou situationnel. Dans ce dernier cas, il se limitera à certaines situations ou certains partenaires. Le vaginisme peut être exclusivement psychogène ou bien être à la fois psychogène et organique.

Il est d'usage, après Masters et Johnson (1971), de diviser les réactions sexuelles en cinq phases principales : excitation, plateau, orgasme, résolution, période réfractaire. Le vaginisme correspond à une perturbation de la phase d'excitation. Il est donc le symétrique, chez la femme, de la dysfonction érectile ou impuissance masculine. En l'absence d'autre dysfonction sexuelle associée, le désir, la lubrification et les orgasmes clitoridiens sont normaux. Souvent, le vaginisme primaire s'associe à une pathologie masculine secondaire : en particulier l'anérection ou l'éjaculation prématurée qui en représente la conséquence. A l'inverse, les troubles sexuels masculins peuvent entraîner un vaginisme secondaire. Enfin, la mésentente du couple viendra souvent compliquer le vaginisme. Dans le vaginisme secondaire le «primum movens» sera souvent une dysfonction sexuelle masculine. Le spasme vaginal représentera alors un refus plus ou moins agressif de la sexualité et suivra un cours fluctuant selon l'atmosphère des relations du couple Parfois, c'est le désir d'avoir un enfant qui poussera le couple à venir consulter, même si une sexualité de substitution à demi satisfaisante s'est installée au fil des ans. D'autres consulteront au début d'un mariage heureux mais qui ne peut être totalement consommé. Dans d'autres cas, la mésentente globale du couple se reflétera dans un vaginisme primaire ou secondaire.

On éliminera et on traitera ailleurs les causes organiques, comme les malformations vaginales, hyménéales et pubiennes, ainsi que les infections entraînant une dyspareunie et un vaginisme secondaire à la douleur. Leur existence n'exclut pas un traitement psychologique. On peut retrouver des facteurs culturels et familiaux intériorisés sous la forme de distorsions cognitives concernant la sexualité. Ces distorsions ont pour facteurs communs l'anxiété, la culpabilité et le dégoût vis-à-vis de la sexualité, qui peuvent être liée à une éducation rigide, donnée par des parents ayant eux-mêmes d'importantes inhibitions sexuelles. L'on trouvera parfois des facteurs traumatiques comme des tentatives de viol ou de séduction par un adulte ou même des relations incestueuses. Ces expériences traumatiques sont plus facilement verbalisées actuellement, du fait de leur déculpabilisation par les écrits des sexologues et la médiatisation des problèmes sexuels.

Un premier examen gynécologique, ou un premier rapport sexuel qui s'avère un échec entraîne une réaction douloureuse et des cognitions négatives sur les capacités sexuelles de la patiente. S'instaurera alors une véritable association douleur-anxiété et pénétration. Celle-ci sera d'autant plus limitée que plus insistante. Progressivement, une anxiété anticipatoire peut bloquer l'ensemble des réactions sexuelles ou rester limitée. Certaines patientes utiliseront pour satisfaire leurs partenaires dont elles sont éprises et qu'elles désirent garder, des activités sexuelles de substitution : masturbation ou fellation. Secondairement, la phobie se généralisera à tout ce qui peut représenter une approche du sexe. Une caresse sur le ventre déclenchera une réaction de fermeture des cuisses, la masturbation clitoridienne, bien que désirée, sera refusée car elle annoncera de trop près la pénétration et entraînera une réaction intense d'anxiété. L'évitement va entraîner un accroissement de l'anxiété et créer un ensemble de cognitions négatives vis-à-vis de la pénétration. Plus le partenaire sera direct et actif, cherchant rapidement la pénétration vaginale, plus la réaction phobique sera intense. S'installera une attitude négative et passive vis-à-vis de la sexualité. Le rôle du «spectateur» a été décrit par Masters et Johnson (1971) comme une des clés de l'échec sexuel. A la suite d'une éducation trop rigide, de traumatismes psychologiques ou sexuels, d'une absence de modèles adéquats, la patiente devient le spectateur de sa propre sexualité : elle se regarde en action, juge sa performance, sans s'abandonner aux sensations. L'anxiété à ce stade est importante et inhibe les performances, ce qui replace encore plus la patiente dans son rôle de spectateur. L'attente anxieuse du coït va par la suite renforcer ce mécanisme. Enfin, la mésentente du couple, les critiques dévalorisantes, le désir d'enfant non-satisfait et la recherche d'autres partenaires par le conjoint peuvent encore aggraver la situation et entraîner la dépression. Dans les cas de vaginisme secondaire, il est fréquent de trouver une dysfonction sexuelle masculine ou une ancienne mésentente de couple. C'est dire l'importance de l'analyse fonctionnelle et de la prise en charge thérapeutique en couple.

TRAITEMENT

Le traitement a lieu en couple préférentiellement et comprend plusieurs phases (Poudat, Jarrousse, 1986). Une phase d'information et de discussion avec le couple permettra de construire la confiance dans la thérapie. On dédramatisera en insistant sur le caractère curable du trouble. On discutera également les postulats irrationnels concernant la sexualité.

Dans certains cas, il faudra d'abord travailler sur la relation du couple qui a été mise à l'épreuve par la dysfonction. La cure est effectuée après les phases de focalisation sur les sens I (caresses non génitales) et II (caresses génitales). Au cours de cette phase d'éveil des sens, l'accent est mis sur le fait qu'il faut donner du plaisir pour en recevoir. L'abstinence sexuelle est de règle au début du traitement pour mettre au repos l'anxiété résultant de la répétition des essais suivis d'échecs.

Une prise de conscience et une observation du vagin par la femme seront mises en avant dès le début du traitement. Le but du programme est de dédramatiser le problème et de permettre une revalorisation de l'image du corps. Dans un premier temps, on peut demander à la patiente de dessiner son sexe et discuter de cette représentation avec elle. Des schémas d'anatomie seront présentés pour expliquer les contractures musculaires qui créent le vaginisme. On insistera sur le fait que le vagin est un muscle creux qui peut se dilater. On démystifiera également la peur du pénis qui est considéré souvent comme trop volumineux. Ensuite, on suggérera à la patiente l'observation directe ou avec un miroir de son propre sexe comme tâche à réaliser à domicile. Des photographies ou des diapositives représentant le sexe féminin et une pénétration progressive peuvent également être présentées. Des exercices de contraction et de décontraction des muscles du vagin seront prescrits : ils ont pour objet de faire prendre conscience de la contractilité du vagin (Kegel). Ils peuvent être associés à des mouvements de respiration abdominale. Enfin, la relaxation et les fantaisies sexuelles éveillées s'avèrent efficaces également pour relancer le désir et l'imagination sexuelle.

La désensibilisation systématique en imagination sera effectuée de façon à réduire l'anxiété de performance. On commencera par analyser et par classer selon leur degré d'anxiété des situations en relation avec la vie sexuelle qui provoquent l'anxiété (échelle d'anxiété subjective allant de 0 à 100). Ensuite, la patiente apprend une méthode de relaxation : Schultz ou Jacobson. Il sera fait mention explicitement du vagin au cours de la relaxation en suggérant des sensations de pesanteur, de chaleur et de relâchement de ce muscle. Cette variante de la relaxation a pour mérite de réintégrer le vagin dans l'image du corps. Le thérapeute fait ensuite imaginer, en les suggérant verbalement, les scènes provocatrices d'anxiété qui sont présentées progressivement en partant du niveau d'anxiété le plus bas. L'anxiété est réduite par l'induction simultanée de relaxation. Quand une image est trop anxiogène, la patiente le signale en levant le doigt et elle est ramenée sur une image moins anxiogène. La désensibilisation qui se déroule sur 5 à 10 séances est arrêtée quand l'anxiété vis-à-vis des représentations anxiogènes apparait tolérable au sujet.

La pratique ou l'exposition en réalité suivra cette phase en imagination. Elle est présentée au couple sous la forme de tâches à réaliser à domicile. Ces tâches seront rediscutées lors de chaque séance. Elles consistent en l'insertion par la patiente d'un doigt puis de deux, dans le vagin. Si nécessaire, elle peut s'aider de dilatateurs gynécologiques de plus en plus gros, qui peuvent être laissés en place. On peut faire précéder la dilatation d'un cunnilinctus. Le but est de lever le spasme pour permettre le coït. Ensuite, sera effectuée la même progression par le partenaire. Dans certains cas, la patiente préférera que le partenaire effectue lui-même la dilatation et sautera l'étape d'auto-dilatation.

On terminera en donnant comme conseil de pratiquer tout d'abord les rapports sexuels en position supérieure de la femme, ce qui permet un meilleur contrôle du pénis et de ce fait réduit l'anxiété et la peur de la douleur. Cette étape franchie, le couple effectuera des rapports sexuels ad libitum.

Voici quelques problèmes que nous rencontrons fréquemment dans ces cas. Les difficultés proviennent essentiellement de la relation du couple. Si le vaginisme est en grande partie relié à l'échec de la vie de couple, on peut assister à une pseudo-demande de traitement. Ainsi, le cas de l'une de nos patientes qui après l'échec du traitement nous confia qu'elle ne voulait pas guérir pour son mari et entama aussitôt une procédure de divorce. Dans d'autres cas, une thérapie de couple sera nécessaire avant d'aborder plus directement la dysfonction sexuelle.

RÉSULTATS

Selon Masters et Johnson (1971), le vaginisme représente certainement le dysfonctionnement sexuel féminin le plus aisé à guérir. Ils font état d'environ 90 % de bons résultats. Aucune étude contrôlée n'est venue confirmer ces résultats. Cependant, les cliniciens soulignent que les résultats sont excellents dans l'ensemble. Le vaginisme est certainement le problème le plus simple de la sexothérapie. Il faut cependant que les thérapeutes sachent prendre le temps dont a besoin la patiente et dont elle a sans doute cruellement manqué au cours de ses expériences sexuelles initiales.

Bibliographie

Masters W.H., Johnson V.E. — *Les mésententes sexuelles et leur traitement*. Laffont, Paris, 1971.

Poudat F.X., Jarrousse N. — *Traitement comportemental des difficultés sexuelles*. Maloine, Paris, 1986.

TROUBLES PSYCHOTIQUES

25

Psychose

O. Chambon, M. Marie-Cardine

Le terme de psychose garde encore, malgré les progrès réalisés dans la prise en charge, une connotation de gravité, de traitement lourd, de psychothérapie périlleuse et de longue durée (dizaine d'années), d'évolution chronique et de handicap. Du fait de l'absence de conscience du trouble de la part du patient, les plaintes proviennent le plus souvent de l'entourage et la demande de traitement est donc formulée de façon indirecte. La souffrance entraînée par les affections psychotiques, tant pour l'individu que pour son milieu social, ainsi que leur prévalence relativement importante (de l'ordre de 1 % de la population générale pour les schizophrénies ou la psychose maniaco-dépressive), justifient un effort soutenu des chercheurs et thérapeutes pour en améliorer les possibilités thérapeutiques. Or, la thérapie cognitivo-comportementale apporte des réponses thérapeutiques efficaces, et en un temps assez court (quelques mois), à nombre de troubles comportementaux, affectifs ou cognitifs présents chez ces patients, et améliorent leur fonctionnement social et leur qualité de la vie. L'entourage social du malade, principalement la famille, peut aussi bénéficier d'interventions thérapeutiques spécifiques.

Ce chapitre est consacré aux attitudes thérapeutiques générales, au contrôle des symptômes et à la prévention des rechutes.

TABLEAU CLINIQUE

Nous empruntons la définition du terme psychotique au glossaire du DSM-III-R. Elle comporte deux aspects, cognitif et clinique. Au niveau cognitif, le DSM-III-R précise qu'une personne psychotique évalue mal la précision de ses perceptions et l'exactitude de ses pensées; et elle tire des conclusions erronées à partir de la réalité extérieure, même lorsqu'elle est confrontée à une évidence contraire. Au niveau clinique, la présence d'idées délirantes ou d'hallucinations (non reconnues par le patient comme pathologiques) est signe indiscutable de psychose. Une hallucination est une perception sensorielle en l'absence de stimulation externe de l'organe sensoriel concerné. Les hallucinations renvoient à un trouble psychotique lorsqu'elles sont associées à une forte altération du sens du réel. Une idée délirante consiste en une croyance personnelle erronée, fondée sur une induction incorrecte concernant la réalité extérieure, fermement soutenue en dépit de l'opinion généralement partagée et de tout ce qui constitue une preuve indiscutable et évidente du contraire. L'évolution des troubles psychotiques est variée. La présence d'une période suffisamment prolongée de manifestations psychotiques (supérieure ou égale à 6 mois) conduit souvent à une évolution vers la chronicité. Ceci s'observe surtout avec la schizophrénie, certains troubles délirants et psychoses schizo-affectives. L'intervention cognitivo-comportementale est alors particulièrement importante dans ces cas, surtout lors des phases de stabilisation et de rémission, lorsque persistent des perturbations chroniques du fonctionnement psychique et relationnel.

ÉVALUATION, DIAGNOSTIC ET ANALYSE FONCTIONNELLE

La schizophrénie se distingue comme la catégorie la plus importante. Outre les hallucinations ou idées délirantes, peuvent typiquement s'inscrire dans le tableau clinique de la schizophrénie : la bizarrerie et l'incohérence des comportements ou des phénomènes psychotiques, l'émoussement affectif et le détachement émotionnel, et le relâchement fréquent des associations, dans lequel les idées passent d'un sujet à l'autre, n'ayant aucun rapport ou un rapport lointain l'un avec l'autre, et sans que le locuteur ne manifeste la moindre conscience de cette absence de relation. A côté, les troubles délirants constituent un ensemble de troubles hétérogènes et mal connus, différenciés, selon leur durée typique, en troubles délirants persistants et troubles délirants aigus et transitoires. Notre propos s'adresse aux troubles délirants persistants. Ces troubles se caractérisent par une idée délirante persistante impliquant des situations crédibles, non bizarres, ne correspondant pas à des idées délirantes de contrôle. Il n'y a pas d'émoussement affectif ni de singularités ou de bizarreries du comportement, à part celles liées à la croyance délirante. Enfin, les troubles schizo-affectifs représentent les patients présentant à la fois des perturbations typiques de l'humeur, maniaques ou dépressives, et des symptômes psychotiques retrouvés dans la schizophrénie. L'intensité et la fréquence des symptômes psychotiques et de certaines perturbations associés ainsi que leur retentissement sur le fonctionnement quotidien peuvent être évalués globalement par la version modifiée de la BPRS (Chambon et al., 1989).

Lorsqu'un symptôme psychotique particulier devient la cible d'une intervention thérapeutique, l'analyse fonctionnelle habituelle s'applique. Souvent les expériences psychotiques apparaissent ou s'accentuent dans des situations interpersonnelles spécifiques, sources de stress en raison de la signification particulière qu'elles présentent pour le patient et les émotions qu'elles induisent en lui. Il s'agit alors de repérer ces situations, de les analyser avec le patient afin de «recadrer» ses symptômes psychotiques en tant que réponses cognitivo-comportementale inadaptées, liées à sa vulnérabilité et dictées par des émotions ou des pensées auxquelles il ne pouvait faire face autrement que par des mécanismes psychotiques. Un exemple de fiche permettant ce type d'analyse est présenté en annexe : elle correspond ici à un patient schizophrène chronique (25 ans d'évolution) présentant des hallucinations auditives consistant en des voix malveillantes et une idée délirante qu'il est surveillé par la mafia, présentes principalement lorsqu'il se retrouve dans un lieu public sans avoir rien de précis à faire. A ce moment là, il se sent angoissé et a l'impression que les autres le regardent parce qu'ils sont dans un plan contre lui. Après avoir passé plusieurs séances à expliquer le modèle stress-vulnérabilité au patient à partir d'exemples tirés de ses symptômes, la fiche a été remplie en situation d'abord par un infirmier accompagnant le patient, puis par le patient seul. Cela lui a permis de se rendre compte de l'influence de ses pensées et émotions sur l'origine et l'intensification de ses hallucinations auditives, avec comme résultat une diminution de la fréquence et de la gêne créée par les hallucinations, une meilleure connaissance de sa maladie (avec amélioration du sens de maîtrise et de l'espoir), et une sensibilisation à son monde intérieur (plutôt que de projeter sur le monde externe). Ce fût la première étape de son plan de réadaptation.

D'autres aspects des expériences psychotiques méritent l'attention en raison de leurs implications thérapeutiques : le degré de contrôle des patients sur leurs symptômes, le degré de détresse émotionnelle entraînée par les symptômes. Pour les hallucinations et idées délirantes, il est bon aussi de tenir compte de quatre dimensions : (1) la conviction : degré de certitude de la validité des hallucinations/idées délirantes, (2) la profondeur : degré de préoccupation par les hallucinations/idées délirantes; inclut l'importance de ces dernières dans la vie du patient : à quel point elles influencent ses buts et son expérience existentiels, (3) l'étendue : nombres de secteurs de la vie du patient touchés par les hallucinations/idées délirantes et (4) le degré d'absurdité : importance de la déviation du sens de la réalité impliquée par les hallucinations/idées délirantes, par rapport aux normes du milieu culturel du patient. Pour les idées délirantes il faut rajouter la dimension «désorganisation-systématisation» qui s'intéresse au niveau de cohérence des différentes idées délirantes et à leur structuration en système. Enfin, la connaissance du contexte et du retentissement des symptômes psychotiques complète l'analyse fonctionnelle : les mesures d'adaptation et habiletés sociales, l'évaluation des relations familiales et de la qualité de la vie seront présentées au chapitre traitant de la réhabilitation sociale des psychotiques.

TRAITEMENT

Les objectifs à long terme du traitement se confondent avec ceux de la réhabilitation sociale (Legeron, 1984), à savoir, permettre la sortie de l'hôpital et le maintien dans la communauté, améliorer la vie sociale et relationnelle, amener le patient à atteindre des conditions de vie les plus satisfaisantes possibles, à vivre au mieux avec les déficits et symptômes persistants de sa maladie, et à reconnaître sa propre vulnérabilité pour savoir prévenir certaines rechutes.

Jusqu'à la fin des années 70, l'abord comportemental des psychotiques était basé principalement sur l'utilisation des principes du conditionnement opérant. Les principales études d'efficacité portèrent, pour le traitement individuel, sur la modification quantitative et qualitative du langage psychotique (revue générale par Boisvert, Trudel, 1977) et, pour le traitement collectif en institution, sur l'amélioration du comportement intra-hospitalier, avec utilisation de renforçateurs secondaires (jetons) donnant lieu à ce qui est connu sous le nom d'«économie de jetons» (Ayllon, Azrin, 1968). Le manque de généralisation et de durabilité des gains apparurent rapidement, liées à l'absence de prise en compte de la vulnérabilité psycho-biologique des psychotiques, le comportement psychotique étant simplement censé, dans ces procédures, suivre les mêmes règles d'apprentissage que le comportement normal. Ces techniques ne sont plus employées de nos jours que de façon ponctuelle. A partir de la fin des années 70, le modèle stress vulnérabilité de la schizophrénie, s'appliquant en fait à toutes les psychoses chroniques, orienta l'attention des chercheurs et thérapeutes.

Ce modèle met l'accent sur l'existence d'une vulnérabilité à la fois biologique et psychologique, d'origine génétique et développementale, du sujet schizophrène, vulnérabilité qui le conduit à des manifestations psychotiques lors de stress internes ou externes. Les efforts thérapeutiques doivent alors surtout se porter sur la réduction ou la compensation (facteurs protecteurs) de cette vulnérabilité.

L'évolution de la prise en charge des psychotiques a aussi été influencée par le développement de la connaissance de leurs perturbations cognitives, que ce soit au niveau élémentaire, neuropsychologique, ou bien au niveau du traitement symbolique et affectif de l'information. Des techniques cognitives diverses prennent ainsi de plus en plus d'importance dans l'arsenal thérapeutique et, qui plus est, leurs objectifs convergent avec ceux dictés par le modèle «stress-vulnérabilité». Ce contexte explique l'utilisation préférentielle de certaines techniques mais aussi le respect de certains principes généraux dans le traitement des psychotiques.

Principes thérapeutiques généraux

Premièrement, le résultat des interventions cognitivo-comportementales dépend en grande partie de l'établissement d'une alliance thérapeutique. Cependant, les difficultés relationnelles sévères des psychotiques font de l'établissement d'une telle alliance un but thérapeutique majeur en lui-même. L'intervention doit donc tenir compte de ces problèmes en accordant plus de temps, dès la phase initiale du traitement, pour le développement d'une alliance thérapeutique. Deuxièmement, le patient psychotique doit arriver à se percevoir, pendant et au terme du traitement, comme un agent actif ayant une influence essentielle sur le déroulement de sa maladie et capable de résoudre les problèmes de la vie quotidienne. Cela est fondamental pour lutter contre le sentiment d'impuissance, entraînant des comportements défensifs de retrait, et la faible estime de soi manifestes chez nombre de psychotiques chroniques. Troisièmement, les déficits cognitifs des psychotiques chroniques, leur motivation défaillante et leur fragilité psychique, nécessitent l'utilisation de techniques très actives, directives, structurées (la structure diminue l'anxiété et favorise le développement d'un cadre cognitif interne pour intégrer les apprentissages), et en même temps suffisamment flexibles pour s'adapter aux déficits individuels. Les mêmes raisons impliquent l'emploi cumulatif et répété de toutes les techniques de l'apprentissage : formulation de buts spécifiques, instructions multicanalaires (verbal, vidéo, écrit) précises, simples et claires, répétitions fréquentes (surapprentissage), un feedback immédiat, un renforcement positif pour tout progrès ou effort aussi minimes soient-ils, la progression étapes par étapes vers un but (shaping ou façonnage), l'observation et l'imitation de modèles (modeling), la pratique de jeux de rôles avec des techniques de mise en scène (faire des signes, diriger les mouvements, ou coaching) et des directives verbales pendant le jeu de rôle (souffler des répliques ou prompting), enfin des exercices *in vivo* en présence du thérapeute, et des tâches à réaliser seul (homework assignements).

Techniques spécifiques

On peut classer les techniques selon la place qu'elles occupent dans le modèle « stress-vulnérabilité » des psychoses.

☐ Modifications de la vulnérabilité psychologique

Selon le type de perturbations du traitement de l'information, diverses techniques cognitives ont été proposées. Au niveau neuropsychologique, des études de cas ont montré que des troubles de l'attention (distractibilité) peuvent être spécifiquement améliorées par des techniques utilisant des épreuves neuropsychologiques chez les psychotiques. Par exemple, l'attention auditive peut être améliorée en utilisant une tâche d'écoute dichotique. Le patient est équipé d'écouteurs, chacun étant relié à un magnétophone différent. Il entend ainsi dans chaque oreille un enregistrement différent de conversation et ne doit faire attention qu'à l'une des deux conversations et ignorer l'autre. Puis, il doit la résumer pour le thérapeute. Ce type d'entraînement non seulement améliore l'attention mais aussi possède un retentissement positif sur les interactions sociales et les troubles psychotiques de la pensée. L'intervention sur les perturbations de fonctions psychologiques déjà plus complexes, comme la formation de concepts, la discrimination et l'interprétation des stimuli essentiels dans le cadre d'interactions sociales (perception sociale), a été systématisée par Roder et Brenner (Roder *et al.*, 1988) dans un programme appelé Programme intégratif de thérapies psychologiques. Par exemple, les capacités de différentiation cognitive (formation et utilisation de concepts) font l'objet d'un entraînement en groupe par le biais d'exercices comme celui des «concepts à signification différente selon le contexte». Cet exercice implique la saisie du sens d'une expression donnée (par exemple «feuille») dans un contexte précis. Chaque participant forme une phrase avec l'expression donnée, qui éclaircit la signification choisie (une cinquantaine de concepts sont proposés).

L'intervention cognitivo-comportementale peut consister en un entraînement classique à la résolution de problèmes, ou en un entraînement à la gestion des émotions dans les situations sociales stressantes (émotions qui perturbent les fonctions cognitives de résolution de problèmes dans ces situations). Enfin, l'interaction des émotions et des pensées, figée de façon pathologique dans des structures cognitives dysfonctionnelles et produisant des distorsions cognitives, peut être modifiée par une méthode analogue à celle de Beck, mais adaptée au cas des psychoses schizophréniques (Perris, 1988). Perris montre qu'une restructuration cognitive peut survenir chez les schizophrènes, entraînant secondairement une disparition des symptômes psychotiques comme les hallucinations ou les idées délirantes.

☐ Réduction des facteurs de stress socio-environnementaux

Les interventions comportementales diminueront l'importance des stresses socio-environnementaux selon deux volets. Premièrement, en aidant le patient à créer ou renforcer son réseau de soutien social. Cela peut être réalisé en lui apprenant des habiletés sociales relationnelles comme des habiletés à mener des conversations, à se faire des amis ou à approfondir ses relations avec ses proches. Deuxièmement, en agissant sur ce qui peut constituer une source de stress essentielle et chronique : le niveau élevé de tension émotionnelle familiale. C'est le but principal de la thérapie familiale comportementale dont nous parlerons au chapitre suivant.

☐ Mise en place de facteurs protecteurs contre le stress ou la vulnérabilité

Nous traiterons ici plus spécifiquement de deux interventions : la prise régulière du traitement neuroleptique et l'entraînement aux habiletés sociales. La vulnérabilité biologique peut être atténuée par la prise régulière d'un traitement neuroleptique adapté. Cela nécessite les efforts conjoints du médecin et du patient, en apprenant à ce dernier à prendre son traitement de façon éclairée, à en évaluer régulièrement les effets bénéfiques et indésirables, et à collaborer avec son médecin en cas de problèmes liés au médicament sans en arrêter la prise. Cette éducation quant au traitement permet d'obtenir un équilibre optimal du neuroleptique et une bonne adhésion thérapeutique, dont on connaît l'importance pour la diminution de la fréquence et de l'intensité des rechutes psychotiques. L'entraînement aux habiletés sociales, outre sa valeur pour la réhabilitation sociale traitée au chapitre suivant, peut jouer un rôle protecteur. D'abord, par l'apprentissage d'habiletés à faire face à des situations stressantes ; ensuite, en amenant le patient à interagir avec son environnement de façon à en retirer le maximum de bénéfices et de gratifications tout en minimisant le risque de réponses négatives ou stressantes.

☐ **Réduire les manifestations psychotiques «résiduelles»**

Lorsque les méthodes précédentes sont insuffisantes, c'est-à-dire laissent le patient avec des symptômes résiduels importants, gênant son fonctionnement quotidien et altérant sa qualité de vie, il devient nécessaires d'utiliser des techniques visant directement la réduction des symptômes. Nous allons nous servir des hallucinations auditives persistantes comme exemple.

Les techniques classiquement utilisées sont les suivantes :

(1) *le conditionnement opérant* : lorsque le sujet parle de ses «voix», le thérapeute l'ignore mais le renforce socialement quand il parle plutôt de ses pensées ;

(2) *l'apprentissage de stratégies de contrôle des hallucinations* : les patients schizophrènes utilisent spontanément des stratégies pour diminuer l'intensité, la fréquence ou la gêne de leurs hallucinations. Ces stratégies se répartissent en trois classes : changement de comportement (s'engage dans une activité, commence ou termine une conversation), modification de l'excitation sensorielle (se relaxe, met de la musique forte, ...), et action sur les pensées (ignore la voix, pratique l'«arrêt de la pensée», se focalise sur des pensées distrayantes, ...). Les patients ayant le meilleur contrôle sur leurs symptômes sont ceux qui discriminent le mieux les stimuli spécifiques associés au déclenchement de leurs hallucinations et peuvent, par conséquent, soit éviter ces facteurs «déclenchants», soit utiliser immédiatement une technique d'autocontrôle pour éviter l'aggravation symptomatique.

Ne faisant qu'amplifier et systématiser ces procédures d'autocontrôle, le thérapeute peut apprendre au patient les habiletés suivantes :

A. *s'observer*, identifier les facteurs de stress et les situations particulières précédant la survenue des hallucinations, reconnaître les significations et enjeux personnels de ces situations, et prendre conscience de l'«attitude d'écoute» de ses voix qu'il adopte dans ces cas et qui ne fait que favoriser leur survenue ;

B. *éviter les situations «déclenchantes» ou savoir y faire face.* Dans ce dernier cas, la pratique de l'affirmation de soi, la relaxation et la désensibilisation, la connaissance et l'utilisation des stratégies d'autocontrôle décrites plus haut, permettent d'éviter le débordement des capacités de traitement de l'information et donc limitent l'apparition ou l'intensification des hallucinations ;

C. «*amener*» *ses hallucinations pendant la séance et les* «*renvoyer*» par des techniques d'auto-contrôle, le patient se réattribuant ainsi une part de contrôle et de responsabilité pour ses «voix».

Le psychotique apprend à mieux connaître et gérer sa maladie, c'est-à-dire à reconnaître sa vulnérabilité et les précautions qu'elle implique.

(3) *des techniques de restructuration cognitive peuvent parfois s'avérer nécessaires.* Souvent, en effet, les patients n'utilisent pas en dehors des séances les stratégies d'auto-contrôle apprises en séance. La restructuration cognitive consiste à faire adopter au sujet une explication plus rationnelle de ses hallucinations, en les faisant reconnaître comme des perturbations de la perception accentuées par le stress et qui correspondent à des pensées dont le sujet ne veut pas prendre la responsabilité. Les patients peuvent aussi apprendre à repérer et caractériser les émotions associées aux manifestations psychotiques. En reconnaissant le rôle de leurs émotions et pensées personnelles dans la genèse des symptômes psychotiques, les patients vont sentir leur maladie comme étant moins sous le contrôle de forces externes et plus sous le leur, et vont connaître un plus grand sentiment d'unité interne opposé à leur vécu psychotique (effet «anti-dissociatif»), tout cela les amenant à des efforts accrus pour utiliser d'autres stratégies, non psychotiques, face à leur détresse ou aux situations difficiles. Les distorsions cognitives favorisant la croyance en la véracité des hallucinations (inférence arbitraire, abstraction sélective, ...) peuvent aussi être la cible d'interventions cognitives (Perris, 1988). Cependant, ces techniques cognitives ne peuvent être opérantes tant que les conditions suivantes ne sont pas remplies : une relation de confiance et de collaboration doit s'être établie au préalable entre patient et thérapeute ; ensuite, lorsque la conviction est trop forte, il faut savoir se limiter à l'apprentissage des stratégies d'auto-contrôle, qui en elles-mêmes, lorsque le sujet accepte de vérifier leur efficacité, amènent à une modification de la façon dont il considère l' origine et la signification de ses «voix», et donc à une ébauche de restructuration cognitive.

RÉSULTATS

Nous avons déjà mentionné, dans les paragraphes précédents, les études ayant montré l'efficacité des différentes techniques présentées. Dans le chapitre suivant, nous indiquerons les résultats obtenus lorsque ces techniques sont intégrées dans un programme de réhabilitation sociale (but du traitement).

Bibliographie

AYLLON T., AZRIN N.H. — *Traitement comportemental en institution psychiatrique.* Mardaga, Bruxelles, 1973.

Boisvert J., Trudel G. — Les comportements psychologiques. *In* R. Ladouceur, M. Bouchard, L. Granger, *Principes et applications des thérapies behaviorales*. Edisem, Montréal, Maloine, Paris, 1977.

Chambon O., Cottraux J., Marie-Cardine M., Lelord F. — Le module «Éducation au traitement neuroleptique» de R.P. Liberman : Présentation. *Actualités Psychiatriques*, 7, 86-95, 1989.

Legeron P. — Le développement de la compétence sociale chez les schizophrènes. *In* O. Fontaine, J. Cottraux, R. Ladouceur, *Clinique de thérapie comportementale*. Mardaga, Bruxelles, 1984.

Perris C. — *Cognitive therapy with schizophrenic patients*. Guilford, New York, 1989.

26

Réhabilitation des troubles psychotiques

O. CHAMBON, M. MARIE-CARDINE

Les problèmes rencontrés dans la réhabilitation sociale des psychotiques chroniques sont bien connus : «syndrome de la porte tournante» ou difficulté à maintenir durablement le patient hors de l'hôpital; proportion importante des lits d'hôpitaux psychiatriques occupés par des malades mentaux chroniques pour lesquels aucun essai de réhabilitation n'a pu aboutir à une sortie; néo-chronicité dans les institutions de soins dites «intermédiaires» ou les problèmes d'adaptation sociale sont simplement déplacés sur de nouveaux lieux. Or l'approche cognitivo-comportementale apporte une réponse spécifique à certains problèmes restant posés dans la réhabilitation sociale des malades mentaux chroniques (Liberman, 1991; Chambon, Marie-Cardine, 1992). En effet, autant les médicaments neuroleptiques peuvent réduire les symptômes et retarder les rechutes, la thérapie institutionnelle et les psychothérapies améliorer la sociabilité et la compréhension de la maladie, autant certaines connaissances et des savoir-faire sont essentiels pour vivre de façon adaptée et durable dans la communauté. Ces savoir-faire sont appelés habiletés sociales (HS) et consistent en l'ensemble des comportements et activités cognitives qui permettent à un sujet de communiquer de façon adéquate en lui assureront une meilleure adaptation sociale et une qualité de vie hors de l'hôpital. Les HS sont très souvent déficientes chez les psychotiques chroniques, ce déficit étant accompagné d'une évolution plus grave de la maladie, qu'il soit manifeste avant ou après le premier épisode psychotique. Les causes du déficit peuvent être : un manque d'apprentissage, une perte par manque d'utilisation ou par remplacement par des modes de communication inadaptés; et enfin, une absence d'utilisation des HS acquises, par anxiété sociale ou du fait de distorsions cognitives.

L'entraînement aux habiletés sociales (EHS) est effectué dans les domaines essentiels pour une vie sociale autonome, chaque domaine faisant l'objet d'apprentissages groupés en «modules». Les domaines suivants sont souvent la cible d'intervention : les habiletés de conversation, de préparation des repas, savoir trouver et conserver un logement ou un emploi, gérer son argent, utiliser les moyens de transport, se faire des amis et améliorer ses relations sociales, savoir gérer son traitement et les problèmes posés par sa maladie, etc. Nous parlerons aussi de l'intervention sur la famille, la thérapie familiale comportementale (TFC), ayant pour objet de renforcer le caractère étayant du milieu familial et d'en diminuer les tensions relationnelles presque inévitables en cas de maladie chronique grave à domicile. La famille doit aussi être intégrée dans le plan de réadaptation afin qu'elle renforce spécifiquement les efforts du patient, de façon cohérente avec les objectifs de l'équipe soignante.

ÉVALUATION, DIAGNOSTIC ET ANALYSE FONCTIONNELLE

La phase d'évaluation est fondamentale pour la formulation d'un plan de réhabilitation individualisé car elle guide les efforts thérapeutiques vers les apprentissages les plus utiles pour l'adaptation et donne des indications précises sur les progrès réalisés et l'efficacité du traitement. L'évaluation doit se faire selon deux axes : d'une part l'évaluation des HS elles-mêmes et d'autre part l'évaluation des facteurs de contexte influençant l'acquisition ou l'utilisation des HS (motivation, déficits cognitifs, anxiété sociale, facteurs de stress ou de soutien socio-environnementaux) ainsi que l'évaluation de l'utilité de l'acquisition des HS. Nous ne traiterons ici que des mesures d'HS, renvoyant le lecteur à l'ouvrage de Chambon et Marie-Cardine (1992) en ce qui concerne les autres facteurs.
Les HS peuvent être classées en trois catégories, chacune correspondant à une conception et des instruments de mesure différents. (1) Les *habiletés de communication* sont composées par les aspects verbaux (discours au contenu «affirmé»), paraverbaux (ton de la voix, longueur des phrases, ...) et non verbaux (contact visuel, gestes, posture, ...) des comportements interactionnels. On parlera d'habileté de communication lorsque ces aspects correspondent aux critères du comportement affirmé. (2) Les *habiletés fonctionnelles* correspondent aux rôles sociaux ou bien à des comportements spécifiques, nécessaires à l'accomplissement de buts déterminés dans une aire de compétence sociale donnée [1]. Par exemple, l'habileté à trouver un travail dans une situation d'emploi compétitive est considérée comme une HS fonctionnelle. (3) Les *habiletés de traitement de l'information* nécessitent successivement : 1) une perception adéquate de la situation, du problème à y résoudre, de ses

---

1. Le lecteur intéressé par un instrument de mesure spécifique à ces questions devra en faire la demande aux auteurs de ce chapitre. Sa longueur ne nous permet pas de le publier ici.

enjeux relationnels et matériels à court et long terme, de son contexte («Réception»); 2) un traitement cognitif de ces données sous forme de production et d'évaluation de différentes possibilités de réponses à partir desquelles la plus adéquate est choisie («Traitement»); 3) et, enfin, une mise en acte de la solution («Emission»). Récemment, un instrument a été mis au point pour mesurer de façon très précise les habiletés de traitement de l'information de schizophrènes dans le cadre de la résolution de problèmes interpersonnels. Ce test, appelé AIPSS (Assessment of Interpersonal Problem Solving Skills), a été adapté en langue française par Favrod et Lebigre (Genève).

TRAITEMENT

Entraînement aux habiletés sociales (EHS)

Les programmes d'EHS comprennent trois composantes :
– une partie «éducative», permettant l'acquisition de connaissances spécifiques;
– un entraînement à la communication utilisant principalement les jeux de rôles;
– des techniques de résolution de problèmes.

La méthode d'EHS la mieux validée scientifiquement et la plus répandue internationalement est celle de l'équipe de Liberman de l'Université de Los Angeles; c'est donc aussi celle que nous avons choisie de décrire. L'EHS s'y fait sous forme de groupes de 4 à 8 patients psychotiques et de deux thérapeutes, se réunissant 2 à 5 fois par semaine pendant une heure à une heure et demie pendant 3 à 6 mois. Chaque domaine de la vie sociale y est l'objet d'un apprentissage en groupe dans des «modules» distincts. Chaque module se compose d'un manuel pour le thérapeute (véritable outil de formation), d'un manuel pour chaque patient et d'une vidéocassette comprenant des modèles d'HS[1]. Dans un module, le domaine est décomposé en plusieurs

---

1. Un tel cadre thérapeutique n'est pas réalisable par l'omnipraticien. Il faut savoir que les apprentissages peuvent se faire de façon individuelle, et en enseignant seulement une partie du module en fonction des déficits en HS spécifiques du patient. Cependant, un module comme «Éducation au traitement neuroleptique» devrait être connu et utilisé, sous une forme ou sous une autre, par tout praticien soignant au long cours, sous forme de thérapie de soutien et de traitement neuroleptique, un malade mental chronique. En effet, ce module pose les bases d'une bonne information du patient quant au traitement neuroleptique et amène une bonne collaboration et alliance thérapeutique, indispensable à l'adhésion thérapeutique et à la minimisation des effets secondaires. Le médecin généraliste puisera dans ce programme les composantes qui seront utiles à son patient. Les conditions d'application varieront en fonction du contexte de pratique du clinicien.

aires de compétences. L'apprentissage de chaque aire de compétence se fait en suivant sept étapes. Cette façon de faire crée une structure et une redondance de l'apprentissage, nécessaires chez les patients psychotiques chroniques. Nous allons présenter ces sept étapes de manière générale (voir Chambon *et al.* (1989) pour une discussion détaillée)

1. *L'introduction à l'aire de compétence* : les buts et les avantages de l'apprentissage sont présentés afin de motiver et de préparer les participants.

2. *La démonstration d'HS sur vidéocassette* : les participants visionnent une scène dans laquelle des personnages (les «modèles») mettent en œuvre les HS à acquérir. Les animateurs vérifient l'attention et la compréhension des participants en posant régulièrement des questions. Le modeling est la technique principale ici.

3. *Les jeux de rôles* : les patients vont à leur tour apprendre à mettre en œuvre, dans des jeux de rôles, les HS qu'ils ont observé à l'étape précédente. Les techniques habituelles de l'entraînement à la communication sont utilisées ici pour favoriser l'apprentissage : feedback et renforcement positif, shaping, modeling, prompting et coaching (cf. chapitre précédent).

4. *Le choix des ressources* : un thérapeute décrit une situation fictive, nécessitant l'utilisation des HS apprises à l'étape précédente, et pose une série de questions afin d'amener les participants à envisager les ressources (temps, argent, personnes, etc.) dont ils auraient besoin s'ils se trouvaient dans cette situation. L'utilisation en groupe de la technique de résolution de problème permet ensuite à chacun de choisir le meilleur moyen d'obtenir chaque ressource.

5. *La situation problème* : dans une situation sociale, même lorsqu'un patient possède les HS et ressources nécessaires, il peut arriver qu'un problème imprévu surgisse et nécessite une solution originale : ici les participants vont s'exercer à utiliser la technique de résolution de problèmes pour faire face de manière adéquate à de telles situations.

Enfin, pour permettre une généralisation des HS, c'est-à-dire pour assurer leur utilisation dans la vie quotidienne et dans des situations variées, les deux étapes suivantes sont nécessaires.

6. *L'exercice pratique* : chaque participant devra utiliser ses HS en dehors du groupe, dans son milieu de vie habituel, en présence et parfois avec l'aide d'un des thérapeutes. La préparation puis le bilan de l'exercice sont fait lors de séances de groupe.

7. *Le travail individuel* : étape identique à la précédente, sauf que le patient effectue sa tâche seul, sans l'aide du thérapeute.

Un tel entraînement peut se faire module par module, en fonction des déficits spécifiques des patients, mais doit être intégré dans un dispositif continu, global et durable d'interventions thérapeutiques et réadaptatives. En effet, chez les psychotiques chroniques, mêmes avec les meilleurs programmes, les bénéfices thérapeutiques vont diminuer au cours du temps si un dispositif d'entretien des HS n'est pas mis en place. Il existe pour cela plusieurs moyens complémentaires : 1) faire des «séances de rappel» des apprentissages en groupe, dans lesquelles, pour chaque module, les connaissances seront révisées, les HS réactualisées, et les problèmes rencontrés depuis la fin du module retravaillés en groupe; 2) s'assurer la collaboration d'un thérapeute extérieur qui va encourager et aider le patient à individualiser et continuer d'appliquer les apprentissages réalisés dans les modules; 3) constituer un groupe ouvert à durée indéterminée, composé de patients ayant déjà bénéficié de l'apprentissage des modules, dans lequel chacun va déterminer les domaines de fonctionnement social pour lesquels il reste insatisfait et va se fixer des objectifs; il les atteindra grâce à l'aide du groupe et des connaissances, habiletés de communication et de résolution de problèmes acquises dans les modules.

Thérapie familiale comportementale (TFC).

La majorité des méthodes de TFC comprennent trois aspects. Première-ment, la partie «psychoéducationnelle» consiste à enseigner à la famille les modalités d'expression clinique de la forme de psychose qui les concerne, ses facteurs prédisposants et ses traitements, le tout sous l'angle du modèle «stress-vulnérabilité». La meilleure connaissance et le recadrage des symptômes visent un changement positif d'attitude de la famille par rapport au malade, une réaction plus adaptée en cas de risque de rechute, une déculpabilisation et une relation de collaboration avec le psychiatre. Deuxièmement, l'entraînement aux habiletés de communication vise à instaurer des capacités de communication les moins stressantes et les plus constructives possibles, face aux tensions émotionnelles et aux problèmes quotidiens de la vie familiale. L'entraînement aux différentes habiletés de communication se fait dans des jeux de rôles entre les membres de la famille. L'entraînement vise d'abord l'expression d'émotions positives et les capacités d'écoute active empathique, puis les demandes positives de changement et l'expression des émotions négatives (le plus difficile, à réaliser une fois qu'un climat plus chaleureux s'est instauré grâce à l'acquisition des premières habiletés de communication). Ces habiletés sont des prérequis importants pour qu'une discussion productive, visant la résolution de problèmes, puisse survenir. La famille est alors en position d'apprendre à utiliser la technique de résolution de problèmes. Troisièmement, cette technique suit les mêmes étapes que celle de l'approche individuelle ou de groupe. Chacun est ainsi amené à s'exprimer, la solution finale étant un compromis convenant à tous, ce qui évite qu'un seul soit tenu responsable en cas d'échec (bouc-émissaire).

Falloon et al. (1984) applique ces techniques au domicile de la famille, dans des séances hebdomadaires d'une heure et demie, pendant 6 à 9 mois. D'autres, conduisent l'entraînement avec des groupes de familles, sans les patients. Les mêmes techniques sont appliquées, mais ici les familles peuvent aussi s'apprendre mutuellement leurs compétences. Le choix d'une activité de groupe permet aussi de rompre leur isolement social, aggravé par leur sentiment de honte, de peur et culpabilité, très fréquemment présent. Les familles peuvent aussi y décharger leurs tensions et y exprimer leurs sentiments négatifs, qui autrement se retourneraient vraisemblablement sur leur proche malade. Plusieurs recherches ont montré que les deux approches réadaptatives, individuelle (EHS) et familiale (TFC), ont des effets bénéfiques additifs lorsqu'elles sont employées de concert. Il faut donc les intégrer ensemble dans une prise en charge interdisciplinaire du psychotique et de sa famille.

RÉSULTATS

Nous présentons les résultats des méthodes décrites ci-dessus, d'abord pour les programmes d'EHS puis pour la TFC. La revue la plus complète des résultats des programmes d'EHS est celle de Benton et Schroeder (1990). Ces auteurs ont réalisé une méta-analyse des 27 études les plus valides évaluant l'efficacité de l'EHS des schizophrènes. Cette méta-analyse conclue que l'EHS : (1) permet l'apprentissage de comportements sociaux adaptatifs, (2) diminue l'anxiété sociale et augmente l'assertivité des malades schizophrènes, (3) entraîne des apprentissages sociaux durables et pouvant se généraliser et (4) permet une sortie plus rapide de l'hôpital ainsi qu'une diminution du taux des rechutes. De plus, ces résultats positifs surviennent même avec des programmes peu intensifs, c'est-à-dire impliquant moins de 40 heures d'entraînement.

Le taux de rechute, à 9 mois et à 2 ans après la sortie de l'hôpital, de schizophrènes retournés dans leur famille, est de 2 à 7 fois moindre lorsque les familles ont bénéficié d'une TFC. Ces études montrent aussi que pour les familles expérimentales engagées dans la TFC, on observe que le niveau d'émotionnalité exprimée (EE) s'est abaissé, les familles ont appris à utiliser la technique de résolution de problèmes, et l'utilisent ensuite en l'absence du thérapeute pour gérer des situations quotidiennes stressantes, les malades ont connu des rémissions ou des améliorations symptomatiques plus importantes que dans le groupe témoin et le fardeau émotionnel familial s'est trouvé allégé et le fonctionnement social des malades s'est amélioré (Chambon et Marie-Cardine, 1991).

Bibliographie

BENTON M., SCHROEDER H. — Social skills training with schizophrenics : a meta-analytic evaluation. *J. Consult. Clin. Psychol.*, 58, 741-747, 1990.

CHAMBON O., MARIE-CARDINE M. — *La réadaptation sociale des psychotiques chroniques : approche cognitivo-comportementale.* PUF, Paris, 1992.

FALLOON I., BOYD J., McGILL C. — *Family care for schizophrenia : A problem-solving approach to mental illness.* Guilford, New York, 1984.

LIBERMAN R. — *Réhabilitation psychiatrique des malades mentaux chroniques.* Masson, Paris, 1991.

MARIE-CARDINE M., CHAMBON O., BREZEAULT F., CHARLET J.J. — L'apprentissage de la prise du traitement neuroleptique. Un exemple d'approche cognitivo-comportementale. Articulation avec l'approche psychodynamique. *Psychologie Médicale*, 23, 1299-1304, 1991.

TROUBLES DE L'ALIMENTATION

27

Boulimie

Y. SIMON, O. FONTAINE

La crise de boulimie est une ingestion rapide et incoercible d'une grande quantité de nourriture. Devenu un véritable problème de santé publique, la boulimie est un comportement alimentaire dont la fréquence a augmenté ces 15 dernières années. Les études de prévalence menées en France montrent que 2 % des femmes entre 16 et 25 ans présentent ce comportement. La boulimie commence habituellement à l'adolescence ou au début de l'âge adulte. Bien qu'elle ait été dégagée tout d'abord en tant que syndrome psychique chez les obèses, la boulimie est maintenant considérée comme un syndrome autonome. Ce n'est ni du grignotage ni de l'hyperphagie prandiale. Caractérisée par des épisodes de suralimentation avec consommation rapide d'une grande quantité de nourriture, souvent supérieure à 1500 calories, la boulimie est observée soit : (1) dans le décours d'une anorexie mentale (50 %), (2) chez des sujets à poids normal engagés dans de véritables épisodes compulsifs, (3) associée à l'obésité (20 %).

TABLEAU CLINIQUE

Voici quelques éléments cliniques fréquemment retrouvés chez ces patientes.

« Chaque lundi, je déjeune avec mon père, parfois cela se passe bien, mais ce lundi il n'a pu me donner l'argent de la semaine, prétextant qu'il n'était pas passé par la banque. C'est toujours ainsi, je ne peux compter sur lui, j'étais furieuse, mais je n'ai rien dit. Le soir, j'y pensais encore. Je suis rentrée, j'ai vidé le frigo, puis je me suis endormie après avoir vomi ». « Ce soir là, j'allais commencer ma crise. Un copain est venu me chercher pour une sortie. Je n'ai pu refuser et je n'ai pas eu de crise ». Il est fréquent chez les adolescentes que la fréquence et l'importance des épisodes de boulimie augmentent le week-end, lorsqu'elles rendent visite à leurs parents. Ces épisodes sont alors associés à l'ennui et à l'absence d'activités. La nourriture consommée pendant la crise est souvent riche en lipides et hydrate de carbone ou facilement accessible et non cuisinée. La consistance permet de la manger rapidement : le pain, les pâtes, le fromage, les restes d'un repas. La crise peut suivre un repas normal ou être déclenchée par une prise alimentaire banale. «J'ai mangé un yaourt, puis deux... Je me suis fait une tartine, puis j'en ai mangé huit... J'ai continué à me bâfrer pendant une heure». La crise apparaît souvent en fin de journée, après le travail ou l'école. Le sujet achète des aliments et les mange, soit dans la rue, soit dans la voiture ou encore, il attend d'être rentré chez lui. Habituellement, il s'isole et apaise une sensation de tension interne par la prise alimentaire. Suivront quelques minutes ou une heure plus tard : la honte, la culpabilité, les reproches de ne pouvoir se contrôler. Il se promet que demain ce sera terminé. Les crises apparaissent parfois la nuit, le sujet mange, puis se rendort.

Le sentiment de perte du contrôle de la prise alimentaire est toujours présent et la plupart du temps, la patiente est préoccupée dès le matin par son alimentation. Elle sait qu'elle va avoir un épisode de boulimie. Elle considère ce comportement comme inéluctable et incontrôlable. Pour d'autres, le comportement boulimique est stéréotypé. «Chaque matin, je sais que je ferai une boulimie, je ne lutte pas contre, c'est une habitude, rien ne peut changer». Si elle consulte, c'est parce qu'elle sait que ce n'est pas normal, qu'il peut y avoir des conséquences somatiques. Durant la crise, les sujets ont souvent un sentiment de vide «Je ne pense pas». Parfois, ils imaginent, avec un sentiment d'omnipotence, tout ce qu'ils pourraient réaliser pour donner de la valeur à leur existence.

Pour contrôler l'effet grossissant de la nourriture, les sujets utilisent des stratégies de contrôle du poids, les vomissements sont les plus fréquents. Bien tolérés, ils ne deviennent dangereux qu'associés à la prise de laxatifs (5 à 100 comprimés/jour). L'hypokaliémie et l'hyperamylasémie en sont la conséquence. Les vomissements suivent rapidement la fin de l'épisode de suralimentation. Chez les sujets à poids normal, ou qui ne vomissent pas, on rencontre fréquemment des alternances d'épisodes de boulimie et de jeûne. Une stratégie de contrôle de poids particulière se rencontre chez les sujets diabétiques qui diminuent leurs doses d'insuline pour maigrir.

Les préoccupations excessives et persistantes concernant le poids et les formes corporelles sont constantes. Ces patients se trouvent trop gros, mais les instruments de mesures utilisés n'ont pu objectiver une surestimation des dimensions corporelles. Cette distorsion cognitive du corps traduit une insatisfaction et une perte de l'estime de soi.

ÉVALUATION, DIAGNOSTIC ET ANALYSE FONCTIONNELLE

Selon le DSM-III-R, la boulimie se diagnostique selon les critères suivants :

A. Episodes récurrents de frénésie alimentaire (consommation rapide d'une grande quantité de nourriture en un temps limité).
B. Sentiment de perte du contrôle du comportement alimentaire durant les épisodes de boulimie.
C. Régulièrement le sujet, soit se fait vomir, soit use de laxatifs ou de diurétiques, soit pratique un régime strict ou jeûne, soit encore se livre à des exercices physiques importants dans le but de prévenir toute prise de poids.
D. Au moins deux épisodes boulimiques en moyenne pendant au moins trois mois.
E. Préoccupation excessive et persistante concernant le poids et les formes corporelles.

La nourriture consommée pendant la crise est très variable, tant en quantité qu'en qualité. En quantité, chez un même sujet, la valeur calorique d'un épisode boulimique peut varier de 300 à 5000 calories.

Comme la fréquence, la valeur calorique d'un épisode est une variable que le sujet peut associer à des facteurs internes : sentiments, pensées, sensation, humeur et à des facteurs d'environnement.

Cette évaluation se fera sur 2 à 3 entretiens. Durant l'entretien clinique :
1. Demander au patient de décrire une crise typique, estimer la charge calorique et la durée de la crise, préciser la fréquence par semaine;
2. Explorer les stratégies de contrôle du poids : vomissements, utilisation de laxatifs, coupe-faim et diurétiques. Evaluer si les exercices physiques pratiqués par le patient le sont avec plaisir ou dans le but de maigrir. Les périodes de jeûne et les régimes seront notés.
3. Noter la taille, le poids du sujet et calculer si possible le BMI — Body Mass Index : P/T^2 (poids/carré de la taille). Cette mesure donne une valeur correctement corrélée à la masse grasse, elle est maintenant utilisée fréquemment et dispense d'un recours à des tables normatives. La valeur normale est située entre 21 et 25. Au-dessus de 30, il y a obésité. Un BMI inférieur à 17,5 est le critère de poids pour le diagnostic d'anorexie mentale. La chronologie des pertes et des gains de poids de plus de 5 kilos doit être recherchée. Les raisons de chaque perte seront précisées ainsi que les perceptions, les motivations du patient pour induire cette perte de poids.
4. Interroger le patient sur ses réactions à la prise de poids, la perception de ses formes corporelles, par exemple surestimation ou insatisfaction.
5. Rechercher les idées de suicide, les abus de drogue et d'alcool, les symptômes de la dépression : trouble du sommeil, tristesse, perte d'intérêt, inactivité.
6. Interroger le sujet sur ses relations dans la famille, avec les amis et le partenaire.
7. Rechercher les conséquences physiques de la boulimie : aménorrhée, caries dentaires, hypertrophie des glandes salivaires, trouble du rythme cardiaque, crampe musculaire. Le bilan biologique recherchera l'hypokaliémie et l'hyperamylasémie.
8. Identifier les facteurs internes et d'environnement qui favorisent ou permettent d'éviter l'épisode de boulimie, seront repris systématiquement à cha-

que entretien. Afin de faciliter l'analyse fonctionnelle, le thérapeute aura en mémoire les items suivants : comportement, émotion, sensation, relation interpersonnelle, cognition, stratégie de contrôle du poids, alcool, médicament, prise alimentaire. Nous demandons à ces patientes de remplir quotidiennement la fiche d'auto-évaluation reproduite en annexe. Son examen et son analyse systématique permettront d'identifier les éléments importants du problème.

TRAITEMENT

Une analyse fonctionnelle soigneuse, une écoute attentive permet au patient d'exprimer sa détresse. Deux à trois entretiens de trois quarts d'heure ont souvent un effet spectaculaire sur la réduction de l'importance et de la fréquence des crises de boulimie. Lorsque ces entretiens ne suffisent pas, on propose un traitement de 2 mois à raison d'un entretien par semaine. Le patient sera invité à remplir un carnet alimentaire (annexe 27). Lors de la première séance, le sujet sera informé sur la manière de remplir le carnet alimentaire. Deux conseils simples seront proposés et simplement rappelés régulièrement en cours de traitement.

1) Expliquer qu'un poids bas et une restriction alimentaire favorisent les épisodes de boulimie, l'organisme «cherchant» à corriger la dénutrition. Maintenir un poids stable, proche d'un BMI égal à 20 est un bon repère. Chez une personne obèse ou de poids normal, ne pas proposer de régime restrictif tant que les épisodes de boulimie persistent. Ne pas sauter de repas pour contrecarrer l'effet, sur le poids, des épisodes de boulimie.

2) Étudier avec le sujet les possibilités d'organiser les repas. Prendre 3 repas par jour, de volume normal et si possible toujours dans les mêmes conditions. Ne pas prendre de collation, stimulus déclencheur de crise de boulimie. Ne pas compter la prise calorique quotidienne.

Ces conseils permettront de répondre aux questions sur la nutrition et de corriger les croyances nutritionnelles erronées. Seule, l'organisation des repas fera l'objet de tâches comportementales. Elle tiendra bien sûr compte des conditions de vie du sujet. L'essentiel des entretiens thérapeutiques portera sur le contenu du carnet alimentaire.

La patiente remplit la fiche hebdomadaire en vue de l'entretien. Elle précisera les conditions d'environnement de l'apparition ou non des crises ainsi que les sensations, les idées et les sentiments accompagnant les épisodes. Elle permet de prendre conscience de l'existence et de l'importance du trouble, des situations spécifiques et des cognitions associées à la crise, première étape pour développer des stratégies de contrôle du symptôme. Des tâches comportementales alternatives seront fixées. Celles-ci peuvent être simples, comme prendre un bain ou téléphoner. Mais on préférera des stratégies adaptées aux besoins personnels du sujet comme organiser des loisirs en compagnie d'autres personnes, apprendre à éprouver des contrariétés, des anxiétés, des pensées mal formulées. Ces activités et ces cognitions seront notées dans le carnet alimentaire, puis discutées avec le thérapeute. Une prise de poids de 2 à 3 kg en fin de thérapie est habituelle et doit être dédramatisée. Les deux dernières séances seront consacrées à l'évaluation à partir des données du carnet alimentaire. Elles permettront d'évaluer les bénéfices obtenus. La patiente devra prendre conscience qu'un bénéfice, même limité, peut être appréciable. En cas d'échec thérapeutique, on adressera ces patientes à un thérapeute spécialisé. La thérapie cognitivo-comportementale de groupe pour des sujets boulimiques a montré son efficacité. Une thérapie individuelle au long court permet de corriger, par la technique de résolution de problème ou de gestion du stress, des dysfonctionnements cognitifs et comportementaux dans les relations familiales, sociales ou professionnelles. L'hospitalisation n'est généralement pas conseillée, excepté en cas de poids bas ou de risque vital : risques suicidaires, hypokaliémie grave, épisodes de suralimentation importante avec risque de rupture gastrique. Une hospitalisation brève, afin de rompre les cycles boulimie-vomissement, peut être utile. Un programme de traitement résidentiel dans une Unité spécialisée est indiqué en cas de poids bas ou de difficultés de réinsertion et de réadaptation socio-professionnelle.

RÉSULTATS

Une anamnèse rigoureuse et quelques conseils nutritionnels peuvent aider 5 à 10 % des patients consultants pour boulimie. L'utilisation du carnet alimentaire est la méthode qui s'est avérée la plus efficace, de l'ordre de 50 %. L'évolution d'un trouble boulimique est habituellement irrégulière et les sujets doivent avoir la possibilité de recontacter le thérapeute en cas de rechute. Une nouvelle série d'entretiens peut alors être proposée afin de résoudre les problèmes nouveaux. L'association d'un trouble de la personnalité, d'une dépression, de tentatives de suicide, d'un alcoolisme et d'une toxicomanie rend le pronostic moins favorable. On constate fréquemment une rechute à la fin de la thérapie. Elle est très souvent partielle et temporaire. Trois à quatre mois plus tard, la patiente retrouve les bénéfices du traitement. On conseille un entretien de follow-up à 6 mois et à 1 an. Les bénéfices du traitement sont d'autant plus importants que la patiente aura accepté un poids normal.

Bibliographie

AIMEZ P., RAVAR J. — *Boulimiques*. Ramsay, Paris, 1988.
GARNER D., GARFINKEL P. — *Handbook of Psychotherapy for anorexia nervosa and bulimia*. Guilford, New York, 1985.
SANCHEZ-CARDENAS M. — *Le comportement boulimique*. Masson, Paris, 1991.

SEMAINE DU   AU

Initiale de la patiente							
Date :	Jour 1	Jour 2	Jour 3	Jour 4	Jour 5	Jour 6	Jour 7
Nombre de crises boulimiques aujourd'hui							
Durée totale heures des crises min.							
Nombre de vomissements							
Nombre de comprimés ou de gélules de laxatifs pris aujourd'hui							
Nombre de comprimés ou de gélules de diurétiques pris aujourd'hui							
Temps passé aujourd'hui à pratiquer des exercices physiques							

ANNEXE 27. — *Calendrier journalier* (à remplir par la patiente).

28

Anorexie mentale

Y. SIMON, O. FONTAINE

L'anorexie mentale est un trouble qui apparaît le plus souvent au début de l'adolescence, 9 fois plus souvent chez la femme que chez l'homme. Le diagnostic différentiel avec une affection somatique est souvent aisé et s'engager dans de nombreux examens complémentaires peut retarder le diagnostic d'anorexie mentale et ignorer la dimension psychologique du trouble. Cependant, un amaigrissement associé à une dépression doit être repéré. L'incidence des formes cliniques est de 0.01 % des femmes entre 16 et 25 ans. Outre le facteur d'âge, une vulnérabilité au trouble se rencontre chez les nageurs, gymnase, modèle, danseurs et acteurs. Il existe un nombre important de formes subcliniques dont la fréquence semble augmenter. Dans 50 % des cas, l'anorexie est associée à des épisodes de boulimie et des vomissements. Bien qu'un tiers des cas évolue spontanément vers la guérison en 2 à 3 ans, l'anorexie mentale ne doit jamais être banalisée et une stratégie de traitement doit toujours être attentive à la reprise de poids. Pour les femmes maintenant un poids bas, l'évolution vers une anorexie chronique est à craindre. Les séquelles de la dénutrition somatique peuvent apparaître 10 à 15 ans après le début des troubles : ostéoporose et fracture, insuffisance cardiaque et rénale, repli sur soi et désinsertion socio-professionnelle.

Les thérapies psychologiques se réfèrent la plupart du temps à des techniques comportementales et cognitives intégrées dans des programmes de traitements multi-dimensionnels. Dans l'anorexie mentale, les traitements sont longs et doivent prendre en compte un large éventail de secteurs de vie du sujet. Dans les formes chroniques, la prise en charge pluridisciplinaire, somatique, psychologique et sociale est indispensable.

Un mode de calcul aisé pour le critère de poids est le BMI (voir chapitre 27). Il est habituellement inférieur à 17,5.

TABLEAU CLINIQUE

Voici une brève description représentative de ce trouble. A 13 ans, Nathalie se trouvait trop grosse : 50 kg pour 1,58 m (BMI = 20). Elle commence par écarter les aliments riches en lipides comme les fritures, puis la viande. Elle perd 5 kg en 2 mois. Elle se sent mieux dans son corps, mais l'anamnèse montre que les contacts sociaux se sont altérés durant cette période et même durant les mois qui ont précédé le régime restrictif. Elle a moins confiance en elle et a surinvesti le travail scolaire au détriment des activités de loisir. Durant les vacances scolaires, son poids reste stable, mais à la rentrée de septembre, le régime restrictif est plus sévère. Elle passe le repas de midi et se nourrit de fromage blanc et de pommes. Les règles se sont arrêtées. En 2 mois, le poids chute à 35 kg (BMI = 14). La mère inquiète, consulte. Les examens biologiques sont normaux. Des conseils diététiques sont donnés et un régime à 1 800 calories est proposé en respectant les goûts alimentaires de la patiente. Sans succès, bien que la patiente dise souhaiter regrossir, le poids reste stable. La patiente a fortement diminué ses contacts sociaux. Ses amis la trouvent irritable, exigeante, d'humeur instable ; elle refuse les invitations lorsqu'un repas est prévu. Fin février, après des examens scolaires réussis, elle est hospitalisée. Les examens complémentaires sont toujours normaux, excepté l'augmentation des amylases. Le diagnostic d'anorexie mentale est posé et une consultation spécialisée est proposée.

ÉVALUATION, DIAGNOSTIC ET ANALYSE FONCTIONNELLE

Selon le DSM-III-R, l'anorexie mentale se diagnostique selon les critères suivants :
A. Refus de maintenir un poids corporel au-dessus d'un poids minimum normal pour l'âge et la taille, p. ex. perte de poids visant à maintenir un poids corporel de 15 % inférieur à la normale ou incapacité à prendre du poids pendant la période de croissance, conduisant à un poids inférieur à 15 % de la normale.
B. Peur intense de prendre du poids ou de devenir gros, alors que le poids est inférieur à la normale.
C. Perturbation de l'estimation de son poids corporel, de sa taille ou de ses formes, p. ex. la personne dit «se sentir grosse», même quand elle est très amaigrie, croit que certaines parties de son corps sont trop grosses, alors même qu'elle est à l'évidence, trop maigre.
D. Chez la femme, absence d'au moins trois cycles menstruels consécutifs attendus (aménorrhée primaire ou secondaire — une femme est considérée comme aménorrhéique si ses règles ne surviennent qu'après l'administration d'hormones, par exemple strogéniques).

Durant les entretiens, le thérapeute explore, avec la patiente *mais aussi avec sa famille* :
1. *La chronologie de la perte de poids* : le poids le plus élevé et le plus bas seront notés, la motivation de la patiente à cette perte de poids sera analysée, la date du début de l'aménorrhée sera notée.
2. *Les préoccupations corporelles* : quel est le poids souhaité par la patiente, ainsi que les raisons de la crainte d'une prise de poids.
3. *Les stratégies de contrôle de poids* : le patient vomit-il, abuse-t-il de laxatifs? Suit-il un régime ou jeûne-t-il? Quelles sont les activités sportives pratiquées afin de perdre du poids? Ces attitudes sont fréquemment cachées par la patiente.
4. *L'association d'épisodes de boulimie* : quelle est leur fréquence et leur importance?
5. *Les conséquences psychologiques* : isolement et réticence aux contacts sociaux, dépression, idées suicidaires, troubles de la mémoire et de la concentration associés aux difficultés scolaires ou professionnelles.
6. *Les conséquences somatiques* : trouble du sommeil, caries dentaires, hypertrophie des glandes salivaires, douleurs abdominales, constipation, faiblesse musculaire, perte des cheveux, intolérance au froid, hypotension, œdèmes, troubles cardiaques.
   Cette évaluation sera soigneuse avant toute décision de traitement.

TRAITEMENT

Un BMI inférieur à 16 nécessite une prise en charge spécialisée. Un BMI inférieur à 14 conduit à des complications somatiques sérieuses et nécessite une hospitalisation. Cependant le début d'une prise en charge se fait souvent par le médecin traitant, plus particulièrement dans les formes subcliniques d'anorexie mentale. Elle nécessite une alliance de traitement avec la famille. L'attention de la patiente et de sa famille sera attirée sur les conséquences à court et à long terme d'une perte de poids. Il sera conseillé aux parents de ne pas tenir compte des goûts alimentaires de la patiente pour préparer les repas. Celle-ci sera libre de se servir et manger sans intervention ou remarque de la famille. Des objectifs clairs seront précisés à la patiente. Le poids devra augmenter d'un 1/2 kilo par semaine. Afin de motiver la patiente à la reprise de poids, il lui sera demandé d'identifier les avantages et les désavantages de la perte de poids et de prendre conscience que les effets négatifs sont plus importants que les effets positifs. Cependant, les effets de la dénutrition sur le rythme digestif ont pour conséquence une lenteur de la vidange gastrique de l'estomac. Les sensations de lourdeur et de ballonnement ont donc une base physiologique. Il faudra l'expliquer à la patiente et lui faire admettre de supporter ces sensations en cours de réalimentation.
   La grille sera présentée à la patiente (annexe 28). Les interventions porteront sur les items repris par la patiente. D'emblée, il lui sera dit qu'en cas

d'échec de la reprise de poids dans les 4 mois, même si l'on constate une amélioration de l'état psychologique et des relations familiales du sujet, une prise en charge spécialisée, voire une hospitalisation sera nécessaire afin d'éviter les conséquences somatiques à long terme de la dénutrition. Durant cette prise en charge ambulatoire, il est indispensable de rencontrer les parents au moins une fois par mois, en présence du sujet. Durant ces entretiens, il sera demandé à la patiente de formuler ses attentes à l'égard de ses parents. Les demandes et les réactions des parents seront discutées avec le thérapeute afin de favoriser l'expression des conflits et de les dédramatiser. Fixer des tâches comportementales favorables à l'autonomie de l'adolescent termineront chaque entretien. On déconseillera les séparations trop longues (mois ou année d'étude à l'étranger).

«Isabelle, 18 ans, pèse 45 kg pour 1,68 m. Elle a terminé brillamment le secondaire, mais n'a pu faire de choix dans les études supérieures. Elle part pour un an aux Etats-Unis, chez des amis de la famille. Durant son séjour, elle commence des épisodes de boulimie suivis de vomissements et reprend 3 kg. Bien que connaissant parfaitement l'anglais, elle refuse de sortir avec les jeunes de son âge et arrête la fréquentation du collège. Elle ne peut supporter de faire du baby-sitting et 2 mois plus tard, rentre chez ses parents. Inquiets, ceux-ci consultent un spécialiste».

Durant les entretiens individuels avec la patiente, deux situations peuvent se présenter :

1. la patiente reprend régulièrement du poids et les contacts sociaux s'améliorent. On l'encourage à poursuivre et l'on centre les entretiens sur l'assertivité, la gestion du stress, la prise d'autonomie. La grille d'évaluation continue à servir de support aux entretiens en expliquant à la patiente les bénéfices à long terme de la prise de poids. Par exemple : éviter l'ostéoporose, éviter les conséquences de la dénutrition en cas de grossesse, éviter la fatigue et la rechute en cas de maladie...

2. En cas d'échec ou de reprise pondérale insuffisante, 2 à 3 kg, on passe la main au spécialiste. Le rôle du médecin traitant sera de motiver la patiente et sa famille à s'engager dans ce type de traitement et le maintenir.

Lorsqu'une hospitalisation est nécessaire, une reprise rapide et régulière du poids avant le début des troubles, ou proche d'un BMI de 21 (en 3 à 6 mois), évite les complications au long court de l'anorexie mentale. Plus le traitement est précoce (moins de 3 ans après le début des troubles) et meilleur sera le pronostic. L'alimentation par sonde gastrique est exceptionnelle et l'alimentation parentérale déconseillée car elle ne prend pas en compte la dimension psychologique du trouble.

On conseille des prises en charge parallèles :

– consultation médicale attentive au poids et aux conséquences de la dénutrition ;

– thérapie cognitivo-comportementale centrée sur l'assertivité, les relations familiales et de couples, le comportement alimentaire. Ce suivi s'effectuera sur plusieurs années. Dans 2/3 des cas, on n'évite pas l'hospitalisation, de préférence dans une unité spécialisée qui puisse prendre en compte la dimension nutritionnelle et la dimension psycho-sociale.

RÉSULTATS

Les résultats actuels de la prise en charge de l'anorexie mentale montrent qu'un tiers de ces patientes guérit après 3 à 4 ans, un tiers s'améliore au niveau du poids mais présente des troubles de la personnalité et un tiers de ces patientes évolue soit vers une forme chronique soit vers la mort. La reprise du poids tôt après le début de la maladie (6 mois) semble conditionner le pronostic à long terme.

L'anorexie mentale doit être considérée comme une véritable maladie et non pas comme un comportement particulier analysé en une simple crise d'adolescence. Si l'hospitalisation n'est pas indiquée d'emblée, il est impératif de veiller à ce que les patientes reprennent progressivement du poids et ce sont les techniques de conditionnement opérant qui se sont avérées les plus efficaces. Pour le suivi à long terme, les thérapies familiales (conseils, technique de résolution de problèmes) sont efficaces pour les sujets débutant l'anorexie avant 18 ans et dont l'évolution est inférieure à 3 ans. Les thérapies individuelles sont indiquées pour les sujets présentant une anorexie chronique. Nos connaissances sur l'efficacité des thérapies sont cependant limitées, et plus encore en ce qui concerne leur spécificité.

Bibliographie

GARFINKEL P.E., GARNER D.M. — *Anorexia nervosa : A multidimensional perspective.* Brunner/Mazel, New York, 1982.

JEAMMET Ph. — *L'anorexie mentale.* Doin, Paris, 1985.

VANDEREYKEN W., MEERMANN R. — *Anorexia nervosa : A clinician's guide to treatment.* De Gruyter, Berlin, 1984.

VENISSE J.L. — *Les nouvelles addictions.* Masson, Paris, 1991.

	Avantage	Désavantage
J'ai faim	………	………
Je ne sais pas m'empêcher de manger	………	………
Je dors mal	………	………
Je suis préoccupée par la nourriture	………	………
Je peux avoir une crise de boulimie	………	………
J'ai l'air en mauvaise santé	………	………
Je suis plus irritable	………	………
Je suis plus anxieuse	………	………
J'évite les contacts avec les garçons	………	………
Les gens autour de moi s'inquiètent	………	………
La seule façon de parler de moi est de dire que je suis une anorexique	………	………
Je me rends compte combien la perte de poids me coûte	………	………
Je ne sais pas ce qu'est l'anorexie mentale	………	………
Je me sens maigre	………	………
Je continue à perdre du poids	………	………
Je ne reprends pas de poids	………	………
Je me sens faible	………	………
J'ai de la constipation	………	………
Ma poitrine ne se développe pas	………	………
Mes cuisses sont maigres	………	………
Je n'ai plus mes règles	………	………

ANNEXE 28. — *Grille d'auto-enregistrement.*

6

TROUBLES
PSYCHOSOMATIQUES

29

Céphalée – Migraine

I. SALAMUN, O. FONTAINE

Les céphalées représentent une des plaintes parmi les plus fréquentes formulées lors d'une consultation de médecine générale : migraines (10 % de la population en France), céphalées de tension, céphalées mixtes.

Un interrogatoire précis et une anamnèse complète ne négligeant pas les facteurs psychologiques et sociaux permettent de poser un diagnostic différentiel correct et de proposer un traitement efficace et durable. Trop souvent, le patient considère les céphalées comme un mal inéluctable, pratique l'automédication anarchique et néglige de ce fait de consulter.

TABLEAU CLINIQUE

La migraine est une affection, souvent familiale, caractérisée par des maux de tête chroniques, survenant par crises d'intensité, de fréquence et de durée variables (4 à 72 heures). La douleur est le plus souvent unilatérale, de type pulsatile, accompagnée de troubles digestifs (nausées, vomissements) de photophobie, d'acouphobie. Parfois, la douleur est précédée ou associée à des manifestations motrices, sensorielles ou à des variations de l'humeur.

En dehors des crises, le patient ne rapporte aucune douleur, ni de symptôme associé. Les premières crises débutent généralement dans l'enfance ou à la puberté. A l'âge adulte, cette maladie touche davantage les femmes. La migraine survient préférentiellement chez elles au moment ou aux environs des règles, parfois elles coïncident avec l'ovulation. Soixante à quatre-vingts pour cent des migraineuses sont améliorées voire totalement soulagées durant la grossesse. On distingue des migraines avec aura (migraine classique) et des migraines sans aura (migraine commune, la plus fréquente).

La migraine avec aura se déroule en trois étapes :
– l'aura correspondant à une période de 5 à 30 minutes au cours de laquelle apparaissent des symptômes neurologiques comme des perturbations visuelles et des scotomes scintillants. Elle peut aussi se manifester par des aphasies temporaires et/ou des vertiges, une hémiparésie.
– la phase douloureuse débute généralement dès que cesse l'aura ;
– après la phase douloureuse, l'hémicrâne reste sensible, le patient se sent souvent épuisé et le moindre effort peut déclencher une douleur lancinante.

Dans la migraine sans aura, les céphalées sont moins typiques et se distinguent de la migraine classique par l'absence de signe neurologique. La nature vasculaire de la migraine semble bien établie mais son étiopathogénie reste à élucider. Des facteurs psychosociaux (stress, conflit, ...) un tempérament nerveux et/ou anxieux sont des éléments déclenchants et aggravants de la migraine.

Dans les céphalées de tension, la douleur évolue sur des périodes prolongées, elle est non pulsatile, de type lourdeur de la tête avec sensation d'étau, de serrement autour du crâne. Ces céphalées sont le plus souvent bilatérales, le siège peut être fixe ou variable ; elles sont frontales, occipito-nucales, en casque ou situées au vertex. Elles ne sont pas accompagnées de troubles digestifs.

La genèse de ces céphalées est partiellement expliquée par la mise en tension importante et prolongée des masses musculaires cervicales sous tendues par des éléments psychogénétiques. Ceux-ci témoignent très rarement d'une perturbation importante de la personnalité du patient. La céphalée est alors réactionnelle à la répétition plus ou moins fréquente de facteurs de stress ou émotionnels, à l'anxiété et/ou à un état dépressif. Lorsque ces céphalées sont l'expression somatique d'une organisation psychopathologique plus structurée, elles correspondent à un trouble de conversion, à une hypocondrie ou à une atteinte psychosomatique proprement dite. Quelquefois, les symptômes typiques de la migraine et des céphalées de tension peuvent être identifiés dans un même tableau clinique et aggraver l'impression générale de confusion. Pourtant, en principe, l'établissement d'un diagnostic de migraine est théoriquement simple. Il ne faut, cependant, négliger aucun signe organique objectif et proposer, si nécessaire, des examens complémentaires même si ceux-ci n'ont pour objet que la réassurance du patient ou la suppression d'une nosophobie.

ÉVALUATION, DIAGNOSTIC ET ANALYSE FONCTIONNELLE

L'évaluation de la motivation à consulter va permettre de juger du caractère chronique ou aigu du phénomène et écarter de ce fait une étiologie organique importante de l'accès céphalalgique. Ensuite, l'analyse fonctionnelle des céphalées s'organise autour de deux sources d'information :

– d'une part, les données subjectives rapportées par le patient ;
– d'autre part, les données issues d'un interrogatoire précis par le thérapeute.

Le patient va s'astreindre à remplir scrupuleusement, pendant 15 jours ou plus, une fiche d'auto-enregistrement quotidienne de façon à préciser la topographie, l'intensité et la durée d'une céphalée. Il pointera d'éventuels facteurs de déclenchement, d'aggravation et/ou d'amélioration ainsi que les stratégies utilisées pour lutter contre la céphalée (voir annexe 30).

Questionnaire : migraine

Le thérapeute diagnostiquera aisément une migraine s'il identifie dans la liste ci-dessous 2 critères majeurs ou 1 critère majeur + 2 critères mineurs.

☐ **Critères majeurs**

1. la douleur est unilatérale ;
2. le patient souffre de nausées et de vomissements associés à la douleur ;
3. la douleur évolue par crise (4 à 72 h) ;

☐ **Critères mineurs**

4. l'intensité est progressive ;
5. le patient peut décrire des facteurs de déclenchement (alimentaires, émotionnels, stress, cycle menstruel) ;
6. il y a un caractère familial ;
7. début dans l'adolescence ou avant 25 ans ;
8. la douleur disparaît pendant la grossesse (80 % des cas) ;
9. le patient répond positivement à la prise du tartrate d'ergotamine lors des crises.

Questionnaire : céphalée de tension

Le questionnaire suivant (Juenet, 1981) permet de poser le diagnostic de céphalée de tension sur la présence de trois symptômes parmi les suivants :

1. fréquence de trois céphalées par semaine au minimum ;
2. céphalées bilatérales ou siège occipital ou nuque ;
3. sensation d'étau ou de barre frontale ;
4. douleur sourde, continue ou l'absence de deux signes au moins parmi les trois
5. début unilatéral ;
6. nausée et vomissements ;
7. prodromes sensoriels.

En ce qui concerne l'évaluation des facteurs psychologiques, de l'anxiété, de la dépression, il semble plus aisé dans un premier temps d'observer leurs corrélats physiques : tension nerveuse, tension musculaire, crispation, surmenage ; palpitations, pseudo-vertiges, oppression thoracique, asthénie physique et psychique, perte de poids. Les signes anxio-dépressifs peuvent quelquefois être, à juste titre, considérés comme réactionnels à la chronification des céphalées. La confrontation des deux sources de données évoquées plus haut, va permettre au thérapeute d'amorcer une analyse fonctionnelle et d'établir un diagnostic opérationnel.

TRAITEMENT

Les progrès au niveau pharmacologique ont été considérables et restent très prometteurs. Cependant, trop de patients ne semblent toujours pas soulagés car les céphalées sont souvent complexes et elles ne peuvent ni ne doivent être abordées exclusivement sous cet angle. La littérature sur le sujet nous indique que peu d'auteurs utilisent une technique cognitivo-comportementale isolée mais s'orientent plutôt vers une association de techniques toujours organisées autour de l'apprentissage d'une technique de relaxation associée à un soutien psychologique.

La relaxation musculaire progressive (type Jacobson) semble la thérapeutique de choix. Elle est simple, peu coûteuse, facilement reproductible au domicile du patient et se révèle efficace pour réduire la fréquence et l'intensité des crises. Elle consiste à prendre conscience du tonus musculaire à travers des exercices de contraction et de décontraction musculaire. Le biofeedback ou rétroaction biologique représente également une méthode d'auto-contrôle des fonctions physiologiques (contraction musculaire, T, ...). Il est très souvent utilisé comme outil de relaxation ou pour potentialiser et/ou contrôler l'efficacité des différentes techniques de relaxation.

Dans l'électromyofeedback (mesure du niveau d'activité musculaire), on place à la surface de la peau des électrodes qui enregistrent le niveau d'activité d'un muscle (ici le muscle frontal) que le sujet doit faire baisser en observant un écran lui indiquant un chiffre témoin de cette activité.

Quelle que soit la technique d'apprentissage de la relaxation, le but est d'obtenir une réponse de relaxation, c'est-à-dire une détente musculaire, une diminution des fréquences cardiaque et respiratoire et l'installation d'un état de calme et de bien-être. Par l'entraînement régulier, le patient va pouvoir instaurer une réponse de relaxation en anticipation et/ou en réaction à une situation stressante.

Parmi les autres techniques les plus souvent utilisées on a la restructuration cognitive qui consiste à repérer et à corriger un système de pensées inadaptées, des idées erronées que le patient véhicule à propos de sa maladie (anticipation négative des traitements, conception fausse sur la nature et l'origine des céphalées). Ces cognitions jouent, en effet, un rôle considérable dans le déclenchement et l'entretien des céphalées en augmentant l'anxiété et la dépression.

Au niveau traitement comportemental, le thérapeute doit repérer les facteurs antécédents et conséquents de la douleur (sollicitude de l'entourage, évitement d'une situation professionnelle génératrice de stress, consommation excessive de médicaments) qui agissent comme facteurs de renforcement et d'aggravation des céphalées. Au-delà de ce processus de repérage, le thérapeute va proposer au patient des comportements mieux adaptés, incompatibles avec la douleur (relaxation, programmation plus adaptée des activités, programme précis de prise de médicaments à heures fixes). Il encouragera et favorisera toute attitude positive du patient : pratique régulière d'un sport et/ou de la marche, régularité au niveau du rythme veille-sommeil, moments de détente réguliers.

Enfin, on utilisera une méthode de gestion du stress. Très souvent, les céphalées sont déclenchées et/ou entretenues par des situations génératrices de stress. Suivant la nature du problème, on utilisera l'une ou l'autre des techniques classiques de gestion du stress notamment l'apprentissage et l'évaluation d'un entraînement à l'affirmation de soi, le modeling (le thérapeute va proposer des modèles de réaction alternative plus adaptées face à une situation stressante).

Prenons les cas d'une patiente de 61 ans consultant pour des céphalées de tension rebelles à tout traitement. Cette patiente a présenté un état dépressif (à l'âge de 30 ans) attribué à un surmenage physique. Elle avait à l'époque été traitée par antidépresseur pendant environ 5 mois avec une évolution favorable. Elle n'a jamais rechuté sur ce point. Elle souffrait depuis l'adolescence de crises migraineuses très invalidantes, mais survenant ponctuellement en phases prémenstruelles. Ces céphalées se sont considérablement améliorées à la ménopause pour ne plus s'exprimer que très rarement avec une intensité moindre. Or, voici qu'à 57 ans, les céphalées ont réapparu et se sont installées pour progressivement se manifester quasi quotidiennement. La patiente n'a pas jugé bon de consulter de suite pensant qu'il s'agissait de crises migraineuses (même si elle remarquait une différence dans la topographie et la fréquence des crises).

L'analyse fonctionnelle révèle que les céphalées ont évolué défavorablement en fréquence et en intensité au cours des 4 années écoulées pour se manifester quotidiennement. Le point de départ est toujours nucal et évolue vers une céphalée en casque, la douleur s'intensifiant au cours de la journée. Le stress et la fatigue sont les facteurs de déclenchement privilégiés des céphalées. Celles-ci cèdent généralement quelques heures à la prise d'un anti-douleur. La patiente arrive au début de la prise en charge comportementale à consommer de grandes quantités d'anti-douleur avec une efficacité relative. Les antalgiques sont toujours pris à l'acmé de la douleur.

On remarque que les céphalées ont réapparu dans un contexte particulier : le mari a été mis en préretraite et a décidé d'aider la patiente dans son activité professionnelle de représentation (dans le domaine de la confection). Cette collaboration devait en principe alléger le travail de la patiente, mais le mari avait pour but d'augmenter l'activité globale pour offrir des vacances annuelles à toute la famille. Néanmoins, il s'avère que la patiente, d'un tempérament dynamique, méticuleux, n'arrive pas à déléguer son travail et s'impose donc la vérification systématique des tâches accomplies par le mari. Cette situation occasionne des conflits de plus en plus fréquents, un climat de plus en plus tendu dans le couple et cela constitue un stress très important pour la patiente, déclenchant des céphalées de tension.

La prise en charge a débuté par l'apprentissage d'une technique de relaxation type Jacobson à raison d'une fois par semaine (4 fois) puis une relaxation de type Schultz (2 fois) et réalisation d'une cassette de relaxation à utiliser 2 fois/jour au domicile. La patiente a reçu des informations sur l'étiologie et les mécanismes de déclenchement des céphalées. En effet, elle était persuadée de l'origine migraineuse des céphalées et s'imposait un régime alimentaire strict, un évitement quasi systématique des réunions familiales ou amicales. Elle pensait que les conversations croisées, la consommation de vin (quasi inévitable pour elle) au cours de ces réunions étaient des facteurs de déclenchement et/ou d'aggravation (comme cela l'était auparavant). Les pensées erronées ont amené une diminution des renforcements positifs et par là une altération thymique (humeur dépressive, troubles du sommeil, irritabilité importante). La patiente a reçu un programme précis de prise d'antalgiques à heures fixes et non plus en réponse à une douleur importante et une diminution progressive. La prescription d'un antidépresseur a été proposée pour améliorer les troubles du sommeil et favoriser l'apprentissage de la relaxation.

Pour améliorer la gestion du stress, les conjoints sont arrivés à une meilleure répartition des tâches (tous les contacts téléphoniques pour le mari dans lesquels il excelle, achat d'un répondeur téléphonique branché lorsqu'ils effectuent des tâches administratives, ...). Ils se sont aménagé des plages de repos (1 jour 1/2 de congé par mois) et une promenade de 10 minutes minimum avant le coucher au moins 2 fois/semaine.

Au bout de 4 semaines de traitement, la patiente avait réduit de moitié ses anti-douleurs, maîtrisait déjà très bien la relaxation, se sentait nettement plus détendue. Les céphalées étaient toujours présentes chaque jour, mais avec une intensité très supportable, le sommeil était bon et l'humeur meilleure. Après 10 semaines de traitement, la patiente ne consommait plus du tout d'antalgique et avait diminué de moitié la dose d'antidépresseur. Les céphalées étaient présentes 2 à 3 jours/semaine, mais cédaient presque toujours à une séance de relaxation et 1/2 h de position couchée au calme. Après un recul de 2 ans, la patiente ne consomme plus de médicaments antidépresseurs ; à l'exception, elle prend un analgésique (moins 1 fois/mois) et continue régulièrement la pratique de la relaxation.

RÉSULTATS

La meilleure façon d'établir l'efficacité d'un traitement est de le comparer avec un placebo dans une étude en double-aveugle. Dans l'évaluation des traitements cognitivo-comportementaux visant à améliorer les céphalées, cette procédure expérimentale est peu fréquente parce qu'il est difficile de mettre en place un traitement placebo qui semble crédible au médecin et au patient. Cependant, cela a été fait pour la relaxation (Jacobson) et le biofeedback (EMG). Les deux techniques se révèlent toutes deux supérieures au placebo et d'une efficacité comparable. Les céphalées de tension peuvent donc être améliorées par les antidépresseurs et les benzodiazépines, mais aussi par le biofeedback, la relaxation et les thérapies cognitivo-comportementales. Tous les traitements psychologiques ont une efficacité semblable et leurs effets se maintiennent après l'arrêt du traitement.

En ce qui concerne les migraines, le traitement pharmacologique est presque toujours obligé. Si le stress est le facteur de déclenchement principal, un traitement comportemental doit y être associé. Nous devons pour conclure, insister sur le fait que cette marche à suivre s'adresse à tous les céphalalgiques migraineux ou non, mais que cela reste un problème ardu nécessitant souvent un envoi vers des spécialistes.

Bibliographie

BOUREAU F. — *Pratique du traitement de la douleur*. Doin, Paris, 1988.
FONTAINE O., COTTRAUX J., LADOUCEUR R. — *Clinique de thérapies comportementales*. Mardaga, Bruxelles, 1984.
EMRE M., LATASTE X. — *Migraines and other headaches*. New Trends in Clinical Neurology Series. M.D. FERRARI and LATASTE (Eds), 1989.

Jour	Localisation de la céphalée	Intensité*	Facteurs de déclenchement éventuels	Activités du jour qui précède	Stratégies pour lutter contre la céphalée (méd., relax., ...)	Durée de la céphalée
Lundi						
Mardi						
Mercredi						
Jeudi						
Vendredi						
Samedi						
Dimanche						

* On demande au patient de coter sa douleur à partir d'une échelle numérique de 0 à 10 sachant que 0 représente l'absence de douleur et 10 la douleur la plus importante imaginable.

ANNEXE 29. — *Fiche d'auto-enregistrement.*

30

Douleur chronique

I. SALAMUN, O. FONTAINE

La douleur est le principal motif de consultation en médecine générale. Elle est définie comme une expérience sensorielle et émotionnelle désagréable associée à une lésion tissulaire réelle ou potentielle ou décrite dans des termes évoquant une telle lésion. Dans la plupart des cas, le diagnostic est aisé, la guérison rapide et durable. Quelquefois, la douleur est rebelle à tout traitement et contribue à altérer toute une série de fonctions de l'organisme vitales pour le bon maintien de son homéostasie. Il s'agit alors, d'un syndrome douloureux chronique qui désigne l'ensemble des manifestations physiques, psychologiques, comportementales et sociales qui tendent à faire considérer la douleur persistante, quelle que soit son étiologie de départ, plus comme une «maladie en soi» que comme le simple signe d'un désordre physiopathologique sous-jacent. L'anxiété et la dépression sont les états émotionnels généralement concommittants de la douleur chronique.

Si l'on examine les douloureux chroniques au niveau d'une population de médecine générale et qu'on la compare à des groupes contrôles de sujets «normaux», le pourcentage de troubles psychopathologiques est strictement identique et se situe aux environs de 20 %. C'est donc une généralisation abusive et erronée que d'affirmer une relation régulière entre troubles psychopathologiques antérieurs et apparition du syndrome douloureux chronique.

L'approche cognitivo-comportementale envisage la douleur selon un modèle biopsychosocial et considère le comportement douloureux comme n'importe quel autre comportement répondant aux mêmes principes d'apprentissage. Si son déclenchement et sa probabilité d'occurrence dépendent de variables antécédentes à son apparition, la douleur est de type répondant (ou pavlovien). Si par contre, elle est contrôlée par des variables conséquentes (sollicitude de l'entourage, évitement d'une situation génératrice de stress, attente d'une indemnisation, conflit médico-légal en cours, etc.), la douleur est opérante. L'influence de facteurs antérieurs et/ou conséquents de la douleur n'est pas passive, elle est déterminée d'une part par la manière dont le sujet analyse, évalue ou anticipe la douleur, son étiologie et ses répercussions sur le mode de vie et d'autre part, par l'observation de stéréotypes et modèles familiaux ou sociaux. Par ailleurs, les interactions du sujet douloureux avec son environnement familial et social présent ou passé influencent de manière considérable l'intensité, les modes d'expression et l'évolution de la douleur vers la chronicité.

ÉVALUATION, DIAGNOSTIC ET ANALYSE FONCTIONNELLE

L'évaluation de la douleur n'est pas chose aisée, car il s'agit d'apprécier avec des méthodes objectives la sévérité d'une expérience par définition subjective.

Les échelles unidimensionnelles ont des qualités indéniables (facilité et rapidité de passation; bonne fidélité; sensibilité et validité). La plus utilisée en recherche clinique est l'Échelle Visuelle Analogique (EVA); elle se présente le plus souvent sous la forme d'une ligne horizontale de 100 millimètres. Les deux extrémités de la ligne sont définies par des qualificatifs tels que : «absence de douleur» et «douleur la plus forte». Le patient doit tracer une croix sur la ligne. La distance entre la croix et l'extrémité «absence de douleur» sert d'indice numérique pour le traitement des données.

Une méthode beaucoup plus simple à utiliser en pratique courante est de demander au patient de noter l'intensité de sa douleur sur une échelle numérique de 0 à 10 (0 = absence de douleur; 10 = la douleur la plus insupportable). Les échelles n'envisagent évidemment que l'aspect quantitatif de la douleur dans la mesure où elles mesurent toutes une intensité douloureuse. Ces échelles sont souvent insuffisantes pour rendre compte de la complexité du phénomène. On utilise alors des échelles multidimensionnelles du type MPQ (McGill Pain Questionnaire) ou le Questionnaire douleur de St Antoine (QDSA) qui est une adaptation française du MPQ. Ces échelles proposent une série d'adjectifs que le patient choisit pour caractériser sa douleur et destinés à apprécier les nuances sensorielles et émotionnelles de la douleur, ainsi qu'à donner une mesure quantitative mais également qualitative du phénomène.

Fordyce a établi une liste de critères permettant de distinguer une douleur organique d'une douleur psychologique. Ces critères sont :
1) durée et périodicité variable des épisodes douloureux;
2) caractère aigu des épisodes (pas plus de quelques semaines);
3) les autres ne peuvent discriminer si et quand le sujet souffre;
4) il y a un délai entre le début de l'activité physique et celui de la douleur. Le patient continue quelque temps son activité avant de l'arrêter;
5) le temps entre la décroissance de la douleur consécutive à l'arrêt d'activité dolorigène est variable, de même pour l'intervalle entre la prise de médication et la décroissance de la douleur;

6) l'entourage n'agit pas pour réduire la douleur, ni ne le protège dans ses tentatives d'activités susceptibles d'accroître la douleur ;
7) relaxation et réduction de stimulation sensorielle accroissent la douleur.

Devant un problème de douleur chronique, l'évaluation doit s'élargir au modèle multidisciplinaire où l'on envisage les problèmes somatiques et comportementaux. C'est l'analyse fonctionnelle qui va permettre de définir la topographie, l'intensité et la fréquence de la douleur ainsi que les facteurs antécédents ou conséquents agissant comme facteur de déclenchement, d'entretien et d'aggravation du phénomène. Cette analyse va envisager les différentes modalités de la douleur : les facteurs somatiques, psychologiques, comportementaux et environnementaux et leur influence sur la douleur. Lorsqu'il y a une discordance importante entre la plainte douloureuse et les données physiopathologiques mises en évidence, il est essentiel d'évaluer l'anxiété et la dépression, qu'elles soient antécédentes ou réactionnelles, étant entendu qu'elles sont capables, à elles seules, de déclencher et/ou d'exacerber la douleur.

La douleur aiguë est principalement associée à l'anxiété, la douleur chronique est par contre souvent associée à la dépression. Plusieurs cas de figures sont ici possibles : (1) soit la dépression est réactionnelle à une douleur rebelle. Cette forme de dépression associée à la douleur est la plus fréquente. On peut dire qu'il s'agit d'un état dépressif d'épuisement ou c'est la chronicité de la douleur beaucoup plus que son intensité qui entre en ligne de compte ; (2) soit nous avons des sujets qui en plus des signes caractéristiques de la dépression se plaignent de douleurs. Ce serait vrai chez 50 % des dépressifs. Lorsque la plainte est disproportionnée par rapport aux éléments organiques (s'il y en a, ils sont minimes), on parle de dépression « masquée » où la douleur remplace un vécu dépressif plus important. Dans ce cas, la douleur est souvent généralisée ou à localisation variable, le patient n'ayant pas toujours conscience de son état dépressif allant même jusqu'à le nier. On essayera dans ce cas de rechercher les signes dépressifs qui précèdent l'apparition de la douleur (asthénie, perte de poids, troubles du sommeil).

Le DSM-III-R va nous aider à établir le diagnostic différentiel des troubles physiques associés à des désordres psychologiques. Cette classification décrite dans la catégorie des troubles somatoformes précisera les formes les plus complexes. Étant donné son étendue, nous ne reproduirons pas ici ces critères.

Il est important de souligner, qu'il serait tout à fait injustifié et réductionniste d'envisager tous les comportements douloureux contrôlés par des phénomènes psychologiques comme étant une manipulation par le sujet, de son entourage, même si ce type d'explication peut être trouvé dans un certain nombre de cas. En fait, la plupart de ces réactions se situent en deçà du champ de conscience de l'individu. On évitera donc, d'étiqueter trop rapidement ces douleurs d'imaginaires, de manipulatoires, entraînant des bénéfices secondaires.

L'analyse fonctionnelle peut s'organiser autour de quelques questions clefs :
1) La douleur a-t-elle débuté dans un contexte particulier, mal vécu par le patient (changement de travail, perte d'emploi, mariage d'un enfant, mariage, divorce, ...) ?

2) Qu'est-ce qui améliore la symptomatologie douloureuse?
3) Qu'est-ce qui aggrave la symptomatologie douloureuse?
4) Y-a-t-il un conflit médico-légal en cours?
5) Quelles sont les conséquences de la douleur persistante pour le patient (évitement de certaines responsabilités, sollicitude accrue de l'entourage, ...) et sa famille?
6) Quelles activités «saines» sont toujours possibles?
7) Comment le patient s'explique-t-il cette douleur qui dure?
8) Quelles sont les attentes par rapport à un éventuel traitement?
9) Quelle est l'influence sur l'humeur du patient?

On encouragera également le patient à tenir un journal d'auto-observation quotidien selon la grille que nous reproduisons en appendice.

TRAITEMENT

L'étape la plus importante va être l'information au patient. En effet, trop souvent, le patient douloureux néglige l'influence des facteurs psychologiques, environnementaux et sociaux sur la douleur, pour se contenter voire se réfugier derrière une explication organique, si minime soit-elle. Cette information va fournir des éléments de compréhension sur l'étiologie, les manifestations et l'évolution possible de la maladie, expliquer au patient comment une douleur peut se maintenir même lorsque la cause, organique ou non, de départ a disparu. Cette étape est essentielle pour augmenter la compliance du patient, son adhésion à un traitement qu'il soit somatique, psychologique ou multi-disciplinaire. Les thérapies cognitivo-comportementales peuvent s'envisager pour améliorer toutes les douleurs chroniques quelle que soit l'étiologie (psychogène, désafférentation, ...). Le but n'est pas nécessairement de faire disparaître la douleur, mais de proposer au patient des stratégies lui permettant de changer le vécu de la douleur. Examinons quelques stratégies.

Stratégies comportementales

On va tenter de réduire voire même de supprimer les comportements douloureux excessifs (grimaces, cris, expressions verbales excessives, ...) en les ignorant systématiquement. Lors de la visite chez le médecin, le patient décrit sa douleur à grands renforts de gémissements, de grimaces, qui, si on y prête attention, deviennent des facteurs d'entretien et d'aggravation de la douleur.
Si le patient évite toute activité par crainte de déclencher la douleur, on lui propose un programme de reprise d'activités progressives s'inspirant de la désensibilisation systématique en respectant la règle de la non-douleur. On encouragera par exemple le patient à remarcher en augmentant progressivement son temps de marche ou la distance sans que cela ne déclenche de douleur. L'étape suivante consistera à changer d'activités et ainsi de suite.

Trop souvent le médecin ou la famille confine le patient dans un rôle de malade et l'incite au repos et à l'arrêt de toute activité. Une augmentation du niveau d'activité conduit à une diminution des sentiments d'incapacité et à une amélioration de l'estime de soi et par là une amélioration thymique et une diminution de l'anxiété.

La prise de médicaments doit être adaptée d'une part, à l'horaire et à l'intensité de la douleur, et d'autre part, au mode d'action des analgésiques utilisés. Une prescription à heure fixe permettra d'obtenir une couverture anti-douleur sur l'ensemble de la journée et diminuera l'anxiété liée à la réapparition de la douleur. On peut dès lors réduire la quantité de douleur et réduire progressivement la consommation de médicaments pour arriver à la dose minimale nécessaire ou à la suppression complète. Parfois, le patient n'a plus de comportement «sain» bien adapté (clinophilie, surconsommation médicale, ...). Le thérapeute devra renforcer les comportements adaptés (exercice physique, ...) et proposer des comportements incompatibles avec la douleur (moment de repos en alternance avec des périodes d'activité, relaxation, ...).

Stratégies d'adaptation cognitive

Les individus confrontés à la douleur ont toujours utilisé des moyens pour y faire face. Il s'agit de techniques de diversion : on demande au patient de fixer son attention sur un élément externe (regarder attentivement un élément du décor) ou interne (faire du calcul mental). La restructuration cognitive («Tout irait bien si je n'avais pas mal» – «Puisque la douleur persiste, c'est que j'ai quelque chose de très grave que l'on me cache», etc.) peut traduire le déni de certains problèmes interpersonnels. Le thérapeute va repérer et corriger les cognitions erronées en rapport avec la douleur.

Relaxation

On peut envisager l'apprentissage d'une technique de relaxation musculaire de type Jacobson car elle est efficace pour réduire l'intensité et la fréquence de la douleur. La relaxation va également permettre au patient de repérer certaines situations génératrices de stress ou anxiogène amenant une tension musculaire importante déclenchant et/ou aggravant la douleur. Elle permet donc, d'aborder les facteurs psychologiques quand le patient se montre réticent.

RÉSULTATS

Il est difficile de repérer dans la littérature l'efficacité prépondérante de l'une ou l'autre de ces techniques étant donné qu'elles ne sont presque jamais utilisées de manière isolée. Il semble qu'elles sont efficaces lorsqu'il existe d'une part, une discordance entre la plainte du patient et les bases organiques objectivées par des examens spécifiques et d'autre part, lorsque des éléments psychologiques modulent de manière effective le déclenchement, l'aggravation et l'entretien de la douleur. Les stratégies purement cognitives n'ont qu'une efficacité limitée si elles sont utilisées seules. Les stratégies comportementales seules visent à une bonne réadaptation du patient, à augmenter le degré d'activité sans tenir compte vraiment du vécu émotionnel. Il semble donc judicieux de mélanger les techniques et de les adapter au mieux au problème (toujours personnel) du patient. Rappelons que toutes ces techniques ne visent pas uniquement la suppression de la douleur, mais une amélioration de la perception subjective de la douleur et une réadaptation.

Bibliographie

BOUDREAU F. — *Pratique du traitement de la douleur.* Doin, Paris, 1988.
MELZACK R., WALL P.D. — *Le défi de la douleur.* Maloine, Paris, 1986.
SCHERPEREEL Ph. — *La douleur et son traitement.* Arnette, Paris, 1988.

Jour	Intensité*	Durée (heures)	Que fait-on pour diminuer la douleur ? (se coucher, arrêter de travailler, ...)	Nombre d'antalgiques	Événements concomitants
Lundi					
Mardi					
Mercredi					
Jeudi					
Vendredi					
Samedi					
Dimanche					

* On demande au patient de coter sa douleur à partir d'une échelle numérique de 0 à 10 sachant que 0 représente l'absence de douleur et 10 la douleur la plus importante imaginable.

ANNEXE 30. — *Grille d'auto-enregistrement.*

31

Troubles cardio-vasculaires

A.-M. ETIENNE, O. FONTAINE

Les maladies cardio-vasculaires, et plus particulièrement la maladie coronaire demeurent la première cause de mortalité des pays développés, responsable de près de 50 % des décès de leur population. Parmi les survivants, on dénombre essentiellement des individus souvent jeunes, ayant encore des responsabilités professionnelles, sociales et familiales. Cette pathologie impose au patient en plus des souffrances physiques et morales, une incapacité de travail plus ou moins grande ou plus ou moins prolongée avec toutes les conséquences inévitables pour l'individu et pour la collectivité.

Une alimentation trop riche, la sédentarité, le tabagisme ainsi que les facteurs biologiques tels l'hyperlipémie et l'hypertension artérielle sont explicitement reconnus dans l'étiologie des coronaropathies.

Toutefois, ces facteurs ne rendent pas compte de la spécificité individuelle de l'affection. On peut ainsi trouver des sociétés avec une faible répartition démographique de la maladie coronarienne, alors que la plupart de ses membres présente certains facteurs de risque, parfois à un niveau élevé.

C'est ce qui a amené certains auteurs à s'intéresser de plus près au style comportemental de ces patients. En 1950, Friedman et Rosenman ont défini ce qu'ils ont appelé le style comportemental de type A. Certaines études démontrent son pouvoir prédictif, d'autres aboutissent à la conclusion inverse. Progressivement, les recherches se sont centrées sur une particularité du comportement de type A, à savoir la composante hostile. Par ailleurs, le champ de la prise en charge du coronarien s'est également élargi. Les méthodes d'action se portent de plus en plus sur les styles adaptatifs face à la maladie coronarienne au sens large.

TABLEAU CLINIQUE

Lorsque l'individu se sent menacé dans sa maîtrise de l'environnement, il organise ses conduites pour rétablir et maintenir le contrôle. Cette situation environnementale fait office de stresseur (voir Fontaine *et al.*, 1987). Or, une réaction active à un stress entraîne une augmentation de la décharge en noradrénaline, tandis que l'état passif conséquent à l'abandon de la lutte face à des situations de stress incontrôlables en entraîne la chute. Cette alternance de stratégies actives et de renoncement semble se répéter en priorité, et plus souvent, chez le type A que chez le type B, moins réactif à la maîtrise des situations qui l'entourent. Dès lors, l'alternance élévation — diminution de catécholamines et les changements rapides entre la réactivité des systèmes sympathiques et para-sympathiques pourraient constituer le processus intermédiaire par lequel les réactions aux événements stressants induiraient des phénomènes biochimiques et physiopathologiques conduisant à la maladie coronarienne.

Par ailleurs, notre société valorise et renforce des comportements comme le surinvestissement professionnel, l'esprit de compétition, la valorisation des responsabilités, le besoin de contrôle et de maîtrise sur l'environnement, l'anticipation continuelle de l'avenir. Ces exigences amènent progressivement les individus à devenir hostiles aux autres, à l'environnement. Ils sont sans cesse obligés de pousser à l'extrême leurs capacités d'adaptation ce qui dans un certain nombre de cas se solde par des épuisements répétitifs, puis le développement d'une maladie coronarienne.

ÉVALUATION, DIAGNOSTIC ET ANALYSE FONCTIONNELLE

Le style comportemental de type A

Friedman et Rosenman définissent ces individus à travers les caractéristiques suivantes :
- une forte propension à la compétitivité et à la réussite sociale ;
- une agressivité parfois fortement réprimée et de l'irritabilité ;
- un constant état d'alerte, de vivacité et d'impatience ;
- un sentiment permanent d'être pressé par le temps et les responsabilités ;
- une hyperréactivité quasi permanente ;
- une explosivité du discours accompagné de contractions de la musculature faciale.

Par opposition, l'individu de style comportemental de type B est décrit comme insouciant, facile à vivre, non pressé et satisfait. Cette distinction aurait dû nous permettre d'envisager une probabilité de développer une maladie coronarienne deux fois supérieure pour les individus de type A. Or, d'une part, les populations européennes ne se subdivisent pas dans cette proportion deux tiers un tiers (Kittel, 1984) et d'autre part, le comportement de type A présenterait l'avantage après un infarctus de réinsérer plus rapidement le sujet dans son milieu socio-professionnel.

Parmi les nombreux questionnaires élaborés afin de procéder à l'évaluation diagnostique du pattern A, nous avons retenu l'échelle de Bortner (voir en annexe) qui permet une passation et un calcul rapide. Le sujet est déclaré de type comportemental A si son score est supérieur à 190. Son utilisation est simple : le patient indique par une seule croix ce qui correspond le plus à son comportement habituel.

La grille de cotation permet d'attribuer un score (de 1 à 24) pour chaque item. La somme des 14 items détermine l'appartenance au groupe A ou B. L'intérêt de cet outil réside dans le choix des comportements évalués. Ils sont facilement compréhensibles, proches de la réalité quotidienne et accessibles à des modifications mesurables. Par exemple, il est aisé de négocier l'item — manger et marcher rapidement — par des informations médico-psychologiques sur leurs effets néfastes au niveau digestif.

L'hostilité

L'individu hostile est quelqu'un qui a peu confiance en ses compagnons. Il voit les gens comme malhonnêtes, peu sociables, immoraux, dangereux et médiocres et pense qu'ils devraient payer pour leurs fautes. Deux remarques s'imposent. Premièrement, le lecteur perçoit rapidement la difficulté de définir ce sentiment, cette émotion qui sous-tend l'hostilité. Ensuite, cette description est essentiellement cognitive. L'intérêt d'une description comportementale se fait sentir et pourrait ultérieurement compléter cette définition de l'hostilité.

Les styles adaptatifs

Parmi les différents styles adaptatifs, examinons-en quatre pour faire face aux situations environnementales.(Fontaine, 1983).

• Le contrôle instrumental

Ces sujets tentent de trouver le moyen de fuir ou d'éviter les situations qu'ils trouvent stressantes, ou encore agissent sur les circonstances mêmes de la situation stressante pour les modifier. Ces individus ont une capacité à anticiper la situation stressante avec un minimum d'anxiété ; en situation de stress, ces individus présentent une charge émotionnelle réduite.

• L'auto-administration

Les individus affrontent volontairement le stress après en avoir soigneusement étudié les paramètres. Les réactions physiologiques au stress sont assez faibles.

• Le contrôle potentiel

Un processus inverse intervient chez ces personnes qui affrontent le stress en espérant le contrôler. Elles évitent d'analyser anticipativement les situations stressantes et ont tendance à croire que, quoi qu'il arrive, elles trouveront une solution. La réponse physiologique au stress est extrêmement sévère.

• *L'incontrôlabilité*

Les sujets perdent tout contrôle avant et en présence du stress. Il s'agit le plus souvent de personnes déprimées pensant être dans l'incapacité d'y échapper quoi qu'elles fassent. La réponse physiologique au stress est également extrêmement sévère et se prolonge en dehors de celui-ci.

Au cours des entretiens, les questions porteront essentiellement sur les évaluations suivantes :
- le ou les styles adaptatifs ;
- la ou les distorsions cognitives ;
- la réaction face à la maladie (et à l'hospitalisation) ;
- les perspectives d'avenir.

Voici quelques questions-types qui permettent ces investigations :

Dans quelle(s) circonstance(s) s'est déclaré votre maladie coronarienne ? Quand avez-vous décidé de consulter ?
Objectifs : a) repérage des informations vis-à-vis de la maladie pour éviter les attributions. Ex. : « les douleurs ressemblaient à une indigestion, car j'avais des nausées ».
b) délai entre apparition des symptômes et hospitalisation pour mesurer le style adaptatif. Par ex. : « je pensais qu'avec le temps les douleurs passeraient ».

Quelle est, selon vous, la cause de votre affection cardiaque ?
Objectifs : a) repérage des informations vis-à-vis des facteurs de risque et motivation à la modifier. Ex. : « j'ai déjà entendu via les médias que le tabac était nocif, mais je ne sais pas si je saurai m'en passer ».
b) repérage du type d'attribution interne-externe, spécifique et générale, et d'éventuelles distorsions cognitives. Par ex. : « c'est de la faute de mon fils qui m'a mise en colère ».

Comment réagissez-vous devant cette maladie ? Comment réagit votre conjoint, votre entourage familial ?
Objectifs : a) repérage des émotions associées pour atténuer les extrêmes comme le désarroi, l'agressivité. Ex. : « Il n'est pas question que je reste hospitalisé plusieurs jours, je me sens très bien... ».
b) repérage du support social et des perspectives de co-thérapie future. Par ex. : « je souhaiterais rencontrer la diététicienne pour aider mon conjoint dans son régime alimentaire ».

TRAITEMENT

De plus en plus, les psychologues ou psychothérapeutes insistent sur la précocité de la prise en charge du coronarien. En effet, au moment où le malade arrive en milieu hospitalier, il est légitime au point de vue psychologique de parler d'une forme de stress aigu. Dès lors, dans une conception bio-psycho-sociale de l'être humain, une prise en charge psychologique s'impose dès les premières heures d'arrivée. Néanmoins, comme dans tout échange relationnel, il convient de s'assurer que la personne est disposée à communiquer.

Nous nous inspirons à la fois des techniques et de la théorie de la médecine comportementale ainsi que des définitions de base de la psychologie de la santé. Ce travail s'effectue préférentiellement dans une optique multidisciplinaire. Les différents intervenants sont un médecin-cardiologue, un psychologue, un assistant social, un kinésithérapeute, un diététicien ainsi qu'une étroite collaboration avec le médecin traitant.

Nous avons subdivisé notre prise en charge en quatre moments : l'hospitalisation (de l'unité de soins intensifs jusqu'au lit banalisé); la convalescence; la réadaptation fonctionnelle cardiaque (sauf contre-indication médicale); la reprise des activités socio-professionnelles.

L'hospitalisation

Au cours de son séjour, le coronarien va devoir affronter des situations très différentes les unes des autres allant de techniques médicales très invasives jusqu'à la cohabitation avec des personnes atteintes de la même maladie que lui. Il importe donc dès le premier entretien de lui laisser exprimer toutes ses émotions, ses peurs, ses appréhensions mais aussi ses perceptions et connaissances sur le monde médical. L'objectif thérapeutique sera orienté vers une rationalisation de ses propos dans le cas de réactions anxieuses importantes. D'autre part, dans le cas d'une mise à distance voire d'une banalisation, l'entretien sera essentiellement consacré à une sensibilisation plus grande vis-à-vis de ce que nous pourrions appeler le capital santé. Par exemple, il serait opportun maintenant de choisir entre «je modifie mes facteurs de risque et la probabilité de rechuter s'amenuise» ou «je vis comme avant au risque de récidiver rapidement et avec gravité».

Actuellement, la plupart des équipes pluridisciplinaires disposent de brochures explicatives; celles-ci décrivent la technique dans sa procédure et parfois dans les sensations associées à la coronarographie (gêne, sensation de chaleur, douleur). D'autres équipes recourent en même temps au modeling soit à travers un montage vidéo soit grâce à un patient hospitalisé qui accepte de raconter sa propre expérience. Revenons aux styles «incontrôlabilité» et «contrôle potentiel». Les informations prodiguées nécessitent une graduation en fonction de l'intensité de l'anxiété. D'autre part, il faut permettre à la personne sollicitée de garder le pouvoir de décision sur l'accord ou non de subir cet examen.

Enfin, via les multiples interactions soignés-soignants, le thérapeute renforcera les modifications comportementales, à savoir, la compliance au traitement médical, le sevrage tabagique, un meilleur équilibre alimentaire. En résumé, l'adoption d'une hygiène de vie physique et psychologique saine sera de mise. La probabilité de freiner la maladie et donc de participer activement au traitement médical va nous servir de renforcement positif. Par ailleurs, cette participation active constitue un moyen d'anticiper une éventuelle réaction dépressive. Il est important de reconstruire un cadre positif afin d'éviter l'installation de croyances du type : «je ne suis plus utile, j'ai perdu la plupart de mes capacités».

La convalescence

Le retour à domicile nécessite quelques informations spécifiques. En effet, des troubles anxieux peuvent apparaître suite à la perte de protection qu'engendrait l'hôpital. A nouveau, une programmation concrète des différentes activités de la vie quotidienne sera source de réassurance. Une autre source d'anxiété peut être le diagnostic différentiel entre des symptômes dits atypiques et une crise d'angine de poitrine. Le psychologue sélectionnera avec le coronarien les guides individuels dans cette discrimination. Par exemple, à travers l'utilisation des dérivés nitrés en cas d'angine de poitrine résiduelle. Il sera également judicieux d'attribuer au conjoint ou à la famille le rôle de co-thérapeute afin d'éviter essentiellement une hyperprotection.

La réadaptation cardiaque

Il s'agit dans ce contexte d'élargir la prise en charge psychologique à des techniques plus spécifiques. Ainsi, le coronarien ayant apporté les modifications comportementales — en termes de facteurs de risque — trouvera à travers l'activité physique un complément de renforcements positifs. Par contre, ceux pour qui l'hostilité reste encore un moyen de faire face aux situations stressantes pourront être insérés dans une prise en charge psychologique adaptée à leurs difficultés personnelles. Nous pensons que cette hostilité est souvent un signe de dysfonctionnement au niveau de la communication ou encore un faible niveau de créativité devant les problèmes de la vie quotidienne (à l'hyperréactivité succède l'hypervigilance qui diminue les capacités d'adaptation).

La reprise

La reprise professionnelle peut être envisagée de plusieurs manières :
1. la personne reprend sa vie professionnelle déjà au cours de sa réadaptation, à temps plein ou à mi-temps. Elle a opéré ou non des modifications par rapport au type de travail, à l'horaire, ...
2. le coronarien reprend à mi-temps, après sa réadaptation cardiaque dans le but de se ménager une période d'essai avant la reprise complète.

3. la personne reprend à mi-temps, avec des modifications ou non à l'intérieur de son emploi.

Naturellement, d'autres alternatives — allant de la non-reprise définitive jusqu'à la reprise immédiate sans réadaptation — sont également envisageables. Les critères reposent sur une évaluation objective, médicale, mais aussi subjective, psycho-sociale. Citons en exemple, ce chauffeur qui se voit interdire par son patron de le véhiculer en voiture, mais qui par contre, peut assurer le transport d'autres personnes. Subjectivement, cette reprise avec ces modalités est perçue comme dévalorisante et aurait pu entraîner une dépression réactionnelle.

Cas clinique

Pour illustrer l'intérêt d'une prise en charge précoce et ciblée grâce à l'analyse fonctionnelle, voici le cas de Monsieur T. Celui-ci s'est présenté dans notre centre de réadaptation cardiaque sans avoir pu bénéficier de la prise en charge psychologique décrite ci-dessus.

Monsieur T. a subi un triple pontage aorto-coronarien. Il est âgé de 63 ans, ouvrier prépensionné. Il s'interroge sur la nécessité de son opération. Il a eu l'occasion de se comparer aux autres et surtout, il constate que la plupart ont éprouvé des symptômes cardiaques spécifiques, mais n'ont pas subi de pontage aorto-coronarien. Au moment de la décision, il lui semble que la pression médicale est forte, au point de ne pas lui laisser le choix. Actuellement, il est de plus en plus convaincu que ce pontage s'est fait trop vite et d'ailleurs, il n'en retire que des conséquences négatives (douleurs cicatricielles, fatigue, ...). Son hypothèse est qu'un traitement médical couplé à une gymnastique aurait pu lui permettre d'obtenir d'aussi bons résultats.

Au niveau du traitement préventif d'une dépression réactionnelle (décalage entre les attentes du sujet et la réalité objective) nous avons utilisé le modèle de la restructuration cognitive de Beck. Ainsi, nous avons amené le patient à identifier qu'il existait plusieurs hypothèses justifiant un pontage aorto-coronarien. Dans ce cas précis, l'absence de symptômes caractéristiques cardiologiques était compensée par des résultats à la coronarographie hautement révélateurs du degré de gravité médicale. D'autre part, l'analyse fonctionnelle au stade des antécédents immédiats, permit de repérer des symptômes tels qu'essoufflement à l'effort, au repos, des signes de fatigue et d'irritabilité. Cette mise en évidence conforta d'une part, l'hypothèse de la gravité médicale et d'autre part, fournit au patient un registre comportemental spécifique de ses manifestations coronariennes : essoufflement, fatigue anormale, irritabilité pourraient se manifester avant l'apparition de douleurs ischémiques.

RÉSULTATS

La prise en charge psychologique du patient coronarien vise essentiellement à une adéquation entre les attentes du malade et la réalité médicale objective. La précocité du traitement favorisera cette adéquation. L'approche cognitivo-comportementale associée à la prise en charge médicale a permis une réduction du temps d'hospitalisation, une diminution de l'anxiété, un évitement des dépressions réactionnelles, tout en assurant une meilleure compliance médicale. En modifiant les styles adaptatifs ainsi que les composantes hostiles du type A, on assure une meilleure prévention de la rechute.

Bibliographie

FONTAINE O. — Approche comportementale du «stress», de «l'anxiété» et «gestion du stress». *L'encéphale, 9*, 43-48, 1983.

FONTAINE O., ETIENNE A.M., BROUETTE B. — «Pattern» comportemental de Type A, Stress et Maladie Coronarienne. I. Brève revue de la littérature. *Revue Médicale de Liège, 24*, 1983.

GATCHEL R.J., BAUN A., KRANTZ D.S. — *An Introduction to health psychology.* Mc Graw Hill, New York, 1989.

KITTEL F. — *Approche psychosociale de la prévalence et de l'incidence des affections coronariennes.* Projet belge de prévention des affections cardio-vasculaires. Thèse de Doctorat en Santé publique, 1984.

MAES S., SPEILBERGER C.D., DEFARES P.B., SARASON I.G. — *Topics in health psychology.* Wiley, New York, 1988.

Instructions

Chacun de nous peut se situer quelque part le long de chacune des lignes ci-dessous entre les deux positions extrêmes. Ce que nous attendons de vous, c'est de faire une croix sur chaque ligne, à l'endroit où vous pensez vous situer entre les deux positions extrêmes. La croix peut être située à n'importe quel endroit de la ligne et pas forcément sur les graduations ou au milieu des cases.

Par exemple :

aime les aliments   ne sale jamais
très salés   ses aliments

S'il vous plait, n'oubliez surtout pas de remettre le questionnaire dès votre prochain rendez-vous. Merci.

Avant de compléter ce questionnaire, veuillez inscrire :

votre NOM : ....

votre PRÉNOM : ....

Ne rien inscrire
dans ces cases

1. Jamais en retard.   Ne prête pas grande
                                   attention à être exact
                                   aux rendez-vous.

2. N'a guère l'esprit de lutte.   Esprit de lutte très élevé.
   N'est guère combatif.   Est très combattif.

3. N'attend pas que les autres   Bon auditeur : s'applique
   aient fini d'exprimer ce qu'ils à écouter les autres
   veulent dire (signes de tête,   jusqu'au bout.
   coupe ses interlocuteurs,
   achève les phrases pour eux).

ANNEXE 31. — *Questionnaire d'auto-évaluation Bortner.*

4. Toujours pressé.   Ne se sent jamais pressé même
                                       sous la pression de son entourage
                                       ou des événements.

5. Sait attendre patiemment.   Impatient
                                       lorsqu'il doit attendre.

6. Met tout en œuvre pour   Prend les choses
   atteindre un but, s'engage   comme elles viennent,
   à fond dans une tâche   insouciant

7. Fait une chose à la fois.   Pense toujours à ce qu'il va
                                       falloir faire ensuite. Essaie
                                       de faire plusieurs choses à la fois.

8. Energique et vigoureux en parlant   Lent, pondéré, circonspect
   (peut frapper du poing sur la table dans sa façon de s'exprimer.
   pour appuyer ses paroles).

9. Veut que ses qualités   Uniquement soucieux d'être
   de bon travailleur soient   content de lui quoique les
   reconnues par les autres.   autres puissent en penser.

10. Rapide pour manger,   Fait les choses posément.
    pour marcher.

11. Prend les choses tranquillement,   Se fait la vie dure,
    ne se fait pas de bile.   se mène durement.

12. Cache ses sentiments.   Démonstratif dans ses sentiments.

13. A de nombreux centres d'intérêt.   Peu d'intérêts en dehors du travail.

14. Satisfait de son travail,   Ambitieux de progresser
    content de sa situation.   plus haut dans l'échelle sociale.

Cotation Borner

Item 1	24	————	0
Item 2	0	————	24
Item 3	24	————	0
Item 4	24	————	0
Item 5	0	————	24
Item 6	24	————	0
Item 7	0	————	24
Item 8	24	————	0
Item 9	24	————	0
Item 10	24	————	0
Item 11	0	————	24
Item 12	0	————	24
Item 13	0	————	24
Item 14	0	————	24

Index alphabétique

Photocomposition

L'ATELIER DU LIVRE

Quai van Hoegaarden 2/131 - Liège

Dépôt légal 4e trimestre 1992
Bibliothèque nationale du Québec
Bibliothèque nationale du Canada

MASSON Éditeur
120, boulevard Saint-Germain
75280 Paris Cedex 06
Dépôt légal : décembre 1992

Société des nouvelles éditions liégeoises, SA
Rue Saint-Vincent 12 - 4020 Liège
novembre 1992